AnosioS

Catalogage avant publication de Bibliothèque et Archives nationales du Québec et Bibliothèque et Archives Canada

Guay, Daniel, 1981-
Anosios
Sommaire: t. 2. Le siège d'Ymirion.
ISBN 978-2-89585-070-0 (v. 2)
I. Titre. II. Titre: Le siège d'Ymirion.
PS8613.U26A66 2010 jC843'.6 C2010-940414-9
PS9613.U26A66 2010

Image de couverture : Chantal McMillan, Polygone Studio

Les Éditeurs réunis bénéficient du soutien financier de la SODEC et du Programme de crédits d'impôt du gouvernement du Québec.

Nous remercions le Conseil des Arts du Canada de l'aide accordée à notre programme de publication.

Nous reconnaissons l'aide financière du gouvernement du Canada par l'entremise du Fonds du livre du Canada pour nos activités d'édition.

Édition :
LES ÉDITEURS RÉUNIS
www.lesediteursreunis.com

Distribution au Canada :
PROLOGUE
www.prologue.ca

Distribution en Europe :
DNM
www.librairieduquebec.fr

 *Suivez Les Éditeurs réunis sur Facebook.*

Imprimé au Canada

Dépôt légal : 2010
Bibliothèque et Archives nationales du Québec
Bibliothèque nationale du Canada
Bibliothèque nationale de France

DANIEL GUAY

ANOSIOS

2. LE SIÈGE D'YMIRION

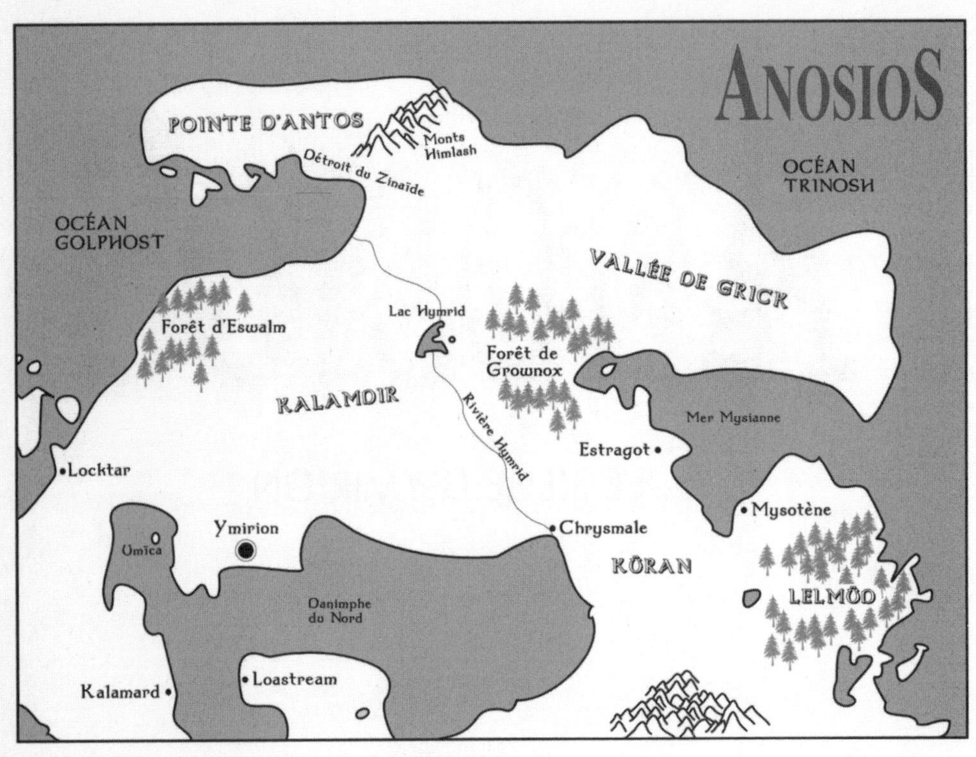
ANOSIOS
POINTE D'ANTOS
Monts Himlash
Détroit du Zinaïde
OCÉAN TRINOSH
OCÉAN GOLPHOST
VALLÉE DE GRICK
Lac Hymrid
Forêt d'Eswalm
Forêt de Grownox
KALAMOIR
Rivière Hymrid
Mer Mysianne
Estragot
Locktar
Mysotène
Ymirion
Chrysmale
Umica
KÖRAN
LELMÖD
Danimphe du Nord
Loastream
Kalamard

Chapitre 1

Sans égard pour les habitants, le feu ravageait le village, qui ne pouvait subvenir aux besoins d'un si féroce appétit. Malgré la lune qui hésitait à se montrer, la nuit était presque aussi claire que le jour. Les maisons, dévorées par l'incendie, n'étaient plus que d'étranges silhouettes décharnées. Quelques poutres avaient été épargnées ici et là. Les flammes, avides de conquêtes, piégeaient sans cesse de nouvelles proies, sans se soucier d'achever celles qu'elles avaient entamées. Seules les structures de pierre, inébranlables, se dérobaient à la convoitise du feu. Loin à l'ouest du royaume de Kalamdir, on pouvait apercevoir les nuages rouges qui survolaient le village agonisant.

Désemparée, assise dans une rue au milieu du brasier, une vieille femme serrait dans ses bras le corps inerte d'une petite fille. Le visage de l'octogénaire était noir de cendre et sa peau avait par endroits été léchée par les flammes. Les larmes aux yeux, elle regardait ce qui restait du village dans lequel elle avait grandi. La perte des bâtiments était regrettable, mais ce n'est pas ce qui torturait le cœur de la pauvre femme. Partout autour d'elle gisaient les cadavres des habitants du village. Tout laissait croire que les malheureux avaient péri dans l'incendie, mais un fléau bien plus terrible s'était saisi de leurs vies.

Un reflet attira l'attention de la dame. Elle releva péniblement la tête pour voir d'où provenait cette lumière. Au bout de la rue principale avançait une poignée de guerriers. À leur tête, plus grand que les autres, l'un d'eux pointait son doigt en direction des survivantes. Suivi de près par ses semblables, il courut jusqu'à la vieille femme. Cette dernière n'essaya pas de fuir. Elle avait tant perdu, en quelques heures à peine, qu'elle ne se souciait plus de préserver sa vie.

— Je m'appelle Ithan'ak, chef du clan des kourofs. Que s'est-il passé ici ?

Sans broncher, l'octogénaire examina son interlocuteur. Elle n'avait jamais vu de warrak auparavant, mais la description qu'on lui avait faite de ces barbares était très fidèle à la réalité. Une fourrure grisâtre, l'amalgame d'un visage humain et des traits féroces du loup, quelques écailles recouvrant certaines parties du corps, il ne manquait que les yeux rouges flamboyants. En effet, le regard du chef des kourofs était vert comme les feuilles d'un arbre.

— Je ne vous ferai aucun mal, dit Ithan'ak. Je veux seulement que vous me renseigniez.

Indifférente aux paroles du jeune chef, la vieille femme continua son analyse. Contrairement à ce qu'on lui avait raconté, les warraks n'étaient pas des sauvages ignorant l'usage des vêtements. En effet, Ithan'ak et ses semblables étaient vêtus d'une cuirasse de cuir brun, d'un pagne ainsi que de bottes en fourrure. De plus, ils possédaient tous un dangereux glaive habilement forgé dans l'acier. De toute évidence, les histoires qui circulaient à propos des warraks relevaient en grande partie de la propagande.

— Madame, j'attends de vous des explications, dit Ithan'ak, qui devenait impatient.

— Ne la brusque pas, intervint Vonth'ak, qui était resté à l'écart jusque-là. Ne vois-tu pas qu'elle est toujours en état de choc ?

Venant de la part d'un autre membre de son clan, Ithan'ak aurait sévèrement puni le warrak qui se serait adressé à lui aussi cavalièrement. En effet, Vonth'ak n'était pas un kourof comme les autres. Certes, il était très familier avec son chef et arborait une tunique rouge plutôt qu'une cuirasse, mais une autre caractéristique le différenciait davantage : de son corps émanait une pâle lueur argentée. Les jours où il gâchait ses forces à dissimuler sa différence étaient révolus. Les kourofs, inconfortables au départ, s'étaient finalement habitués à côtoyer le magicien.

Doucement, Vonth'ak s'approcha de la dame âgée et lui demanda si elle était blessée. Elle répondit non d'un signe de la tête. Le warrak porta ensuite son attention sur l'enfant, qui reposait dans les bras de la vieille femme. La pauvre petite respirait à peine. Sans une intervention immédiate, elle ne survivrait pas plus d'une heure.

Sans consulter son chef, le magicien ordonna aux kourofs de reculer pour lui donner de l'espace. Il expliqua à la vieille femme qu'il était apte à soigner la fillette, à condition de pouvoir la prendre dans ses bras.

— Comment puis-je vous faire confiance ? demanda-t-elle.

— Je ne peux malheureusement pas vous prouver ma bonne foi. Vous devez me faire confiance, sinon cette enfant n'a aucune chance de survivre.

L'habitante perçut la sincérité dans la voix de Vonth'ak et lui abandonna sa protégée.

Le magicien se mit immédiatement à l'œuvre. Lentement, il passa sa main droite sur le corps de l'enfant dans le but de découvrir la blessure. Du bout de ses doigts s'échappait un filet argenté, qui épiait les organes vitaux de la fillette.

— Le cœur et les poumons sont mal en point, dit Vonth'ak à l'intention d'Ithan'ak. La guérison prendra un bon moment.

— Fais ce que tu peux, répondit le jeune chef, mais je ne veux pas m'attarder ici. Si tu n'as pas terminé dans vingt minutes, tu devras la laisser.

Vonth'ak savait qu'Ithan'ak ne laisserait jamais mourir une innocente fillette s'il pouvait l'éviter. Il s'empressa tout de même de commencer à prodiguer ses soins. Toujours avec sa main droite, il créa un serpent vert transparent, qui s'engouffra dans la bouche de l'enfant. La vieille femme, qui n'avait pas bougé, laissa échapper un cri de terreur.

— Ne vous en faites pas, la rassura Vonth'ak. Ce n'est pas un serpent comme les autres. Il réparera les dommages à l'intérieur de votre petite.

Ithan'ak, dont la question n'avait toujours pas obtenu de réponse, s'éloigna à la recherche d'indices. Lorsqu'il fut suffisamment loin de ses guerriers, il posa sa main droite sur le cadavre d'un homme. Contrairement à Vonth'ak, aucune lumière ni aucun filet ne s'échappèrent de la paume du jeune chef. Seul un œil exercé aurait pu voir la magie que déployait le warrak. Ce dernier, lors de sa rencontre avec le dieu de la guerre, avait reçu un don inestimable. Ithan'ak ne l'avait pas immédiatement perçu comme un cadeau, mais Vonth'ak l'avait progressivement encouragé et aidé à utiliser ce nouveau pouvoir. Chaque jour, le magicien entraînait le jeune chef à maîtriser la magie que déployait son bras droit. Ithan'ak, fort de son expérience avec Nicadème lors de son séjour dans la forêt de Grownox, s'était rapidement montré à la hauteur.

Concentré, le chef des kourofs utilisait la mémoire du défunt pour revivre en pensée les récents événements qui avaient conduit le village à la ruine. Il ne mit pas longtemps à établir le contact.

* * *

Plus tôt dans la soirée, les habitants vaquaient à leurs occupations. Certains se dirigeaient vers l'auberge où une fête avait lieu, alors que d'autres préféraient rentrer chez eux prendre du repos après une longue journée de travail. Alors que les festivités étaient à leur comble, on entendit un cri d'effroi provenant de l'arrière du bâtiment. Quelques minutes auparavant, deux tourtereaux avaient fui l'assemblée pour aller échanger des mots doux derrière le commerce. De toute évidence, un événement horrible était arrivé, car la jeune fille revint dans l'auberge couverte de sang.

— William a été tué ! hurlait-elle.

Alarmé, le maire du village interrogea la malheureuse pour savoir qui avait mis fin aux jours de son prétendant.

— Je n'en sais rien, répondit la jeune fille presque hystérique. Cette chose est sortie de nulle part, sans un bruit. Ce n'était pas humain, ce n'était pas vivant ; une ombre.

— Elle est sous le choc, dit le maire. Elle ne sait plus ce qu'elle dit. Il est clair que William a été assassiné et nous devons retrouver son meurtrier avant que ce dernier prenne la fuite.

Les villageois étaient pour la plupart des fermiers qui ne connaissaient rien au maniement des armes, mais ils avaient autant de courage que n'importe quel soldat. En quelques minutes, une quarantaine d'hommes s'étaient équipés de fourches et de faux et étaient prêts à ratisser le village à la recherche d'un étranger. À l'abri derrière les fenêtres, les femmes observaient l'évolution de la battue. Un calme désarmant régnait sur le village.

— À l'aide ! s'écria un homme qui courait comme un dément au milieu de la rue principale. Le spectre de la mort vient…

Avant qu'il ait terminé sa phrase, un jet de sang s'échappa de la bouche de l'homme. Ses yeux se figèrent et il s'effondra sur le sol, blessé à mort. Malgré le nombre important de villageois qui avaient assisté au drame, aucun d'entre eux n'avait clairement distingué ce qui était arrivé.

— Qu'est-ce que c'était ? demanda une femme affolée.

— Je n'en sais rien, répondit sa sœur. Je n'ai vu qu'une ombre se glisser derrière le malheureux, puis un éclat de lumière.

Un nouveau cri de terreur retentit dans une rue adjacente ; puis un autre à l'autre bout du village. Rapidement, la panique avait gagné l'ensemble des villageois. Puisque ces derniers étaient incapables d'organiser une défense efficace, le nombre de victimes augmentait sans cesse. Hommes, femmes et enfants, aucun d'entre eux n'était épargné. Sous les coups des meurtriers invisibles, plusieurs villageois avaient laissé tomber leur lanterne et, en très peu de temps, un dangereux incendie s'était emparé du village. Il devenait clair que les ombres meurtrières ne laisseraient à personne la vie sauve.

* * *

— Que fais-tu ? demanda une petite voix, qui rompit la connexion entre Ithan'ak et le défunt dont il lisait les souvenirs.

Skeip fixait le jeune chef de ses gros yeux globuleux. Ses paupières, enflées, témoignaient qu'il avait beaucoup pleuré. En effet, le rongeur n'avait pu refouler ses émotions face au massacre des villageois. Seule sa curiosité avait pu mettre fin à ses pleurs, et il était maintenant impatient de connaître ce qu'Ithan'ak avait découvert.

— Je croyais t'avoir dit de rester en retraite hors du village avec mes autres guerriers, le rabroua le chef des kourofs. Tu n'es pas en sécurité ici.

— Bien sûr que si, répondit le keenox, puisque je suis avec toi. D'un autre côté, c'est peut-être toi qui es davantage en sécurité avec moi. Voilà pourquoi tu m'emmènes partout où tu vas.

— Détrompe-toi, répliqua Ithan'ak. Je te traîne avec moi afin d'éviter que tu tombes une nouvelle fois entre les mains du seigneur de Kalamdir ; ou plutôt entre les griffes de son magicien. Ton existence est une menace pour le continent.

Skeip ne se laissa pas démoraliser par les propos du jeune chef. Il était convaincu qu'Ithan'ak ne pensait pas vraiment ce qu'il disait. Curieusement, le keenox avait raison. Le warrak s'était graduellement habitué à la présence du rongeur et à son indomptable besoin de babiller. D'ailleurs, la majorité des kourofs appréciaient le keenox, qui se prenait pour le personnage le plus important d'Anosios.

— Qu'as-tu encore inventé pour que mes capitaines te laissent venir jusqu'ici ? demanda Ithan'ak. Je suis prêt à parier qu'ils en avaient assez d'entendre le récit de tes exploits.

— Au contraire, répondit Skeip en levant le museau. Je suis chargé d'une mission de la plus haute importance.

— Je n'en doute pas, s'amusa le jeune chef, qui avait du mal à garder son sérieux. Quelle importante et sérieuse nouvelle as-tu pour moi ?

Skeip, qui n'avait pas saisi le sarcasme dans le ton d'Ithan'ak, se gonfla la poitrine pour se donner une contenance.

— Kamélia, commença le rongeur, ambassadrice de la forêt de Lelmüd, désire s'entretenir avec le chef des kourofs.

— Enfin ! s'exclama Ithan'ak, satisfait. Je commençais à me demander si elle ne m'avait pas oublié.

Accompagné de Skeip, le jeune chef rejoignit Vonth'ak et les quelques guerriers qu'il avait laissés auprès de la vieille femme et de sa protégée. Il fut heureux de constater que le magicien avait réussi à guérir la fillette. Celle-ci pleurait les parents et les amis qu'elle avait perdus, mais elle paraissait en pleine forme. Ithan'ak ordonna qu'on donne de l'eau et des vivres en quantité suffisante aux deux rescapées pour qu'elles puissent rejoindre un village voisin.

— Nous ne pouvons pas les laisser parcourir ce trajet seules, s'opposa Vonth'ak. C'est beaucoup trop dangereux.

— Nous avons déjà fait plus que notre devoir, dit sévèrement Ithan'ak, qui n'aimait guère l'attitude du magicien. Nous sommes en guerre, ne l'oublie pas.

Vonth'ak allait répliquer lorsque la vieille femme le retint par le bras. Elle s'approcha ensuite d'Ithan'ak, la tête basse, et lui baisa la main en signe de reconnaissance.

— Jamais plus je ne croirai les mensonges que l'on raconte à propos de votre peuple, lui dit-elle. Soyez certain que vous avez toute ma gratitude et celle de ma petite-fille. N'ayez aucune crainte, nous saurons trouver notre chemin jusqu'au village voisin, où j'ai de la famille qui saura prendre soin de nous.

La grand-mère tourna les talons et prit la main de la fillette, qui pleurait toujours. Lentement, elles partirent en direction de l'est. Vonth'ak n'était pas satisfait de la situation, mais il savait qu'il ne servait à rien d'argumenter davantage avec Ithan'ak. Ce dernier était plus sévère que jamais.

Plusieurs lunes s'étaient écoulées depuis l'ascension du nouveau priman'ak. Ithan'ak, qui avait participé au tournoi, avait échoué en finale contre Kran'ak, le belliqueux chef des sciaks. Les jours suivant ce combat épique, des décisions importantes avaient été prises pour l'avenir des warraks. Kran'ak, devenu priman'ak, avait ordonné à tous les clans d'assiéger la cité d'Ymirion. Selon lui, maintenant que les warraks avaient éliminé l'armée du sud de Kalamdir, la grande cité ne tiendrait pas très longtemps. Une fois de plus, Ithan'ak s'était montré en désaccord avec le chef des sciaks.

Lorsqu'il avait fui avec Skeip la capitale de Kalamdir, protégé par un voile d'invisibilité créé par Vonth'ak, le jeune chef avait pu observer en détail les défenses de la cité. Celle-ci comprenait une seule entrée et un mur d'enceinte d'une telle épaisseur et d'une telle hauteur qu'il était carrément imprenable. De plus, de multiples tours de guet, appuyées par d'innombrables trébuchets, étaient prêtes à recevoir quiconque oserait défier la demeure du roi Limius.

Durant plusieurs jours, Ithan'ak avait essayé de faire comprendre à son nouveau priman'ak qu'assiéger Ymirion était une mauvaise idée. Selon lui, les warraks n'arriveraient jamais à franchir le mur d'enceinte. Au contraire, cette folie permettrait au souverain de Kalamdir de rappeler à lui ses troupes campées dans le nord.

— Qu'elles viennent ! avait rugi Kran'ak. Nos puissants glaives sont impatients de les recevoir.

Le priman'ak en avait assez d'endurer sans cesse les objections du chef des kourofs, son principal rival. Il aurait volontiers ordonné qu'on mette fin aux jours de l'impudent, mais Ithan'ak jouissait d'une importante renommée au sein des différents clans. Kran'ak ne souhaitait surtout pas en faire un martyr. La seule solution qu'il lui restait était de discréditer le chef des kourofs.

— Que proposes-tu que nous fassions ? avait-il un jour demandé à Ithan'ak, lors d'un conseil des chefs. Ymirion est presque entre nos mains et tu es trop couard pour affronter d'inoffensives murailles.

Ithan'ak, non sans difficulté, ne s'était pas laissé prendre par la colère. Il savait que c'était précisément ce qu'espérait Kran'ak. La loi interdisait formellement de défier le priman'ak avant la fin de son mandat. Y déroger menait inéluctablement à la peine de mort. Le jeune chef, plutôt que de se laisser prendre au piège, avait profité de l'occasion qui lui était donnée pour exposer ses idées à tous les chefs de clan.

Il avait d'abord énuméré les différentes défenses de la cité d'Ymirion, afin de démontrer une fois pour toutes qu'il n'y avait aucune chance que la capitale tombe aux mains des warraks. Une fois ce point établi, il avait proposé d'opérer des raids dans tout le royaume de Kalamdir. Le but était de diviser les armées du roi Limius, qui étaient trop nombreuses pour être vaincues si elles demeuraient unies. Par la même occasion, le chef des kourofs avait suggéré de s'emparer des récoltes de nourriture du royaume de Küran et de détruire les surplus. De cette façon, l'armée adverse ne serait plus approvisionnée et les soldats ne tarderaient pas à déserter ou, encore mieux, à se mutiner.

L'exposé d'Ithan'ak, semblable à celui qu'il avait fait avant la bataille de Locktar, avait cette fois-ci été si convaincant que plus de la moitié des chefs avaient appuyé sa démarche. Malheureusement pour lui, malgré tous les appuis qu'il avait reçus, la décision revenait au priman'ak. Et il n'y avait aucune chance que Kran'ak soutienne le plan du warrak qu'il considérait comme son plus grand opposant.

— L'armée que tu proposes de diviser est campée dans le nord et ne présente aucune menace pour nous, avait répliqué le chef des sciaks. Nous devons demeurer ici et tuer le roi qui commande à ces troupes. Lorsque l'on coupe la tête du serpent, il ne présente plus aucun danger.

Certains chefs avaient applaudi les paroles du priman'ak, mais cet enthousiasme n'était pas partagé par tous. Kran'ak était bien conscient de la situation et il était décidé à remédier au problème.

— Je suis le haut chef des armées warraks, avait-il déclaré. Cela ne veut pas dire que je ne puis écouter les conseils d'un valeureux chef comme Ithan'ak. Puisqu'il a défendu son point de vue avec tant de conviction, je vais l'autoriser à mettre son plan à exécution. Dès demain, les kourofs partiront opérer au cœur du royaume de Kalamdir. Cependant, il ne leur sera pas permis de s'en prendre aux récoltes des Küraniens.

Cette annonce avait été une surprise pour tous, spécialement pour Ithan'ak.

— Guidés par leur chef, ils terroriseront les villageois, ajouta Kran'ak d'un ton sarcastique. Nul doute que l'histoire louangera leurs si courageuses victoires.

Une fois de plus, Ithan'ak avait dû user de toute sa maîtrise de soi pour ne pas se ruer sur le warrak qui le ridiculisait publiquement. Quoi qu'il en soit, la manœuvre de Kran'ak n'avait pas eu l'effet escompté. Certes, il avait réussi à éloigner Ithan'ak, mais ce dernier était plus populaire que jamais.

Afin d'être plus efficace sur le terrain, le jeune chef avait décidé que les femmes et les enfants de son clan demeureraient au siège d'Ymirion, où ils ne courraient aucun danger pour l'instant. Lorsque les kourofs avaient commencé à s'en prendre aux camps militaires et aux milices dispersées dans le royaume de Kalamdir, le roi Limius avait ordonné à son général en chef de mobiliser un nombre suffisant de troupes, campées dans le nord, pour remédier à la situation. Karst, le général en question, s'était avec joie lancé à la poursuite du warrak à qui il devait sa défiguration. Alors que tous les clans, sous les ordres de Kran'ak, assiégeaient paresseusement la cité d'Ymirion, Ithan'ak et ses guerriers remportaient des victoires éclatantes contre des adversaires souvent de beaucoup supérieurs en nombre. Karst, qui sortait chaque fois indemne du combat, avait à plusieurs reprises recruté de nouvelles troupes pour remplacer celles qu'il avait perdues.

De son côté, Kran'ak ne savait plus comment réagir. Chaque jour, il entendait louer les victoires de son rival, sans compter les provisions que ce dernier envoyait immanquablement après chaque bataille. Le priman'ak regrettait amèrement de ne pas avoir tué Ithan'ak quand il en avait eu l'occasion. À présent, la popularité du chef des kourofs était trop importante pour se débarrasser de lui.

Ithan'ak était conscient de la situation, mais quelques faits d'armes ne permettaient pas à un chef de clan de défier l'autorité du priman'ak. Néanmoins, il savait que Kran'ak n'arriverait jamais à prendre la cité d'Ymirion et qu'un jour ou l'autre les warraks devraient se préparer à combattre les armées du nord de Kalamdir. Les warraks avaient récemment réussi à vaincre les armées peu nombreuses et mal entraînées campées au sud, avec l'aide des cavaliers de la plume argentée. Mais Ithan'ak savait qu'il en serait différent avec la véritable armée de Kalamdir. C'est pour cette raison que le jeune chef avait envoyé Elwym et Kamélia négocier au nom des warraks une alliance avec les hylianns. D'après Skeip, seule Kamélia était revenue.

Ithan'ak, laissant le village en feu derrière lui, était impatient de connaître la réponse du haut conseil des hylianns. Il se hâta de regagner les bois où ses guerriers l'attendaient.

— Désolé de vous avoir envoyé le keenox, s'excusa le capitaine Yrus'ak auprès de son chef. Il n'y avait aucun moyen de le retenir.

— Il a attendu que nous ayons le dos tourné pour détaler comme un lapin, renchérit le capitaine Horl'ak.

Ithan'ak ne put s'empêcher d'éclater de rire.

— Mes deux plus grands capitaines ne peuvent venir à bout d'un simple keenox, se moqua-t-il. Je devrais peut-être demander à Skeip de me seconder.

À ces mots, le rongeur se gonfla de fierté. Enfin, le jeune chef reconnaissait ses grandes qualités. Si l'incapacité d'Yrus'ak et d'Horl'ak à veiller sur le keenox amusait Ithan'ak, Vonth'ak, quant à lui, n'y voyait rien de drôle. Le magicien comptait sur Skeip, qui était probablement le dernier de sa race, pour déchiffrer les documents anciens qui reposaient dans l'antre d'Antos. Sévère, Vonth'ak demanda aux deux capitaines de le suivre pour s'entretenir avec eux. Ithan'ak n'y porta pas attention. Il avait repéré l'ambassadrice de Lelmüd, qui l'observait un peu à l'écart. Le couvert de la nuit faisait ressortir la chevelure dorée de l'hyliann. Le jeune chef s'empressa de la rejoindre.

— Est-ce ma présence qui vous rend de si bonne humeur ? le taquina Kamélia.

— On ne peut vraiment rien vous cacher, répondit joyeusement Ithan'ak. J'espère que vous avez de bonnes nouvelles pour moi.

— Je crains de vous décevoir un peu, monseigneur. Le haut conseil des hylianns n'est pas facile à convaincre.

— Que voulez-vous dire ? s'inquiéta le jeune chef.

— Je n'ai malheureusement pu faire accepter votre requête en entier, répondit Kamélia. Les hylianns vont appuyer diplomatiquement les warraks.

— Mais vous n'entrerez pas en guerre, conclut Ithan'ak.

— Hélas ! se désola l'ambassadrice.

— Je pensais que le légendaire Ackémios serait plus sensible au sort de son peuple, dit le jeune chef. Ne suffit-il pas que le roi Limius emprisonne une ambassadrice et tous les hylianns qui ont le malheur de rencontrer ses troupes ?

— Les choses ne sont pas si simples, répliqua Kamélia. Ne blâmez pas Ackémios pour cette décision ; il ne pouvait en être autrement. Vous comprendriez si je vous expliquais de quoi il retourne. Je ne suis malheureusement pas autorisée à vous en dire davantage.

— Bien entendu, grogna Ithan'ak. Alors, serait-ce trop vous demander de me dire pourquoi Elwym n'est pas à vos côtés ? J'imagine mal qu'il vous ait quittée de son plein gré.

— Je lui ai confié une mission de la plus haute importance, répondit Kamélia. J'ignore combien de temps il lui faudra pour l'accomplir, mais le plus tôt sera le mieux.

— Je comprends que vous n'avez pas l'intention de m'en dire davantage sur le sujet, railla Ithan'ak.

— Je préfère ne rien vous dire plutôt que de vous mentir, expliqua Kamélia. Je sais que vous ne me le pardonneriez jamais. D'autre part, je peux vous assurer que j'ai fait de mon mieux pour convaincre le haut conseil d'entrer en guerre et que j'ai bon espoir d'y arriver. J'ai besoin de plus de temps.

— Le temps est un luxe que nous n'avons pas, déclara Ithan'ak. Lorsque le roi Limius en aura assez que sa cité soit assiégée, il rappellera ses armées du nord.

— Je croyais vous avoir entendu dire qu'il était impossible de pénétrer de force dans Ymirion, s'étonna Kamélia. Si ce que vous dites est vrai, pourquoi notre ennemi ferait-il appel à ses troupes déjà occupées au combat ?

— Par orgueil, répondit simplement Ithan'ak. Chaque jour, notre priman'ak humilie le souverain d'Ymirion, qui se cache derrière ses murs. J'ignore combien de lunes il nous reste avant que ce dernier mette fin à cette comédie. Notre seule chance de survie est de couper immédiatement les vivres destinés aux armées d'Ymirion.

— Vous comptez mettre à sac le royaume de Küran, s'inquiéta Kamélia.

— Je ne vois aucune autre option, avoua le jeune chef. Si nous arrivons à affamer les soldats de Kalamdir, ils commenceront à déserter. Encore mieux, ils pourraient même se mutiner. Avant tout, je dois convaincre Kran'ak de me laisser agir.

Résolu, Ithan'ak informa ses guerriers qu'ils prendraient dès ce soir le chemin du retour vers la cité d'Ymirion. Ils en furent tous ravis. Plus de quatre mois s'étaient écoulés depuis leur dernière visite et certains d'entre eux attendaient avec impatience de revoir leur compagne.

Kamélia n'approuvait pas la démarche que le chef des kourofs avait l'intention de suivre, mais elle n'en dit rien. Elle demanda seulement la permission d'accompagner les kourofs, prétextant qu'elle serait en sécurité durant la moitié du trajet qui la ramènerait vers sa terre natale. En vérité, l'ambassadrice comptait sur ce voyage pour dissuader Ithan'ak de s'en prendre au royaume de

Küran, voisin de Lelmüd. Bien que le roi des Küraniens, Filistant, appuyât les guerres menées par Kalamdir, les paysans qui peuplaient son royaume étaient sans malice et n'aspiraient qu'à cultiver paisiblement leurs champs.

CHAPITRE 2

Simcha, tourmenté, déambulait dans les majestueuses rues de la cité d'Ymirion depuis plus de deux heures. Il avait du mal à croire ce qu'il voyait. La capitale était assiégée depuis des mois, pourtant ses habitants n'avaient rien perdu de leur gaillardise. Ignorant la horde de guerriers qui menaçait leur existence, les citadins vaquaient à leurs occupations quotidiennes. Certains d'entre eux, confortablement installés sur une terrasse, discutaient de la situation comme s'il s'agissait d'un lointain conflit auquel ils n'appartenaient pas.

Simcha ne pouvait partager la nonchalance de ces gens qu'il ne comprenait pas. À la suite de son cuisant échec découlant de la bataille de Locktar, le pirate avait eu beaucoup de mal à demeurer dans les bonnes grâces de son roi. Ce dernier avait confié la défense de la cité au général Karst, jusqu'à ce qu'un groupe de warraks commence à opérer des attaques sur l'ensemble du royaume. Lorsque la nouvelle était parvenue au château que le groupe en question était commandé par un prénommé Ithan'ak, Karst s'était lui-même porté volontaire pour mettre fin aux actions du warrak. Simcha, qui connaissait bien le lien qui unissait Ithan'ak et le général, n'avait pas été surpris par la tournure des événements. Quant à lui, le seigneur de Kalamdir n'aimait guère devoir se départir de son homme de confiance. Pourtant, il ne pouvait tolérer que son peuple croie qu'il n'était pas en mesure de défendre son propre royaume.

Voyant une occasion s'offrir à lui, Simcha avait plaidé en faveur du général Karst. Avec doigté, il avait convaincu son suzerain qu'il pourrait assurer la défense de la cité pendant l'absence de son collègue. Le roi Limius avait d'abord refusé, puis s'était ravisé en apprenant la perte entière d'une de ses milices. Le pardon n'était pas une chose facile pour cet homme qui avait régné d'une main de fer toute sa vie, mais il avait néanmoins accordé une seconde chance à l'homme borgne.

Comme promis, Simcha avait repoussé les attaques des warraks avec un minimum de pertes. Malheureusement, le roi Limius attendait davantage que ces maigres résultats. C'est d'ailleurs ce qui avait amené le pirate à errer d'un bout à l'autre de la cité. Dans moins d'une heure, il devait se rendre auprès du roi, qui désirait s'entretenir avec lui à propos de son incapacité à éliminer la menace qui planait sur Ymirion. Si le roi s'était levé du mauvais pied, ce qui était manifestement le cas, le pirate savait pertinemment que tous ses arguments seraient démolis l'un après l'autre sans même être entendus. En revanche, il ignorait quelle serait sa sentence.

Assis près d'une fontaine, Simcha essayait d'oublier momentanément ses soucis. De son œil valide, il observait l'eau éclaboussée dans le bassin de marbre. Cette image lui rappelait ses longues années en mer. Le pirate avait passé la majeure partie de sa vie adulte sur un navire. Il éprouvait fréquemment une profonde nostalgie de ces années durant lesquelles le monde lui paraissait bien plus simple.

Le croassement d'un corbeau tira l'homme borgne de ses songes, lui rappelant qu'il devait bientôt se présenter devant son suzerain. Mécontent de devoir quitter la fontaine qui lui rappelait ses belles années, il se mit promptement en marche vers le palais.

Comme il s'y attendait, le roi Limius était terriblement en colère. Plus tôt dans la matinée, un homme avait tenté d'assassiner le monarque. D'une manière ou d'une autre, le traître avait réussi à s'infiltrer dans les appartements royaux, armé d'une faux. Les sintoriens, qui assuraient une garde constante auprès de leur suzerain, avaient rapidement fait avorter le plan du criminel. Sous la torture, ce dernier avait avoué être un fermier cultivant une terre au nord-ouest de Kalamdir.

Lorsque le roi Limius avait appris que la tentative de meurtre avait été commise par l'un de ses sujets, il avait littéralement explosé. Sa première réaction avait été d'ordonner qu'on lui amène l'homme responsable de la sécurité d'Ymirion. Heureusement pour Simcha, une rencontre importante avait obligé le monarque à remettre l'entretien à plus tard.

Le pirate espérait que cet intermède avait su calmer son suzerain. Conscient que sa vie ne tenait qu'à un fil, il avançait lentement en direction du trône royal, sous le regard mauvais du roi. Comme toujours, depuis que la cité était assiégée, les sintoriens formaient un demi-cercle autour de ce dernier. La présence de ces guerriers d'élite ne faisait qu'augmenter la nervosité de l'homme.

— Savez-vous qu'on a essayé d'attenter à ma vie ce matin ? commença le roi.

— Votre messager m'en a informé, répondit humblement Simcha.

— Vous a-t-il précisé que l'assassin était l'un de mes propres sujets ? ajouta Limius.

— Je l'ignorais, avoua l'homme borgne.

— Un homme tel que vous ne pouvant comprendre entièrement toutes les implications de ce geste, je vais donc vous résumer la situation. Un roi ne peut s'offrir le luxe de paraître faible aux yeux de ses sujets. Dans le cas contraire, ceux-ci perdent confiance en lui, allant même jusqu'à mettre en doute son droit sacré de régner. L'attentat de ce matin est en lien direct avec votre incompétence à repousser l'envahisseur qui est à nos portes. Serait-ce trop de vous demander la raison pour laquelle je suis toujours prisonnier dans ma cité après toutes ces lunes ?

— Je comprends les propos de Votre Majesté, répondit Simcha, mais je vous assure que je fais tout ce qui est en mon pouvoir pour protéger la capitale de votre royaume.

— Il semblerait que tous vos efforts ne soient pas suffisants, dénigra le monarque.

— J'espérais que les warraks finiraient par manquer de vivres pour tenir le siège, reprit Simcha, mais des provisions leur sont livrées sans arrêt. Comme vous le savez, Ithan'ak et ses guerriers effectuent des raids sur tout le territoire de Kalamdir. Avec tout le respect que je dois au général Karst, je ne peux que déplorer son incapacité à couper le ravitaillement si précieux aux warraks.

— Il est aisé de pointer un autre du doigt pour excuser sa propre faute, répliqua le roi Limius. En effet, le général Karst n'est pas à la hauteur de la situation. Mais cela n'excuse pas votre médiocrité. Je regrette amèrement de ne pas avoir mis fin aux jours de cet Ithan'ak lorsqu'il était prisonnier ici même, devant moi.

— Puis-je faire une suggestion ? glissa Simcha en baissant la tête.

— Allez-y, lui permit le roi.

— Pourquoi n'envoyez-vous pas les sintoriens régler le cas de ce warrak ? proposa le pirate. Vous devez mettre un terme aux actes de ce guerrier, qui fait ombrage à votre grandeur.

— Peut-être n'avez-vous pas bien compris la situation, cracha le monarque. Un homme a essayé de m'assassiner ce matin. Croyez-vous réellement que je suis disposé à me séparer de ma garde personnelle ? Vous n'êtes vraiment pas très futé.

— Dans ce cas, continua le pirate sans broncher, pourquoi ne pas faire appel à votre magicien ?

Cette fois, Simcha était allé trop loin. Le visage du roi s'était crispé, comme s'il ne pouvait digérer les paroles de l'homme borgne.

— Je n'ai officiellement aucun magicien à mon service ! tonna le seigneur de Kalamdir, hors de lui. Les lois du pays, mes propres lois, interdisent de telles pratiques. Comment réagiraient mes sujets s'ils apprenaient que je fais appel à des rites que je qualifie publiquement d'impurs ? Xioltys ne doit pas et ne sera pas impliqué dans ce conflit ; pas de cette façon.

Rouge de colère, le monarque pointa un doigt en direction de Simcha.

— C'est à vous de chasser les warraks. J'ai été clément envers vous jusqu'ici, mais ma patience a des limites. Si vous n'êtes pas à la hauteur, je trouverai quelqu'un d'autre pour vous remplacer et je ferai tomber votre tête.

Le message ne pouvait être plus clair. Simcha, autorisé à quitter la grande salle, gagna ses appartements.

À sa grande surprise, Xioltys l'y attendait. Confortablement installé dans un fauteuil vert, le magicien était plongé dans sa lecture.

— Que fais-tu ici ? demanda le pirate, qui désirait être seul.

— J'essaie de déchiffrer ce maudit bouquin, répondit le jeune homme blond.

— Tu n'as pas besoin de venir chez moi pour ça, se fâcha Simcha.

— Le roi a-t-il accepté que j'utilise ma magie pour repousser les warraks ? demanda Xioltys, ignorant l'humeur noire du pirate.

— Bien sûr que non, grogna ce dernier. Il n'y a aucun moyen de lui faire entendre raison.

— Il m'ordonne d'invoquer un dragon céleste, mais refuse de m'en donner les moyens. Je sais que tout ce dont j'ai besoin est dans ce livre, mais il me faut un keenox pour arriver à le déchiffrer. Tant que les warraks assiégeront Ymirion, je ne pourrai récupérer ce sale rongeur qui a filé entre mes griffes.

— Je t'ai proposé mon aide parce que j'avais besoin de tes talents, dit Simcha. Le roi a refusé de m'entendre, tu m'es donc devenu inutile. Je veux que tu sortes de chez moi immédiatement.

Soudainement, le pirate sentit son corps s'immobiliser.

— Il est très imprudent de parler ainsi à un magicien, l'avertit Xioltys, qui s'était levé.

Simcha, incapable de remuer, sentit quelque chose grimper dans son dos. Le magicien, remarquant l'affolement dans les yeux du pirate, esquissa un sourire maléfique.

— Il s'agit d'une angrigogne, expliqua-t-il, en faisant quelques pas vers l'avant.

L'araignée était maintenant sur l'épaule de l'homme borgne. Il pouvait sentir les pattes velues lui caresser le cou.

— Il suffirait d'une seule piqûre de cette petite bête pour t'enlever la vie en quelques secondes, continua le jeune homme blond. Mes techniques sont beaucoup plus meurtrières que les armes puériles que tu gardes à la ceinture, ne crois-tu pas ?

La sueur coulait sur le front du pirate. Il essayait de toutes ses forces de remuer, sans succès. Le simple usage de la force physique ne pouvait briser le sortilège lancé par Xioltys.

— J'espère que tu seras plus courtois la prochaine fois que nous nous verrons, lança le magicien avant de quitter les appartements de Simcha ; s'il y a une prochaine fois.

Au moment où la porte se refermait, Simcha regagna le contrôle de ses muscles ; le sortilège était rompu. Malencontreusement, l'angrigogne était toujours sur lui. Lentement, le pirate approcha son épaule droite de son lit, sur lequel l'araignée accepta de descendre. Il recula ensuite jusqu'à son bouclier accroché au mur, qu'il projeta de toutes ses forces contre l'arachnide. Celle-ci esquiva habilement l'objet et se réfugia entre le lit et le mur. L'homme borgne, déchaîné, empoigna son épée et se lança à l'assaut de son ennemie. Rapide comme l'éclair, cette dernière n'était pas facile à atteindre. Le pirate dut mettre son mobilier en morceau avant que sa lame porte un coup fatal à la bestiole.

Soulagé, il s'assit sur ce qu'il restait de son lit, maudissant le magicien qui l'avait laissé dans une fâcheuse position. Il se jura qu'il aurait sa vengeance, mais il avait d'autres soucis à gérer pour l'instant.

Déterminé, il se leva et se rendit directement au mur d'enceinte de la cité. La situation n'avait pas changé depuis des mois. Les warraks tenaient fermement leur position, repliés dans des tranchées que les flèches ne pouvaient atteindre.

Le pirate avait fait construire, directement sur le mur, une habitation rudimentaire, dont lui seul avait accès. Il y entra pour examiner tous les stratagèmes qu'il avait élaborés jusque-là. S'il ne remplissait pas rapidement sa mission, son sang ne tarderait pas à souiller la lame d'un bourreau. D'une manière ou d'une autre, il lui fallait trouver une solution pour accomplir sa funeste besogne.

Chapitre 3

Une pluie diluvienne s'abattait sur l'est de Kalamdir. Malgré le déluge, Ithan'ak obligeait les kourofs à avancer sans relâche. Afin d'assurer une sécurité constante à ses guerriers, le jeune chef ne demeurait jamais plus d'une nuit au même endroit. Ainsi, l'ennemi ne pouvait être informé de leur position exacte. La fourrure des guerriers était complètement trempée, mais ils ne s'en souciaient guère. Comparée à la neige froide qui couvrait la pointe d'Antos, une averse n'était qu'un désagrément mineur.

Quant à elle, Kamélia faisait de son mieux pour dissimuler son propre inconfort. Ses vêtements étaient couverts de boue. Il y avait longtemps que sa cape avait perdu son étanchéité et ses bottes étaient littéralement remplies d'eau. L'ambassadrice aurait aimé qu'Ithan'ak ordonne de faire une halte dans un village où elle aurait pu faire sécher ses habits, mais elle savait pertinemment que le jeune chef n'en avait pas l'intention. Kamélia était impressionnée par la façon dont Ithan'ak menait son clan. Une efficacité étonnante résultait de son commandement. En revanche, il était très difficile de faire changer d'opinion le jeune chef. Alors que les kourofs faisaient une pause près d'un cours d'eau pour remplir leurs gourdes, l'ambassadrice de Lelmüd en profita pour plaider sa cause auprès d'Ithan'ak.

— Les habitants du royaume de Küran sont pour la plupart de simples paysans, commença l'hyliann. Ces pauvres gens ne méritent pas que les warraks s'en prennent à leurs récoltes. Plutôt que de saccager le fruit de leurs efforts, pourquoi ne tirez-vous pas profit de ces hommes qui pourraient se battre à vos côtés ?

— Le roi Filistant a plusieurs fois prouvé sa soumission au seigneur de Kalamdir, répondit Ithan'ak. Il est peu probable qu'un couard tel que lui s'oppose à une armée aussi puissante que celle de Kalamdir. Si les Küraniens ne peuvent nous venir en aide, il est de mon devoir de les empêcher de nous nuire.

Kamélia voulut argumenter de nouveau, mais Ithan'ak lui fit signe de se taire.

— Je connais vos arguments, dit sévèrement le jeune chef. N'oubliez pas que notre priman'ak partage votre opinion en ce qui concerne le royaume de Küran.

— Alors, pourquoi ne vous fiez-vous pas à la décision de votre chef ? renchérit l'ambassadrice.

— Parce que le jugement de Kran'ak mènera indubitablement mon peuple à sa chute, répondit froidement le warrak.

Il lui avait suffi de prononcer le nom du priman'ak pour que ses yeux adoptent la couleur du feu. Au cours des derniers mois, Ithan'ak avait développé une profonde haine envers Kran'ak, qu'il n'arrivait plus à cacher. Kamélia remarqua le changement qui s'était opéré dans les yeux du jeune chef, mais elle ne pouvait s'empêcher de continuer à argumenter.

— Je croyais que tous les warraks devaient obéir aveuglément au priman'ak en temps de guerre, dit-elle en espérant qu'Ithan'ak entende raison.

— C'est vrai, admit le chef des kourofs. J'ai néanmoins l'intention d'aller contre sa volonté. Mon nom deviendra synonyme de traîtrise parmi les miens, mais je dois l'accepter et faire ce qui doit être fait.

Sur ces mots, le jeune chef se détourna de Kamélia et ordonna aux kourofs de se préparer à repartir. Silencieux, il but une dernière gorgée d'eau avant de reprendre la tête de sa troupe de guerriers. Renfrogné, Ithan'ak était plongé dans ses pensées. Il avait lui-même du mal à croire qu'il allait ouvertement défier l'autorité suprême du priman'ak. Il s'agissait là d'une trahison et il risquait un châtiment beaucoup moins clément que la mort. Pourtant, le jeune chef devait suivre son plan. « Une grande menace plane sur le continent d'Anosios. » Les paroles de Kumlaïd résonnaient toujours dans l'esprit du warrak. D'une manière ou d'une autre, Ithan'ak accomplirait le destin qu'avait tracé pour lui le dieu de la guerre.

Le soleil avait franchi l'horizon depuis un bon moment et la pluie n'avait toujours pas cessé. À quelques reprises, Kamélia avait cru qu'Ithan'ak ordonnerait enfin aux kourofs de s'arrêter pour la nuit, mais à chaque fois ses espoirs avaient été réduits en miettes. Chacun montrait des signes flagrants de fatigue, mais personne n'osait se plaindre auprès du jeune chef. À la vue de Skeip qui arrivait à peine à tenir sur ses maigres pattes, ce fut finalement Vonth'ak qui approcha Ithan'ak.

— Ne crois-tu pas que nous devrions établir un campement pour la nuit ? chuchota Vonth'ak, afin que les autres warraks n'entendent pas. Skeip est aux limites de l'épuisement et tes guerriers n'ont plus la force de le porter. Je ne comprends pas pourquoi tu t'entêtes à continuer de nous faire avancer.

— Tu n'as pas à comprendre, répondit Ithan'ak. J'ai l'habitude que l'on obéisse à mes ordres sans poser de questions.

Bien entendu, le jeune chef était tout à fait conscient de la situation. Il éprouvait d'ailleurs une grande sympathie pour le rongeur qui puisait dans ses dernières réserves pour suivre le clan. Si seulement Fork avait été avec eux, il aurait pu transporter le keenox sur ses épaules sans aucun effort. Malencontreusement, il y avait longtemps que le bosotoss avait regagné le vaste désert. Le lien télépathique qui l'unissait à ses semblables était devenu de plus en plus alarmant et le géant était parti retrouver les siens pour connaître la raison de ce bouleversement. Juste après que Kran'ak eût été nommé priman'ak, le colosse avait dit au revoir à Ithan'ak. Le jeune chef avait fait de son mieux pour encourager son vieil ami, mais la sensiblerie n'était pas le point fort des warraks. Quoi qu'il en soit, il n'y avait personne pour aider Skeip à continuer d'avancer. À contrecœur, Ithan'ak décida de confier ses inquiétudes à Vonth'ak.

— Nous sommes suivis, dit-il tout bas. Voilà pourquoi nous ne pouvons faire halte.

— Je n'ai rien remarqué, admit le magicien, tout en jetant de rapides coups d'œil autour de lui. Crois-tu que Karst et ses hommes ont l'intention de nous attaquer durant la nuit ?

— Non, répondit catégoriquement le jeune chef ; il s'agit d'autre chose.

— Les ombres, comprit Vonth'ak. Je n'ai pourtant remarqué aucun signe de leur présence. Comment peux-tu savoir qu'elles nous suivent ?

— Je l'ignore, avoua Ithan'ak. Mon instinct me dicte de rester sur mes gardes. Si nous demeurons sur place, je suis convaincu que nous serons attaqués. Je sens leur filet se resserrer sur nous. Il est même peu probable que nous nous en sortions simplement en avançant. Si nous sommes attaqués, jamais nous ne pourrons les repousser. J'ai vu de quoi ces ombres meurtrières sont capables. Est-ce que ta magie peut nous protéger ?

— Je ne crois pas, répondit tristement Vonth'ak. Je n'arrive même pas à sentir leur présence.

— Puis-je vous aider ? demanda Kamélia, qui s'était glissée entre les deux warraks. Je suis désolée de m'introduire ainsi dans votre conversation, mais je n'ai pu m'empêcher d'écouter ce que vous disiez.

Ithan'ak et Vonth'ak avaient momentanément oublié que les hylianns possédaient une ouïe incroyablement fine. L'ambassadrice avait suivi leur conversation depuis le début.

— Je sais qu'il n'est pas poli d'écouter aux portes, ajouta Kamélia, mais la tentation était trop forte. J'ai cru comprendre que nous étions dans une fâcheuse position. Heureusement pour vous, je crois avoir une solution. Vous remercierez bientôt les dieux de m'avoir permis de vous accompagner.

Ithan'ak avait la curieuse impression d'entendre Skeip vanter ses nombreux talents. Il pensa que le rongeur exerçait peut-être une mauvaise influence sur l'ambassadrice.

— Que proposez-vous ? demanda tout de même le jeune chef, qui était lui-même à court d'options.

— Je connais un endroit, tout près d'ici, où nous saurons en sécurité pour la nuit ; peu importe à quoi nous faisons face.

— Comment pouvez-vous en être certaine ? répliqua Ithan'ak. Rien n'arrête ces ombres meurtrières. N'avez-vous pas vu le village en ruine ?

— Peut-être qu'aucun bâtiment ne peut leur résister, insista Kamélia, mais je crois qu'une puissante protection magique pourrait les arrêter.

Cette fois, l'ambassadrice avait piqué la curiosité des warraks, en particulier celle de Vonth'ak.

— Quel est ce lieu que vous nous proposez de rejoindre ? demanda le magicien.

— Le Diphamtriorphe, répondit l'ambassadrice. Il s'agit d'un très ancien monument érigé pour commémorer la Guerre de l'Alliance.

Les warraks connaissaient les grandes lignes de cette guerre épique qui s'était déroulée il y avait près de deux mille ans, avant la tragédie de l'Érodium. Jamais ils n'avaient eu vent qu'un vestige de ce lointain passé se dressait toujours sur les plaines de Kalamdir.

— De quelle façon cet endroit peut-il nous protéger ? s'enquit Ithan'ak, qui devait prendre une décision.

— La magie qui abrite le Diphamtriorphe est très puissante, expliqua l'hyliann. Les plus grands magiciens de l'époque, peut-être même Antos, ont contribué à sa construction. Ils se sont assurés que le monument, symbole d'une nouvelle ère de paix, ne serait jamais souillé par le sang. On ne peut s'en approcher dans le but de s'en prendre à ceux qui y trouvent asile.

— Croyez-vous que cette magie saurait repousser ces créatures ? s'inquiéta Ithan'ak.

— Je suis d'accord avec l'ambassadrice, trancha Vonth'ak. Si cet enchantement est assez puissant pour repousser les âmes en soif de sang, il n'y a aucune raison pour qu'il ne puisse pas repousser les ombres. Les lois qui régissent la magie sont différentes de celles du monde physique.

— Très bien, décida Ithan'ak. Nous allons suivre le plan de Kamélia.

— Hourra ! s'enflamma Skeip, dissimulé derrière l'ambassadrice. Je suis impatient de voir à quoi ressemble ce Diphamtriorphe.

— Il semble qu'il n'y ait pas que les hylianns qui ont l'ouïe fine, se moqua Ithan'ak.

— En effet, approuva le rongeur. Les keenox ont d'innombrables ressources à leur disposition. Vous ai-je déjà raconté de quelle façon j'ai réussi à tuer un rînock à mains nues ?

— Ce sera pour une autre fois, le coupa Ithan'ak. Nous devons partir immédiatement vers le Diphamtriorphe.

Kamélia avait assuré à Ithan'ak qu'il n'y avait pas une grande distance à parcourir pour atteindre le monument. Le jeune chef fut heureux de constater qu'elle n'avait pas menti. Debout, solitaire sur l'interminable plaine, se dressait une gigantesque statue. Trop éloignés, les yeux d'Ithan'ak ne pouvaient apercevoir clairement la sculpture. En revanche, il entendait distinctement une mélancolique mélodie. Aussi incroyable que cela parût, elle provenait du Diphamtriorphe.

— As-tu déjà eu connaissance de ce genre d'enchantement ? demanda le jeune chef à Vonth'ak.

Le magicien n'eut pas le temps de répondre. Un kourof venait de hurler à la mort. Ithan'ak n'eut pas besoin d'aller vérifier ce qui s'était passé. Il savait que les ombres attaquaient le clan.

— Courez ! hurla le jeune chef de toutes ses forces, avant de s'élancer vers le monument.

Les warraks n'avaient pas l'habitude de fuir devant l'ennemi, mais celui-ci était différent. Il n'y avait aucun moyen connu de le combattre. Durant les derniers mois, tout en menant sa guérilla, Ithan'ak avait rassemblé toute l'information qu'il pouvait au sujet de cet adversaire invisible. À son grand désarroi, cela ne l'avait pas aidé davantage.

Derrière lui, le jeune chef entendait des cris de douleur. Certains de ses guerriers avaient enfreint ses ordres et tentaient de combattre les ombres ; aucun d'eux ne tint longtemps. « Espérons que Kamélia a eu raison de nous conduire ici, pensa Ithan'ak, sinon nous sommes tous morts. »

Arrivés au pied de la statue, les kourofs se retournèrent et virent les cadavres de leurs frères étendus au loin. Un retardataire courait toujours en direction du monument. Derrière lui, sournoise, une hideuse créature apparut, prête à fendre l'air avec la lame courbée qu'elle tenait dans sa main décharnée. Alors que le coup allait atteindre le pauvre warrak, le monstre s'arrêta brusquement. Comme promis, le Diphamtriorphe élevait une barrière magique repoussant les agresseurs. Courroucée, la créature se retourna rapidement pour disparaître sous le couvert de la nuit.

— Comment se peut-il que nous l'ayons vue ? demanda Ithan'ak, subjugué.

Pour la première fois, il avait aperçu davantage qu'une ombre.

— Je n'en suis pas certaine, répondit Kamélia, qui était tout près de lui. Je crois que cela a un rapport avec le Diphamtriorphe.

Ithan'ak leva la tête et examina pour la première fois la statue. Nul doute que celle-ci avait été taillée par des mains de maître. La finesse des détails et la magnificence de l'œuvre n'avaient d'égales que le matériau utilisé pour sa construction. En effet, le monument était construit uniquement en zimz.

— Cette dame est magnifique, commenta Skeip, qui avait rejoint Ithan'ak et Kamélia. Est-ce la représentation d'une divinité ?

— Je suis moi aussi impatient de connaître les origines de ce monument, dit Ithan'ak, mais ce récit devra attendre que nous ayons sécurisé notre position.

— Nous ne risquons plus rien tant que nous restons sous la protection de la statue, souligna l'ambassadrice.

— Je l'espère, répondit le jeune chef. Je désire tout de même prendre toutes les précautions possibles.

Il fit signe à Vonth'ak de s'approcher et lui demanda de veiller à ce que Skeip ne commette aucune bêtise. Le magicien, pour qui la survie du keenox était cruciale, jugea ce rappel inutile. Il accepta malgré tout la tâche qui lui était confiée et emmena le rongeur. Satisfait, Ithan'ak se dirigea vers le capitaine Yrus'ak.

— Je veux que vous établissiez un périmètre de sécurité autour de la statue, dit le jeune chef. Demandez au capitaine Horl'ak de faire un compte des morts et des blessés. J'attends de vous une efficacité et une rapidité optimales.

— Bien entendu, répondit Yrus'ak.

Le capitaine s'éloigna de son chef en criant des ordres dans tous les sens. Comme la défense s'organisait, Ithan'ak prit quelques minutes pour épier les alentours. Sur la plaine, hormis quelques arbres isolés qui agrémentaient le paysage, rien n'apparaissait à l'horizon. Pourtant, le warrak sentait une présence qui cherchait désespérément à s'approcher. Il était rare que l'instinct du jeune chef le trompât. Sans cligner des yeux, il fixa attentivement l'obscurité. Un bref instant, trop court pour qu'il puisse être certain qu'il n'avait pas rêvé, Ithan'ak aperçut un spectre se déplacer dans la nuit. Pour la première fois, il avait la possibilité d'observer cet ennemi invisible qui avait chassé les warraks de la pointe d'Antos. Décidé à comprendre ce qui rendait ainsi vulnérable son ennemi, le jeune chef partit à la recherche de Vonth'ak et Kamélia.

Il trouva le magicien installé à l'écart des kourofs, en compagnie de Skeip. Ce dernier se faisait un plaisir d'enseigner un nouveau dialecte à son élève. Ithan'ak ne prit pas la peine de demander s'il pouvait les interrompre et demanda à Vonth'ak de le suivre.

— Puis-je venir aussi ? demanda le rongeur.

Le jeune chef faillit dire non, puis reconsidéra sa décision. Sans Vonth'ak pour le surveiller, le keenox risquait de s'attirer des ennuis. Dans la situation actuelle, il valait mieux éviter tous les risques possibles. Ithan'ak accéda donc à la requête du rongeur. Les trois acolytes se rendirent auprès de l'ambassadrice, qui examinait de près la gigantesque statue.

— J'ai besoin de réponses, l'interpella le jeune chef.

— Posez-moi vos questions et je ferai de mon mieux pour vous venir en aide, répondit l'hyliann, refusant de se laisser décontenancer par la rudesse du warrak.

Ithan'ak se rendit compte de sa grossièreté.

— Connaissez-vous les détails de la construction de ce monument ? demanda-t-il plus poliment. Par qui et pour quelle raison a-t-il été érigé sur les plaines de Kalamdir ?

— Comme je l'ai déjà mentionné, ce bâtiment est un vestige de la Guerre de l'Alliance, expliqua l'ambassadrice.

— Cette célèbre guerre s'est déroulée deux ou trois siècles avant l'Érodium, avança Vonth'ak. Ce qui veut dire que cette statue aurait près de deux mille ans.

— Incroyable ! s'exclama Ithan'ak. Elle est toujours en parfait état.

— En effet, admit Kamélia. Les plus talentueux des hylianns, des nains et des magiciens ont uni leurs dons pour concevoir cette inébranlable œuvre d'art. Certains prétendent même que quelques keenox auraient participé à la construction, ajouta-t-elle, pour faire plaisir à Skeip.

Le rongeur, la poitrine gonflée d'orgueil, se délecta de ce dernier commentaire.

— J'ai du mal à imaginer tous ces peuples travaillant côte à côte, lança Ithan'ak.

— Le meilleur moyen d'unir les individus est de leur fournir un ennemi commun, rétorqua l'ambassadrice.

— Pourriez-vous faire un bref résumé de la Guerre de l'Alliance ? demanda le jeune chef, en invitant Kamélia à s'asseoir. Je ne suis pas certain de bien me rappeler les détails.

— Certainement, répondit l'hyliann, en souriant.

Sous le reflet de la lune, ses traits étaient aussi doux qu'une pierre façonnée par l'eau. En l'observant, Ithan'ak se surprit à penser à Mikann. L'unique baiser qu'il avait échangé avec la celfide avait suffi à envoûter l'esprit du jeune chef. Depuis des mois, il rêvait à la délicieuse warrak, qu'il n'avait pas eu l'occasion de revoir seul à seule. En vérité, puisqu'elle appartenait au clan des sciaks, il était presque impossible pour Ithan'ak de s'en approcher. Les différends entre Kran'ak et lui rendaient inaccessible une quelconque union avec la celfide. Pourtant, Ithan'ak ne pouvait s'empêcher de penser à elle. Il savait au plus profond de lui qu'elle était celle qui devait partager sa vie, mais il devait malgré tout y renoncer. Le jeune chef avait d'abord cru que l'éloignement aiderait à chasser Mikann de ses pensées. Au contraire, il pensait à elle plus que jamais. Par-dessus tout, il craignait que Kran'ak oblige Mikann à s'unir à un chef de clan pour sceller une union. Le chef des sciaks, qui avait déjà une compagne, saurait tôt ou tard tirer profit de la warrak.

Un toussotement ramena le jeune chef à la réalité. Kamélia lui demanda s'il désirait toujours entendre ce qu'elle avait à dire au sujet de la Guerre de l'Alliance, question à laquelle il acquiesça d'un signe de la tête. Avant tout, l'ambassadrice rappela que les hylianns conservaient des annales très détaillées à propos de cette guerre historique.

— Tout a commencé lorsqu'un groupe d'aventuriers, en quête de défis, mirent pour la première fois les pieds sur la côte est du continent d'Anosios. Les nouveaux venus étaient cruels et sans pitié, souvent sadiques. Bien que leurs effectifs fussent limités, moins d'une centaine, ils pillèrent les villes côtières sans rencontrer de véritable résistance. À cette époque, une multitude de petits royaumes couvraient le continent. Que ces derniers soient gouvernés par les hommes, par les hylianns, par les nains, ou par toute autre race, jamais il ne leur était venu à l'idée de collaborer. Lorsque les nouveaux assaillants se rendirent compte qu'ils avaient le pouvoir d'envahir le continent, ils s'empressèrent d'aller quérir des renforts en provenance de leur pays d'origine. Les escarmouches pratiquées par les envahisseurs, bien qu'elles fussent concentrées sur la côte est, avaient déstabilisé l'ensemble du continent. Les dirigeants, paralysés, ne prenaient aucune initiative en vue d'une future invasion. Seul un roi prénommé Kalam, seigneur d'un modeste territoire, avait compris qu'il fallait réagir rapidement. Il avait d'abord visité les royaumes voisins, puis les voisins de ses voisins, jusqu'à ce que tous les hommes décident d'unir leurs forces sous une seule et unique bannière. Kalam était un homme doté d'une grande répartie et d'une merveilleuse intelligence. Il était certain que les envahisseurs ne tarderaient pas à revenir.

Néanmoins, il lui était impossible de connaître combien d'ennemis ses compatriotes et lui devraient combattre. Ne voulant rien laisser au hasard, le monarque avait entamé des négociations auprès des hylianns et des nains. Même pour un homme tel que lui, il n'était pas aisé de convaincre ces deux peuples si différents du sien de joindre sa cause. Malgré tout, quelques jours avant le retour de l'ennemi, les trois peuples avaient constitué une armée digne de défendre Anosios. Il s'agissait de la légendaire Alliance.

Ithan'ak écoutait attentivement le récit de Kamélia. Il n'avait rien entendu jusque-là, à quelques détails près, quoi que ce soit qu'il ne connaisse déjà. Il attendait avec impatience un élément nouveau. Une précision, en particulier, répondrait à une question qui l'avait toujours tracassé. Ne pouvant patienter plus longtemps, il demanda à l'ambassadrice pourquoi Kalam n'avait jamais proposé aux warraks de participer à l'Alliance. Cette question troubla quelque peu l'hyliann. Timidement, elle tenta d'éviter de répondre, puis comprit que le jeune chef était décidé à connaître la vérité.

— Il existe très peu de documents traitants du rôle des warraks dans cette guerre, expliqua l'hyliann. Les quelques informations que j'ai pu recueillir racontent que Kalam craignait de proposer une alliance avec votre peuple.

L'ambassadrice espérait que cette réponse suffirait à Ithan'ak, mais ce dernier était convaincu qu'elle en savait davantage qu'elle le laissait entendre. Le jeune chef la poussa donc à continuer. Il était déterminé à savoir pourquoi le roi Kalam se méfiait des warraks.

— L'ennemi qui menaçait Anosios ressemblait beaucoup aux warraks, avoua finalement Kamélia.

— Que voulez-vous dire ? l'interrogea le jeune chef.

— C'était un peuple de nomades, continua l'ambassadrice. Leurs visages, bien que différents de ceux des warraks, étaient couverts de fourrure. Je n'ai pu trouver une meilleure description, mais Kalam était certain qu'il existait une parenté entre l'envahisseur et les warraks.

— Et il craignait que nos ancêtres unissent leurs forces à celles de l'ennemi, conclut Ithan'ak.

— En effet, approuva l'hyliann. Il fit donc de son mieux pour les garder à l'écart.

Skeip mourait d'envie de connaître l'implication des keenox dans l'Alliance. Ithan'ak, qui commençait à bien connaître le rongeur, lui fit signe de se taire avant qu'il n'ouvre la bouche. Les yeux du jeune chef étaient rouges comme le feu. Les warraks n'étaient pas des traîtres et il ne pouvait supporter l'idée que ses ancêtres aient été traités de la sorte. Vonth'ak, Skeip et Kamélia savaient que le chef des kourofs avait besoin d'un moment pour redevenir lui-même. Ils se contentèrent donc de garder le silence, qui fut rompu par le keenox dès qu'une touche de vert réapparut dans les yeux d'Ithan'ak.

— Est-ce que l'Alliance a réussi à repousser l'envahisseur ? demanda le rongeur, impatient de connaître le dénouement de l'histoire.

— Bien entendu, répondit gentiment Kamélia, sinon nous ne serions pas ici aujourd'hui. Mais ce ne fut pas chose facile. L'ennemi avait réussi à prendre le contrôle de la côte est. Les troupes de l'Alliance avaient peu à peu été repoussées vers les grandes plaines d'Anosios, jusqu'à ce qu'une ultime bataille devienne inévitable. Malheureusement, les soldats menés par Kalam étaient trop peu nombreux pour affronter la férocité de l'ennemi. L'agilité des hylianns, la robustesse des nains et le dévouement des hommes ne suffisaient pas à remporter la victoire. Le dernier espoir de Kalam et de ses alliés allait vers les magiciens. Jusque-là, ils avaient grandement contribué à chaque combat, mais cela n'avait pas suffi à renverser la situation ; une solution plus draconienne s'imposait. La nuit précédant la bataille qui déterminerait le sort du continent, Kalam avait secrètement rencontré l'ordre des magiciens. Conscient de l'ampleur du sacrifice qu'il s'apprêtait à faire, il ne voulait pas que les autres seigneurs tentent de l'en dissuader. Le lendemain, alors que la bataille faisait rage et que la défaite de l'Alliance était imminente, Kalam avait décidé de mettre son plan à exécution. Lui et environ cinq cents soldats s'étaient regroupés près des magiciens. Ces derniers, qui avaient accepté à contrecœur d'accéder à la requête de Kalam, avaient cessé de combattre pour se concentrer sur leur nouvelle mission. L'enchantement qu'ils s'apprêtaient à réaliser n'avait jamais été tenté auparavant. Pour y arriver, tous les magiciens de l'ordre avaient dû surpasser leurs limites. Peu à peu, le ciel était devenu rouge comme le sang. Kalam et ses acolytes avaient senti la transformation s'opérer rapidement en eux. Leur peau avait bruni, puis s'était durcie. Sous les regards ébahis de leurs compagnons, ils s'étaient métamorphosés en soldats de pierre. Leurs pas étaient lourds, mais rapides. Leurs mouvements étaient solides, mais précis. Dotés d'une incroyable force de frappe, Kalam et ses subordonnés foncèrent sans retenue sur l'ennemi. Les soldats de pierre étaient indestructibles. Écumants de rage, ils avaient eu raison de l'envahisseur avant le coucher du soleil.

— C'est formidable ! s'exclama Vonth'ak. J'ignorais qu'une telle chose était possible.

— Ce qu'ont accompli Kalam et ses hommes avec l'aide des magiciens est en effet prodigieux, approuva Kamélia, mais le coût qu'ils avaient accepté de payer en retour était considérable. L'avertissement des magiciens avait été formel. Les infrangibles soldats de pierre n'avaient droit qu'à une seule nuit pour savourer leur victoire. Au lever du jour, Kalam et tous ceux qui s'étaient sacrifiés deviendraient des statues de sable, que le vent ne tarderait pas à emporter.

— Quelle tristesse ! se désola Skeip. C'étaient de véritables héros. Ils méritent de ne jamais être oubliés.

— C'est pour cette raison que le Diphamtriorphe fut érigé, expliqua l'ambassadrice. La statue représente les veuves des héros, chantant pour l'éternité l'exploit des disparus. De plus, le fils de Kalam renomma son royaume en l'honneur de son défunt père : Kalamdir.

— J'ai toujours du mal à croire que la triste mélodie qu'on entend provient de la statue, admit Vonth'ak.

— On raconte qu'au tout début, ajouta Kamélia, un paisible et doux chant s'élevait du Diphamtriorphe. Il semblerait qu'il se soit modifié avec le temps, sans doute parce que les descendants de Kalam se sont depuis longtemps détournés de la voie tracée par leur ancêtre. Après tout, le monument est entièrement fait de zimz et ce métal rare est reconnu pour refléter à la perfection le monde dans lequel il évolue.

— Le zimz, dit Ithan'ak, rêveur.

La dernière remarque de Kamélia avait mené le jeune chef à la réponse qu'il cherchait.

— J'en suis certain, dit-il en se levant. C'est grâce au zimz que nous avons pu apercevoir pour la première fois les ombres meurtrières.

Il n'y avait aucun doute dans l'esprit du warrak. En plus de protéger les kourofs de leurs agresseurs, le Diphamtriorphe avait permis à Ithan'ak de trouver leur point faible. Bien entendu, le zimz était un métal sans prix et il était peu probable qu'Ithan'ak puisse en tirer profit contre les ombres, mais savoir que celles-ci avaient une faiblesse était un bon début.

— La course de la lune est déjà très avancée, dit le jeune chef. Je crois qu'il est temps pour nous tous d'aller dormir.

Il remercia Kamélia pour ses précieuses informations et se retira pour trouver un endroit où le sol était suffisamment douillet pour y dormir.

Vonth'ak et Kamélia firent de même, alors que Skeip restait immobile à contempler la statue. Un jour, lui aussi aurait droit à un monument en son honneur. Il ne pouvait en être autrement. D'ailleurs, il était étonnant que personne n'ait à ce jour pensé à lui rendre cet hommage.

Chapitre 4

Quelques oiseaux s'étaient perchés sur la gigantesque statue qui dominait la plaine. Leur chant matinal tira Ithan'ak d'un sommeil agité. Il aurait apprécié profiter de quelques heures de sommeil supplémentaires, mais il avait prévu une longue journée de marche pour ses guerriers et lui-même. La pluie avait cessé et un soleil radieux s'affairait à sécher les vêtements du jeune chef.

— Une belle journée en perspective, dit le capitaine Yrus'ak, qui apportait de quoi soulager l'estomac de son chef.

Ses yeux gonflés trahissaient qu'il n'avait pas beaucoup dormi.

— Y a-t-il du nouveau ? demanda Ithan'ak, en acceptant la ration que lui tendait Yrus'ak.

Ce dernier, comprenant qu'Ithan'ak faisait allusion aux ombres meurtrières, fit un bref rapport concernant le déroulement de la nuit. Il n'y avait rien de très intéressant. Certains vigiles avaient brièvement aperçu des silhouettes se déplacer dans la nuit, sans pour autant être sûrs de ce qu'ils avaient vu. Hormis ces quelques apparitions, rien d'autre n'avait été rapporté.

— Très bien, dit Ithan'ak. Il est temps de nous mettre en route. Nous devons placer la plus grande distance possible entre nous et ces monstres. Avec un peu de chance, ils perdront notre trace.

La belle température avait ravivé la vaillance des kourofs. Kamélia et Skeip étaient eux aussi d'une humeur excessivement joyeuse. Quant à Vonth'ak, l'aura argentée qui l'entourait avait regagné son éclat. Heureux de constater que l'épisode de la nuit précédente n'avait pas affecté le moral de ses troupes, Ithan'ak prit soin de remercier une fois de plus Kamélia de les avoir conduits à l'abri.

Selon les calculs du jeune chef, entre trois et quatre jours de marche les séparaient d'Ymirion. Bien entendu, il savait qu'ils ne manqueraient pas de rencontrer des soldats de Kalamdir ou un camp de miliciens. Ces fréquents affrontements ralentissaient indubitablement la progression des kourofs, mais ils permettaient à Ithan'ak d'arriver à ses fins : obliger le roi Limius à venir au secours de ses sujets en divisant ses troupes.

À chaque occasion qui se présentait, Kamélia tentait d'inculquer des notions de diplomatie au jeune chef. Comme les warraks étaient avant tout un peuple de guerriers, l'ambassadrice avait beaucoup de pain sur la planche. Elle talonnait Ithan'ak à un point tel que ce dernier commençait à regretter le temps où seul Skeip recherchait son attention. En usant de patience, l'hyliann avait arraché à Ithan'ak la promesse d'essayer de négocier avec les prochains soldats qu'il rencontrerait, avant d'engager le combat. Cet arrangement n'enchantait guère le jeune chef, mais c'était la seule façon d'échapper aux incessants plaidoyers de l'ambassadrice.

— Voici l'occasion de tenir votre promesse, commenta l'hyliann, alors qu'un camp de miliciens apparaissait à l'horizon.

— Nous allons perdre l'effet de surprise, ajouta Ithan'ak, mécontent.

Curieusement, le campement de la milice kalamdienne ressemblait beaucoup à ceux que les warraks érigeaient lorsqu'ils désiraient s'implanter à un endroit durant quelques lunes. Une modeste palissade entourait les édifices. Elle était parsemée de quelques tours de guet à la robustesse douteuse. Toutes les constructions étaient en bois. Les bâtisseurs n'avaient même pas jugé nécessaire de retirer l'écorce. Malgré toutes les similitudes qu'avaient le camp des miliciens et les campements des warraks, celui devant lequel se trouvaient les kourofs manquait cruellement de solidification.

Le jeune chef jugea qu'il aurait été aisé de prendre d'assaut le campement, mais il avait donné sa parole. Il passa donc le commandement du clan à Yrus'ak, avec l'ordre d'attaquer au moindre signe d'agressivité de la part de l'ennemi. Il demanda ensuite au capitaine Horl'ak de trouver une pièce d'étoffe blanche et de l'accompagner à la rencontre des Kalamdiens. Bien entendu, Kamélia insista pour suivre les deux warraks, afin de s'assurer que leur rudesse habituelle ne ferait pas échouer les négociations.

Avant même d'avoir atteint la palissade entourant le camp de l'ennemi, les trois acolytes la virent s'ouvrir et deux hommes vinrent à leur rencontre. L'un d'eux était maigre et élancé, alors que l'autre n'arrivait pas aux épaules d'Ithan'ak. Le plus petit faisait de son mieux pour dissimuler son embonpoint.

— Je m'appelle Bleitan, dit le plus grand, et voici Bulif, qui dirige la milice avec moi.

— Mon nom est Ithan'ak, répondit le jeune chef, et voici le capitaine Horl'ak.

Voyant qu'Ithan'ak la gardait à l'écart, Kamélia se présenta elle-même, en insistant sur le fait qu'elle désirait jouer le rôle de médiatrice au cours de cette rencontre.

— J'ai déjà entendu parler d'Ithan'ak et de ses guerriers, cracha Bulif. D'après ce qu'on m'a dit, le sang l'intéresse davantage que les pourparlers.

— Nous ne saurions qualifier davantage le roi Limius de fin diplomate, lui fit remarquer l'ambassadrice. J'ai pu convaincre Ithan'ak d'entamer des négociations avant de passer à l'attaque. J'ose espérer que mon geste ne fut pas en vain.

— Rassurez-vous, dit poliment Bleitan. Nous sommes disposés à entendre ce que vous avez à proposer.

— Rendez-vous sur le champ, l'invectiva Ithan'ak. Aucun mal ne vous sera fait si vous acceptez d'être nos prisonniers.

— Nous ne sommes peut-être que des miliciens, grogna Bulif, mais jamais nous n'accepterons de tomber entre les mains des warraks sans combattre.

— Il a raison, renchérit Bleitan. Je croyais que vous désiriez vraiment négocier avec nous.

Les yeux du grand homme imploraient l'ambassadrice d'intervenir en sa faveur. De toute évidence, il espérait éviter le combat, mais il ne pouvait sacrifier la liberté de ses hommes.

— Je suis certaine que le chef des kourofs a une autre alternative à proposer, avança Kamélia.

Rien n'était moins certain. Elle aurait aimé pouvoir deviner à quoi pensait le jeune chef, mais le visage de ce dernier était indéchiffrable.

— Je ne vois pas pourquoi je devrais offrir mieux, dit sèchement Ithan'ak. Votre camp est insuffisamment protégé et vos effectifs sont trop réduits pour nous résister.

La réplique cinglante du warrak avait coupé le souffle de Bleitan, qui n'arriva pas à riposter. Quant à lui, Bulif se contenta de faire volte-face pour regagner son camp.

— Je crois que je vais aller le rejoindre, se désola Bleitan. Il semble qu'il n'y ait aucune solution pour éviter ce conflit.

— Attendez ! s'alarma Kamélia. Ithan'ak a sans doute oublié de prendre en considération le temps précieux qu'il perdra s'il assiège votre camp. Je suis certaine de pouvoir trouver une alternative qui conviendrait mieux aux deux parties.

Comme Ithan'ak ne semblait pas vouloir broncher, le capitaine Horl'ak s'approcha de lui pour lui parler à l'oreille. Il rappela au jeune chef que les ombres meurtrières n'étaient peut-être pas très loin et qu'il était possible qu'elles se montrent de nouveau si le clan demeurait trop longtemps en place. Cet argument obligea Ithan'ak à se déraidir et à écouter ce que l'ambassadrice de Lelmüd avait à proposer.

Avec l'aide de l'hyliann, Ithan'ak et Bleitan trouvèrent enfin un terrain d'entente. Heureux, l'homme à la taille élancée regagna son camp pour soumettre la proposition à son collègue. Aucun des deux hommes ne prenait jamais une décision sans l'accord de l'autre.

— Voilà plus d'une heure qu'il est parti, tonna Ithan'ak, à bout de patience. Combien de temps leur faut-il pour comprendre qu'une troupe de miliciens mal entraînés n'a aucune chance contre nous ?

— Patience, dit une fois de plus Kamélia. Voyez, ils ouvrent la palissade.

Menés par deux hommes à cheval, les miliciens formaient une file serrée qui s'éloignait rapidement du campement. Des flammes rougeoyantes s'échappaient des bâtiments, indiquant à

Ithan'ak que les hommes avaient bien tenu leur promesse. En échange de leur liberté, ils devaient brûler eux-mêmes leurs installations et donner leur parole de dissoudre leur milice. Cet arrangement ne satisfaisait pas particulièrement Ithan'ak. Mais, comme l'avait si bien fait remarquer le capitaine Horl'ak, il était peu prudent de demeurer sur place trop longtemps.

Kamélia félicita le jeune chef pour le premier pas qu'il avait franchi vers une entente mutuelle avec les Kalamdiens.

— Ce geste sera certainement apprécié des dieux, dit gaiement l'ambassadrice.

— Ne vous faites pas d'illusions, l'avertit Ithan'ak. La seule raison pour laquelle j'ai acquiescé à votre demande était que je désirais mettre la plus grande distance possible entre nous et les ombres meurtrières.

Sans plus attendre, le jeune chef donna quelques commandements et les kourofs se remirent en marche. Lorsque la nuit tomba, rien n'indiquait à Ithan'ak qu'il devait craindre une attaque. Il choisit donc de camper sur une petite colline et de poster de nombreux vigiles afin de pallier à une éventuelle agression, quel que soit l'ennemi.

Le matin se leva sans que le jeune chef ait eu connaissance d'un quelconque incident. De toute évidence, les kourofs avaient semé la menace qui planait sur eux. « Nous serons bientôt à Ymirion », se réjouissait le warrak. Il lui tardait de rejoindre la capitale de Kalamdir, dans l'espoir d'une nouvelle rencontre clandestine avec Mikann. Motivé par cette idée, il poussa les kourofs à marcher jusqu'à l'épuisement, sans l'intention de faire de pause. Une fumée noire, qui s'élevait d'un village à l'ouest, obligea pourtant Ithan'ak à faire une halte.

— Crois-tu qu'il s'agisse d'une nouvelle attaque des ombres ? demanda Vonth'ak, qui se demandait si Ithan'ak avait l'intention d'aller jeter un coup d'œil.

— C'est fort probable, répondit le jeune chef. À part nous, je ne vois pas qui aurait pu incendier un village dans ce secteur.

— Il s'agit peut-être d'un simple accident, suggéra Skeip, qui s'était glissé entre les deux warraks. Les incendies sont très fréquents chez les keenox.

— Je n'ai aucun mal à te croire, sourit Ithan'ak, essayant d'imaginer à quoi pouvait ressembler un village rempli de rongeurs insouciants.

— Nous devons leur venir en aide, trancha Skeip, comme s'il était aux commandes. Nous n'avons pas de temps à perdre.

Ithan'ak n'était pas certain d'être du même avis que son enthousiaste compagnon. S'il se fiait au dernier village mis à sac par les ombres, les habitants étaient probablement tous déjà morts. De plus, il y avait peu de chance que cette visite lui en apprenne davantage sur les créatures meurtrières. Le jeune chef se demandait si le détour en valait vraiment la peine.

Kamélia, qui avait rejoint Ithan'ak et Vonth'ak peu après Skeip, appuyait l'opinion du rongeur. Cette fois, Ithan'ak fit la sourde oreille. Il était le chef et personne d'autre que lui ne prenait les décisions. Ce fut finalement Vonth'ak qui réussit à le faire changer d'idée.

— Nous devons absolument savoir si ce village a été attaqué par les ombres meurtrières. Si c'est bien le cas, cela veut dire que nous sommes toujours menacés par ces monstres. Je crois qu'il serait judicieux d'essayer une nouvelle fois d'apprendre à connaître ce nouvel ennemi.

Ithan'ak était un individu très orgueilleux et il n'aimait pas devoir revenir sur ses décisions. Pourtant, il devait admettre que Vonth'ak avait raison une fois de plus. Il devait savoir si les ombres meurtrières suivaient leurs déplacements. Le clan bifurqua donc vers la fumée noire qui obscurcissait le ciel.

Lorsque les kourofs arrivèrent en vue du village en braise, ils ne furent pas surpris par ce qu'ils voyaient. Les bâtiments étaient ravagés et le feu continuait son œuvre. De leur position, les guerriers ne pouvaient distinguer aucun signe de vie.

— Il y a peut-être des survivants, suggéra Kamélia.

— C'est peu probable, répliqua Ithan'ak, mais nous allons vérifier.

Le jeune chef désigna cinq de ses guerriers pour l'accompagner, ainsi que Vonth'ak et l'ambassadrice de Lelmüd. Lorsque Skeip annonça qu'il venait lui aussi, le magicien s'y opposa catégoriquement, ce qui ne découragea pas le rongeur.

— Je trouverai un moyen de vous rejoindre dès que vous serez partis, avertit-il sur un ton de défi.

— Ce ne serait pas la première fois, fit remarquer Ithan'ak. Aussi bien l'emmener avec nous.

Vonth'ak se contenta de laisser échapper un grognement sourd, ce que Skeip décoda comme un « oui ». Rayonnant, il se joignit aux cinq guerriers désignés par Ithan'ak. Comme eux, le keenox voulait adopter une attitude farouche. Il se gonflait la poitrine et relevait fièrement le menton. Malgré le drame qui s'était abattu sur le village, les kourofs avaient du mal à conserver leur sérieux.

— Voici Skeip, le Pourfendeur de dragons, lança l'un d'eux.

— Skeip, le Guerrier sanguinaire, dit un autre.

Bien entendu, le keenox savait qu'il méritait plus que quiconque les titres qu'on lui donnait, mais il ne voulait surtout pas paraître prétentieux aux yeux des warraks.

— Je ne fais que mon humble devoir, dit-il en s'inclinant.

Cette fois, de grands éclats de rire s'élevèrent autour du rongeur. Ithan'ak, qui était lui aussi grandement amusé par la réaction du keenox, dut pourtant mettre fin à cette fanfaronnade. Même si le village paraissait désert, le jeune chef désirait éviter d'attirer l'attention.

Accompagné par cinq kourofs, ainsi que par Vonth'ak, Kamélia et le Pourfendeur de dragons, Ithan'ak se dirigea silencieusement vers le village en flammes. Ce qu'il y découvrit lui parut familier. Partout où son regard se posait, des cadavres étaient dispersés dans les rues. Contrairement à la dernière fois qu'il avait observé ce phénomène, la plupart des victimes avaient péri par le fer, plutôt que par la force destructrice du feu.

— Les ombres deviennent de plus en plus agressives, dit Vonth'ak, qui s'était fait la même réflexion qu'Ithan'ak.

Quant à lui, Skeip était à la fois troublé et effrayé.

— Nous devrions partir, suggéra le rongeur. Les créatures maléfiques sont peut-être toujours dans les parages.

— Ne sois pas si froussard, le rabroua Ithan'ak. C'est toi qui tenais à venir avec nous.

Le jeune chef ordonna à ses guerriers de se disperser et d'inspecter le village, afin d'être certain qu'il n'y avait aucun survivant. Il espérait aussi dénicher un indice révélant l'identité des responsables du massacre.

— Les ombres meurtrières ne laissent aucune trace, lui rappela Kamélia.

— Je ne suis pas certain qu'elles soient les coupables, répondit le chef des kourofs.

Il s'approcha de la dépouille d'un jeune homme pour l'examiner de plus près. On avait tranché la gorge du malheureux. D'après ce qu'Ithan'ak savait des ombres, elles n'avaient jamais procédé de cette façon. Elles portaient généralement le coup fatal au cœur, le plus souvent par derrière. Leur méthode ne dénotait aucune cruauté ; seulement un besoin de tuer.

— Quelle est ta théorie ? demanda Vonth'ak.

— J'y travaille encore, répondit Ithan'ak.

Comme aucun autre warrak que Vonth'ak ne pouvait le voir, il mit sa main droite sur le front du défunt. Le jeune chef espérait que la magie transmise par Kumlaïd saurait trouver son chemin jusqu'à la mémoire du jeune homme ; ce n'était pas toujours le cas.

La vision était floue. Des gens riaient et chantaient tout autour ; ils étaient ivres. À chaque instant, un homme levait son verre en l'honneur des braves soldats de Kalamdir. Ces derniers, de passage pour la nuit, profitaient de l'hospitalité des villageois. Curieusement, aucun soldat ne buvait. Ils prenaient par contre un malin plaisir à sans cesse remplir les coupes de leurs hôtes. Leur chef, qui observait la scène en retrait, avait expliqué aux villageois qu'ils auraient bientôt un rôle important à jouer dans la guerre contre les warraks.

— Karst ! grogna Ithan'ak, qui s'était détaché des pensées du jeune homme mort. Il nous a tendu un piège. Il nous faut quitter ce village sur-le-champ.

— Nous ne pouvons pas abandonner les cinq guerriers qui inspectent le village, signala Skeip. Je pars à leur recherche.

— Ils sont probablement déjà morts, l'informa Ithan'ak.

Il était déjà trop tard ; le keenox ne l'écoutait plus. Sûr de lui, il bondissait à toute vitesse entre les cadavres, jusqu'à ce que sa course soit interrompue au coin d'une rue par une main qui l'empoigna solidement par le cou. L'homme qui s'était emparé du rongeur n'était nul autre que Karst. Satisfait de sa prise, il afficha un hideux sourire sur son visage ravagé.

Ithan'ak voulut se porter au secours du keenox, mais Karst menaça de trancher le cou du malheureux. D'un claquement de doigts, le général appela dix de ses hommes, qui étaient demeurés dans l'ombre jusque-là.

— Emparez-vous d'eux, ordonna Karst, qui ne cachait pas son euphorie.

Les dix soldats qui l'accompagnaient étaient triés sur le volet. Depuis le début du conflit opposant les Kalamdiens aux warraks, ils avaient vu plusieurs de leurs camarades mourir sous leurs yeux. Ithan'ak était le principal responsable de ces pertes et ils avaient l'intention de lui faire payer très cher les victoires que les kourofs avaient remportées.

— Croyez-vous vraiment que ces misérables viendront à bout de nous ? se moqua le jeune chef, qui leva son glaive en signe de défi.

— Emmener trop d'hommes aurait alerté votre instinct aiguisé, rétorqua le général. D'autre part, je n'ai pas besoin d'une armée entière pour vous retenir. N'oubliez pas que je tiens la vie de votre petit ami entre mes mains et que je n'hésiterai pas à le tuer si vous refusez de coopérer.

— Vous mentez, intervint Vonth'ak. Le roi Limius veut qu'on lui livre le keenox en vie.

— Alors, ne m'obligez pas à commettre un geste irréparable, se fâcha Karst. Seule la mort d'Ithan'ak m'importe.

Au milieu de cette joute verbale, les Kalamdiens ne savaient plus s'ils devaient s'emparer de force de leurs ennemis ou attendre que ceux-ci baissent leurs armes.

Kamélia, dont les talents d'ambassadrice ne seyaient pas à un tel conflit, comptait sur Ithan'ak pour les sortir de ce mauvais pas. Néanmoins, elle avait tiré ses cimeterres et était prête à combattre. Heureusement, le jeune chef ne semblait pas troublé par les événements.

— Vous êtes le responsable du massacre de ce village, cracha le chef des kourofs à l'intention du général défiguré. Vous avez tué ces innocents dans le seul but de m'attirer dans votre filet, alors que vous auriez très bien pu faire évacuer le village.

— Vous auriez immédiatement flairé le piège, répondit Karst, impassible. Malgré la haine que je vous porte, je reconnais que vous êtes rusé. Pour vous tromper, ma mise en scène devait être parfaite.

— Vous êtes un monstre, l'accusa Kamélia, les larmes aux yeux.

— Je n'ai pas toujours été ainsi, répliqua le général, tout en renforçant sa prise sur Skeip. C'est le warrak que vous suivez qui a fait de moi ce que je suis devenu. Vous ignorez tout de moi et des souffrances que j'ai endurées. J'ai dû tuer ma propre femme de mes mains, parce qu'elle ne supportait plus ma vue.

La voix de Karst défaillait.

— Mon fils a essayé de me tuer dans mon sommeil, ajouta-t-il en serrant le cou du keenox de plus en plus fort. J'ai été contraint de l'envoyer rejoindre sa mère dans l'autre monde. Aujourd'hui, il ne me reste que mes filles, qui ont peur de moi et qui préféreraient mourir que d'assurer ma descendance. Tous ces malheurs sont la faute d'un warrak, qui ose se donner le titre de guerrier, alors qu'il attaque sournoisement ses ennemis dans leur dos.

— Très bien, dit Ithan'ak. Réglons cette affaire face à face. Votre épée contre mon glaive.

— Il est trop tard ! tonna Karst, qui souleva le rongeur à bout de bras. Baissez vos armes ou il est mort.

Skeip ne pouvait presque plus respirer.

— Faisons ce qu'il dit, proposa Vonth'ak, qui ne voyait aucune autre solution. Nous devons gagner du temps.

Ithan'ak, qui réfléchissait à toute vitesse, comprit que le magicien avait raison. Il se demanda pendant un instant si Yrus'ak, qui était demeuré avec le reste du clan, avait eu connaissance que son chef était tombé dans une embuscade. Malheureusement, compte tenu de la distance qui séparait les kourofs du village, il valait mieux oublier cette éventualité. Furieux, le jeune chef déposa son arme devant lui, imité par Vonth'ak et Kamélia. Aussitôt, les soldats de Karst s'emparèrent d'eux.

— Prenez soin de maîtriser solidement le plus chétif, leur recommanda le général ; c'est un magicien.

Les Kalamdiens firent ce que leur supérieur ordonnait, mais c'est d'Ithan'ak qu'ils se méfiaient vraiment. Une fois que les trois antagonistes furent dans l'incapacité de nuire, Karst s'approcha d'eux, sans relâcher sa prise sur le rongeur. Il plongea son regard avide de vengeance dans celui du jeune chef, le fixant comme un serpent s'apprêtant à se ruer sur sa proie.

— Ce soir, les exploits d'Ithan'ak ne seront plus qu'un souvenir, siffla-t-il entre ses dents jaunies.

— Non ! s'écria Skeip, qui mordit de toutes ses forces le bras du général.

Karst, surpris, laissa tomber le rongeur.

— Je suis le Pourfendeur de dragons, hurla le keenox en disparaissant entre deux maisons, sans vraiment réfléchir à ce qu'il faisait.

Ithan'ak profita de la diversion créée par son imprévisible compagnon pour se débarrasser des deux hommes qui étaient postés derrière lui et récupérer son glaive. Sans réfléchir, tous les soldats encerclèrent le jeune chef, sans pour autant engager le combat avec le dangereux warrak.

Karst n'avait pas prévu que ses hommes réagissent de façon si stupide. Il leur hurla de ne pas lâcher le magicien, mais il était trop tard. Vonth'ak leva une main en direction du général, de laquelle s'échappa un filet rouge semblable à ceux que les chasseurs utilisent pour capturer les animaux sauvages.

— Je vous conseille de ne pas remuer, l'avertit Vonth'ak. Dans le cas contraire, ce filet magique vous brûlera la peau jusqu'aux os.

Le magicien somma ensuite les soldats qui entouraient Ithan'ak de reculer, sous peine de voir leur chef déchiqueté sans pitié. Ils hésitèrent un moment, puis obtempérèrent. Le regard du jeune chef se tourna vers le général sans défense.

— Mes hommes vous tueront si vous m'enlevez la vie, s'alarma Karst.

— Voilà ce que j'appelle de la lâcheté, le cingla Ithan'ak.

Kamélia avait du mal à croire que les deux warraks avaient repris les choses en main. Décidément, rien ne pouvait les arrêter. L'ambassadrice ne put s'empêcher de penser que le haut conseil des hylianns manquait d'individu aussi charismatique qu'Ithan'ak.

Voyant que sa présence ne pouvait que nuire à ses deux compagnons, l'hyliann les informa qu'elle allait récupérer Skeip pour le ramener en lieu sûr. Comme Ithan'ak se contentait d'observer le silence, elle comprit qu'elle devait s'exécuter sur-le-champ.

Le jeune chef n'avait pas encore pris sa décision. Il souhaitait ardemment se débarrasser du mécréant qui le poursuivait sans relâche. Pourtant, il ne pouvait faire abstraction des dix hommes qui guettaient chacun de ses gestes. Pour l'instant, toute l'attention de Vonth'ak était portée sur le filet qu'il maintenait sur son ennemi. Ithan'ak ignorait combien de temps il faudrait au magicien pour opérer un nouveau sortilège.

— Ordonnez à vos hommes de ne pas nous suivre, dit Ithan'ak, qui s'adressait au général cloué au sol. En échange, vous aurez la vie sauve.

— Comment puis-je être certain que ce filet ne se refermera pas sur moi dès que vous serez hors de portée ? demanda Karst.

— Je vous en donne ma parole, répondit le jeune chef. Vous connaissez l'importance que les warraks accordent à l'honneur. Croyez-moi, je compte bien vous tuer de mes mains lorsque le moment sera venu. Je serais peiné d'être privé de cette joie.

— Très bien, céda Karst, qui sentait le filet devenir de plus en plus brûlant.

Prudents, Ithan'ak et Vonth'ak reculèrent tranquillement en fixant les dix hommes qui mouraient d'envie de se jeter sur eux. Ce n'est que lorsqu'ils furent à une distance respectable qu'ils se décidèrent enfin à leur tourner le dos. Au loin, ils purent constater que Kamélia avait réussi à retrouver Skeip et qu'elle se dirigeait dans la même direction qu'eux.

Lorsque la magie qui le retenait disparut enfin, Karst savait qu'il était trop tard pour se lancer à la poursuite des deux warraks. Ils avaient certainement déjà rejoint le reste de leur clan. La rage qui bouillait dans les veines du général n'avait jamais été aussi intense. Comme il n'arrivait pas à mettre fin aux activités d'Ithan'ak par la force, il avait décidé d'avoir recours à la ruse. Pourtant, une fois de plus, le warrak responsable de tous ses malheurs lui avait échappé. De plus, ce dernier l'avait humilié devant ses soldats. Malgré tout, Karst n'avait pas dit son dernier mot. L'obstination avait toujours été son plus grand défaut ; selon lui, elle était aussi sa plus grande qualité.

Chapitre 5

Le docteur Claymore avait du mal à se réadapter aux exigences de la vie militaire. Autrefois, lorsqu'il accompagnait les armées sur les champs de bataille éloignés, les courbatures et les rhumatismes ne venaient pas gêner son sommeil. Malheureusement pour lui, les choses avaient bien changé. Aujourd'hui, les nuits froides lui étaient particulièrement pénibles. Certes, le général Karst avait tenu une partie de sa promesse et avait récompensé généreusement le docteur pour ses soins, mais il avait atrocement négligé l'aspect du confort. En vérité, Claymore aurait échangé tout ce qu'il possédait pour retrouver sa vieille maison de Chrysmale. Il se serait même contenté d'une habitation plus modeste, afin de retrouver sa tranquillité quotidienne.

Depuis des mois, le général poursuivait les kourofs dans tout le royaume de Kalamdir. À quelques reprises, il y avait eu de petites escarmouches, à la suite desquelles Claymore avait déployé son incroyable talent de guérisseur. En ces rares occasions où il pratiquait son art, le docteur tolérait la servitude que lui imposait Karst. Le reste du temps, il souhaitait ne jamais avoir sauvé la vie de cet homme au visage et au cœur meurtris par la guerre. L'intolérable position dans laquelle se trouvait Claymore l'obligeait à considérer d'entreprendre des actions dont il ne se serait jamais cru capable auparavant. Lorsqu'il préparait le précieux mélange qui atténuait les douleurs que Karst éprouvait à la tête, le docteur s'imaginait ajouter des ingrédients mortels, qui le libéreraient de son persécuteur.

Chaque fois, cela lui était impossible. Claymore avait voué sa vie à la guérison, et même la persécution ne pouvait le résoudre à trahir ses plus intimes convictions. De nature patiente, le petit homme aux cheveux grisonnants était convaincu qu'une autre solution finirait par se présenter à lui. Confiant, il était attentif aux décisions prises par le général, cherchant l'occasion de faire pencher la balance du côté des warraks.

Un matin ensoleillé, alors que Karst et ses troupes se rendaient à un point de ravitaillement, un groupe de miliciens vint à leur rencontre. Claymore, à l'affût de la moindre information, s'empressa de rejoindre le général.

Un petit homme grassouillet était à la tête des miliciens. Il affirmait que plus tôt dans la journée son camp avait été attaqué par les warraks.

— Nous savions qu'ils viendraient, disait le prénommé Bulif, mais nous n'avions pas prévu qu'ils se déplaçaient aussi rapidement.

Karst savait que Bulif et ses hommes n'avaient certainement pas opposé une grande résistance aux warraks. Il ne s'attendait pas à mieux de la part de vulgaires miliciens.

— Comment saviez-vous que l'ennemi était dans votre secteur ? demanda plutôt le général.

— La rumeur courait qu'ils avaient secouru une vieille femme et sa petite-fille d'un village en flammes. D'après mon informateur, leur chef est très préoccupé par les phénomènes étranges, qui deviennent de plus en plus fréquents sur le continent.

Il était difficile de déchiffrer les pensées du général, qui avait perdu une partie de son humanité en acquérant sa nouvelle apparence. C'est du moins ce que pensait Claymore. Néanmoins, au cours des derniers mois, le docteur avait appris à reconnaître différents signes distinctifs. Lorsque Karst obtenait une information lui permettant d'échafauder un nouveau plan, son visage se plissait de façon singulière.

— Dans quelle direction se dirigeaient-ils ? demanda le général.

— Ils sont d'abord partis vers le nord, répondit le petit homme grassouillet, mais je me doutais qu'il s'agissait d'une ruse. Un de mes hommes les a suivis un peu moins d'une heure, jusqu'à ce qu'ils changent radicalement de direction. Leur chef les mène vers le sud-est.

— Ithan'ak retourne à Ymirion, comprit Karst. Laissons-le profiter de cette belle journée et prendre une bonne nuit de repos. Demain matin, nous verrons s'il osera s'aventurer dans le prochain village en feu qu'il rencontrera.

Il ne faisait aucun doute que Bulif ne comprenait pas le plan qui avait fait surface dans l'esprit du général. Claymore, lui, ne comprenait que trop bien.

— Qui est cet homme qui a été mis aux fers ? demanda Karst, en désignant du doigt un milicien à l'air résigné.

— Il s'agit de Bleitan, monseigneur. Il dirigeait avec moi la milice, jusqu'à ce qu'il trahisse les siens. Ce chien a accepté de se rendre sans condition, allant même jusqu'à essayer de dissoudre notre milice.

Karst, silencieux, s'approcha du traître. Ce dernier avait du mal à tenir sur ses jambes. De toute évidence, ses anciens camarades lui avaient fait payer cher sa déloyauté.

— Cet homme ne mérite pas le traitement que vous lui avez fait subir, dit le général ; libérez-le.

Cette déclaration surprit Claymore au plus haut point. Durant les derniers mois passés aux côtés d'un homme sans pitié, il avait perdu l'espoir que son « protecteur » puisse faire preuve d'un peu de pitié. Les prières du docteur étaient enfin récompensées.

Incapable de contrôler ses émotions, l'homme à qui on venait de retirer ses chaînes laissa couler des larmes sur ses joues.

— Ne pleure pas ainsi, lui dit amicalement Karst. Comme je l'ai dit, tu ne méritais pas le traitement qu'ils t'ont réservé. Il ne faut pas blâmer leur ignorance. Ce ne sont que de simples miliciens. Ils ignorent que cette souffrance est réservée à nos pires ennemis.

Bleitan, à genoux, baisa la main de son sauveur.

— Si tes camarades avaient été de vrais soldats, continua Karst, ils auraient su que le sort réservé aux traîtres de ton espèce est la mort.

D'un coup de pied, le général envoya Bleitan rouler dans la boue. D'un rire sonore, il dégaina son épée et la dirigea en direction du malheureux. Un seul coup suffit pour séparer la tête du corps, qui gisait maintenant sans vie sur le sol.

Claymore ne put retenir sa colère. Le teint rougeoyant, il alla se placer entre Karst et sa victime, prêt à déballer tout ce qu'il gardait pour lui depuis trop longtemps.

— Vous avez mauvaise mine, dit le général avant que le docteur puisse prononcer un seul mot. Je crois que quelques jours de vacances vous feront le plus grand bien.

Déconcerté, Claymore ne sut pas quoi répondre. Au contraire, il était impatient de connaître ce que Karst avait en tête.

Voyant que le docteur avait perdu la parole, le général éclata de rire.

— Vous m'avez bien compris, dit-il en essuyant sur un mouchoir le sang qui tachait son épée. Je ne veux pas risquer de perdre les faveurs de mon médecin. Ne restez pas planté là et dites-moi plutôt ce dont vous avez besoin pour rendre vos vacances plus agréables.

Le docteur, voyant là une précieuse occasion, accepta avec plaisir l'offre du général. Comme convenu, Karst donna un cheval à Claymore, avec l'ordre de se présenter au point de rendez-vous dans deux jours. Il avait ajouté qu'à son retour beaucoup de travail attendrait le guérisseur.

— Où comptez-vous aller ? demanda Karst, feignant de s'intéresser aux agissements de Claymore.

— Je suis certain que plusieurs villages aux alentours n'ont pas reçu la visite d'un médecin depuis des lustres. Il serait cruel de ne pas leur accorder quelques heures de mon temps.

— Je croyais vous avoir ordonné de prendre congé, se moqua Karst. Il semblerait que ce mot soit étranger à votre vocabulaire.

Claymore, qui ne souhaitait pas s'enfoncer davantage dans cette discussion, esquissa un sourire et quitta le général. Depuis son départ forcé de Chrysmale, le docteur ne s'était vu accorder aucune liberté de la part de Karst. Il avait l'intention de tout mettre en œuvre pour rentabiliser le répit qu'il avait obtenu. Son but était simple : trouver Ithan'ak avant que Karst puisse mettre son plan à exécution. Rapidement, il entassa quelques provisions dans un sac de cuir, ainsi qu'une légère trousse de médecine. Afin de pouvoir planifier son itinéraire, le petit homme au regard creux demanda à un soldat de lui remettre une carte du territoire. Connaissant l'attachement du général envers le docteur, le soldat s'exécuta sans poser de question. Claymore était enfin prêt à se mettre en route.

Retrouver la trace des warraks n'était pas une chose facile. Les habitants des trois premiers villages que Claymore visita ne purent lui fournir aucune information utile. De plus, le docteur ne pouvait s'empêcher de prodiguer ses soins aux villageois les plus mal en point. À chaque patient qu'il acceptait d'examiner, il lui restait moins de temps pour accomplir la mission qu'il s'était donnée.

Il n'y avait aucun doute que le général Karst comptait faire marcher ses hommes toute la journée et toute la nuit, s'il le fallait, pour devancer les warraks et leur tendre un piège. Même avec un cheval, Claymore n'était pas certain de pouvoir trouver Ithan'ak avant le moment fatidique. Comme la journée avançait rapidement, il dut se résoudre à refuser son aide aux villageois, afin de couvrir davantage de distance. Toute la nuit, il avait chevauché dans l'espoir de voir apparaître la lueur d'un feu trahissant la présence des warraks. Épuisé, le docteur arrivait à peine à tenir sur son cheval, mais il ne pouvait abandonner. Il aurait souhaité avoir reçu une formation de soldat, être apte à suivre une piste, mais les dieux lui avaient offert un don bien différent. Que pouvait faire la médecine dans une situation semblable ?

Le soleil éclaircissait l'horizon et les recherches de Claymore n'avaient toujours pas porté leurs fruits. Au contraire, le docteur s'était malgré lui endormi sur son destrier. Lorsqu'il ouvrit les yeux et vit une colonne de fumée s'élever au loin, le petit homme aux cheveux gris comprit qu'il avait échoué. Malgré la fatigue qui rongeait ses vieux os, Claymore lança son cheval au galop en direction du brasier. Ce n'est qu'en approchant du village en feu qu'il trouva enfin ceux qu'il avait pourchassés avec tant d'ardeur : les warraks. Sans s'inquiéter pour sa propre sécurité, il se lança à leur rencontre.

Puisqu'Ithan'ak était parti explorer les décombres du village, le commandement du clan revenait au capitaine Yrus'ak. Afin de pallier toute éventualité, ce dernier avait ordonné qu'on intercepte tout individu qui passait dans le secteur.

Dans ce cas précis, les kourofs n'eurent aucun mal à appliquer les ordres de leur capitaine. En effet, le cavalier s'était expressément dirigé dans leur direction et avait demandé un entretien avec Ithan'ak. Lorsque les féroces guerriers expliquèrent à l'homme que leur chef serait bientôt de retour, Claymore comprit qu'il arrivait trop tard.

— Je dois parler à votre commandant, dit-il, affolé. Votre chef est en grand danger.

Le docteur fut emmené devant le capitaine Yrus'ak, à qui il fit rapidement un compte rendu des intentions du général Karst. Le warrak écoutait avec un grand sérieux les propos du petit homme grisonnant. Silencieux, il essayait de comprendre les motifs de la traîtrise de Claymore. Le capitaine se demandait ce qu'aurait fait Ithan'ak à sa place.

— Vous dites que votre général est embusqué dans ce village en feu, dit-il d'un grand sérieux. Comment puis-je savoir que vous me dites la vérité ?

— Je n'ai aucun moyen de vous prouver ma bonne foi, répondit le docteur. Vous devez me croire sur parole, car le temps presse.

— Capitaine, dit un kourof. L'ambassadrice et le keenox sont de retour. Ils affirment qu'ils sont tombés dans une embuscade.

Yrus'ak jeta un regard incrédule vers Claymore. À son grand étonnement, le docteur ne lui avait pas menti. Ithan'ak voudrait peut-être en faire son allié, à condition que le jeune chef soit toujours en vie.

— Savons-nous où se trouve notre chef ? demanda Yrus'ak à ses subalternes.

— Il est resté là-bas, répondit Kamélia, qui s'était approchée du capitaine. Il avait la situation en main lorsque nous l'avons quitté, mais j'ignore ce qui s'est passé par la suite.

— Vos propos ne sont pas très rassurants, dit Yrus'ak. Nous avons assez perdu de temps. Il faut immédiatement partir au secours de notre chef.

— Ce ne sera pas nécessaire, dit Skeip.

Le rongeur, qui avait une vue presque aussi perçante que les hylianns, était ravi d'être le premier à apercevoir Ithan'ak et Vonth'ak revenir sains et saufs.

— Il a raison, l'approuva l'ambassadrice de Lelmüd. Ils sont hors de danger.

Soulagé, Yrus'ak retrouva son regard vert et demanda au docteur de l'accompagner à la rencontre du jeune chef. Ithan'ak fut surpris de la présence du docteur, dont il n'avait pas oublié le visage. Le capitaine Yrus'ak expliqua de quelle manière le petit homme avait essayé de venir en aide aux warraks.

— J'aurais aimé vous éviter cette embûche, s'excusa Claymore auprès d'Ithan'ak. Il semblerait que tous mes efforts pour absoudre mes fautes soient vains.

— Quelles fautes avez-vous commises ? s'intéressa le jeune chef.

— Comme vous le savez, répondit Claymore, mon métier est de sauver des vies. Il serait aisé pour moi de me convaincre que j'ai toujours fait les bons choix, mais ce serait me mentir. Par ma faute, des hommes qui auraient dû rendre l'âme sont toujours parmi les vivants. Par ma faute, certains d'entre eux sèment la mort sur leur passage, ce qui vient tacher mes mains d'un rouge plus sombre et plus inquiétant que le sang.

Ithan'ak comprit que le docteur faisait plus particulièrement allusion aux méfaits commis par le général Karst. Dernièrement, l'homme au visage ravagé avait redoublé de cruauté, autant envers ses alliés que ses ennemis. Il n'avait pas hésité à incendier un village et à tuer tous les habitants pour arriver à ses fins. Apparemment, Claymore ne pouvait supporter plus longtemps d'être la source de tout ce mal. Le pauvre homme culpabilisait d'avoir permis au général de survivre à ses blessures.

Bien qu'Ithan'ak comprît parfaitement le drame personnel qui hantait Claymore, le jeune chef n'avait pas l'intention de s'apitoyer sur le sort du docteur. Au contraire, son intention était de l'encourager à combattre.

— Vous êtes venu ici pour prévenir les kourofs du danger, dit le warrak. Il s'agit d'un acte louable, mais quels sont vos projets pour l'avenir ? Un guérisseur de talent serait très utile parmi nous.

— Je croyais être LE guérisseur des kourofs, intervint Skeip.

Encore une fois, le keenox n'avait pu s'empêcher de prendre part à la conversation sans y être invité et d'attirer l'attention sur sa petite personne.

— Je crois pouvoir faire aussi bien que cet homme, ajouta le rongeur, sans se soucier du regard réprobateur du chef des kourofs.

— Je n'en doute pas une seconde, répondit Claymore, soucieux de ne pas s'attirer les foudres du keenox.

Satisfait par la réponse de l'homme, Skeip retrouva instantanément sa gaieté habituelle.

— Dois-je comprendre que vous n'avez pas l'intention de demeurer parmi nous ? demanda Ithan'ak.

— Comme je vous l'ai déjà mentionné, répondit le docteur, je dois réparer les fautes que j'ai commises.

— Pourquoi n'empoisonnez-vous pas tout simplement le général ? s'enquit Vonth'ak, dont l'esprit pratique ne pouvait contourner cette idée.

— C'est hors de question ! tonna Ithan'ak. Les warraks ne sont pas des couards. Ils font face à leurs ennemis et les terrassent par la force de leur glaive.

— Le docteur est un homme, objecta Vonth'ak. Il n'est pas tenu de respecter la tradition guerrière des warraks.

Ithan'ak était furieux. La couleur de ses yeux balançait dangereusement entre le vert et le rouge. Le magicien était le seul kourof qui pouvait se permettre de s'adresser ainsi à son chef. Un autre que lui aurait connu la mort sur-le-champ. La vérité était que Vonth'ak ne serait jamais un véritable kourof, ni même un véritable warrak. Ithan'ak devrait un jour se faire à cette idée ou mettre fin à son amitié avec le magicien.

— Il est inutile d'argumenter davantage sur ce point, dit résolument Claymore. Bien que je déteste au moins autant que vous le général Karst, il m'est impossible d'aller à l'encontre de mes principes. J'ai voué toute ma vie à l'art de la guérison. Mettre volontairement fin à une vie serait renier tout ce pour quoi j'ai vécu.

Vonth'ak ne comprenait pas plus les ridicules principes du docteur que l'incontournable dévouement des warraks à l'honneur. Pour lui, les choses se devaient d'être plus simples. Le magicien, qui avait vécu une grande partie de sa vie dans une totale solitude, avait développé une façon de raisonner bien à lui. Il allait toujours droit au but, en prenant les moyens qui s'imposaient pour arriver à ses fins. Il avait tout de même cultivé un sens moral, sans pour autant avoir appris à se soucier des autres. Sa rencontre avec Ithan'ak avait sans contredit été un point tournant dans sa vie, depuis lequel Vonth'ak avait pour la première fois établi un lien d'amitié avec un groupe d'individus. Son attention se portait particulièrement sur Skeip et il se faisait un devoir de veiller sur l'espiègle créature. Le magicien ignorait s'il s'intéressait au keenox pour l'énorme potentiel que ce dernier représentait, ou tout simplement parce que le rongeur avait su gagner sa sympathie. Quoi qu'il en soit, Vonth'ak comptait veiller sur lui jusqu'à ce que le rongeur lui ait traduit les innombrables volumes rédigés dans une langue oubliée. Cette tâche devrait évidemment attendre la fin de la guerre.

De son côté, Ithan'ak commençait à mieux comprendre les motivations et les agissements du docteur et il était prêt à lui accorder sa confiance.

— Vous êtes arrivé trop tard aujourd'hui, commença le jeune chef, mais il est encore temps pour vous de porter un coup au tyran qui tente d'étendre sa main sombre sur Anosios.

— En effet, approuva Claymore. C'est pourquoi je dois retourner auprès du général Karst. En rôdant près de lui, j'ai accès à des informations que même ses capitaines ignorent.

« Les choses commencent à devenir intéressantes », pensa Ithan'ak.

— Je peux déjà vous dire que le roi Limius commence à envisager de rappeler ses troupes qui font la guerre dans le nord.

— Nous ne sommes absolument pas prêts à les affronter ! s'alarma le jeune chef.

— Le tyran de Kalamdir ne fera appel aux armées du nord qu'en dernier recours, le rassura Claymore. Il ne faut pas oublier qu'il doit aussi mener sa guerre contre les nains. Je vous informerai s'il y a du changement.

— De quelle façon vous y prendrez-vous ? s'enquit Vonth'ak.

— Je n'en ai pas la moindre idée, admit le petit homme. Mais ne vous en faites pas, je trouverai un moyen.

Claymore prit un peu plus de deux heures pour examiner quelques kourofs dont les blessures avaient du mal à cicatriser, puis il fit ses au revoir aux warraks. Satisfait des premiers liens qu'il avait tissés avec Ithan'ak, il avait complètement oublié qu'il avait échoué sa mission. Heureusement, le jeune chef avait su déjouer les plans du général par lui-même. Claymore se promit que la prochaine fois sa contribution à la guerre menée par les ennemis du roi Limius serait beaucoup plus substantielle.

Chapitre 6

Les jours suivants l'embuscade du général Karst s'avérèrent calmes et d'une certaine monotonie. Le ciel était entièrement bleu, à l'exception de quelques gros nuages blancs dispersés, qui se laissaient lentement pousser par le paresseux vent du sud. Aucune fumée noire ne vint entacher l'azur et aucune ombre ne se glissa dans la nuit pour s'en prendre aux warraks. La chaleur de la journée était supportable et les nuits offraient une douce brise, qui apaisait les voyageurs et leur permettait de trouver le sommeil. L'herbe mouillée, car elle était recouverte d'une fine bruine le matin, obligeait les warraks à se lever et à continuer leur route. Cependant, l'astre du jour ne mettait pas longtemps à réchauffer les gouttelettes, qui se dissipaient dans l'air. Tous les kourofs, y compris Ithan'ak, avaient temporairement mis de côté leur attitude guerrière. Certes, ils demeuraient vigilants, mais leurs pensées étaient momentanément coupées de la guerre. Ils se contentaient de penser à leurs femmes, qu'ils reverraient bientôt, ainsi que d'apprécier la température clémente que leur offraient les dieux. Les warraks ne s'étaient toujours pas habitués à cette nature riche et verdoyante qu'offrait le royaume de Kalamdir. Plusieurs d'entre eux n'avaient jamais connu autre chose que la neige, jusqu'à tout récemment. Les quelques jours de marche pour rejoindre Ymirion leur permettaient d'apprécier l'écosystème qui les entourait.

Skeip, plus petit que les féroces guerriers, avait du mal à suivre leur rythme. Toutefois, il refusait l'aide que les guerriers d'Ithan'ak lui offraient.

— Le Pourfendeur de dragons n'a pas besoin d'être porté, disait-il.

Le keenox avait adopté ce nouveau sobriquet, qu'il jugeait lui aller à merveille. À tout bout de champ, il offrait son bras à l'ambassadrice de Lelmüd, tel un chevalier accompagnant sa princesse. Kamélia se plaisait à jouer le jeu du rongeur. Les warraks considéraient maintenant Skeip comme une indispensable distraction, voire même comme un petit frère maladroit sur qui il fallait constamment garder l'œil. Vonth'ak était du même avis que ses semblables. Il espérait seulement que cette histoire de Pourfendeur de dragons ne donnerait pas des idées de grandeur à son protégé.

Chaque soir, Skeip apprenait au magicien les rudiments du kandail, une langue ancienne et oubliée depuis longtemps. Quant à lui, Vonth'ak apprenait à Ithan'ak comment utiliser les pouvoirs que lui avait conférés le dieu de la guerre. Le jeune chef, qui devenait de plus en plus intéressé par ce que lui apprenait le magicien, exigeait tout de même d'exécuter ses leçons à l'écart de ses guerriers. Un jour, peut-être, leur dévoilerait-il la vérité. Pour l'instant, il jugeait que les kourofs n'étaient pas prêts.

Il n'était pas midi lorsque les warraks aperçurent enfin l'impressionnant mur d'enceinte d'Ymirion. Les tentes des autres clans étaient toujours plantées devant la capitale. De toute évidence, Kran'ak n'avait pas encore réussi à percer les défenses de l'ennemi. Cela n'étonnait en rien Ithan'ak, qui connaissait mieux qu'aucun autre warrak les impénétrables murailles de la cité.

À leur grande surprise, les kourofs furent accueillis en héros. Bien que le priman'ak s'y fût opposé, la plupart des chefs de clan avaient tenu à souligner les multiples victoires qu'avaient remportées Ithan'ak et ses guerriers. Une soirée de festivités attendait les kourofs, qui ne demandaient pas mieux. Pour ce qui est de leur chef, il comptait sur cette agitation pour faire diversion et passer un moment seul avec Mikann.

Un banquet fut d'abord organisé, où Ithan'ak dut partager la place d'honneur avec Kran'ak. Durant tout le repas, ce dernier chercha à discréditer le chef des kourofs, qui avait peine à conserver son sang-froid. Néanmoins, les injures du priman'ak n'arrivaient pas à faire taire les louanges à l'endroit d'Ithan'ak.

— Il s'entoure d'un keenox, d'hylianns et même d'un magicien, répétait sans cesse Kran'ak. Voilà une curieuse façon de mener la guerre ; voilà une curieuse façon d'honorer nos traditions.

En temps normal, Ithan'ak aurait répliqué férocement, mais comme personne n'accordait d'importance aux paroles vides du priman'ak, il se contenta de sourire et de profiter de ce court moment de répit parmi les siens. La soirée, bien que très animée, parut interminablement longue au jeune chef. Il jetait constamment des coups d'œil autour de lui, dans l'espoir d'apercevoir Mikann. Pour l'instant, celle-ci n'avait donné aucun signe de vie. Ithan'ak aurait aimé se renseigner pour savoir si la celfide se portait bien, mais il ne pouvait courir le risque qu'on remarque son attirance pour elle. La situation aurait été beaucoup moins compliquée si Mikann n'avait pas appartenu au clan des sciaks, dirigé par Kran'ak.

— Savez-vous où se trouve Skeip ? demanda Kamélia, qui avait rejoint le jeune chef. Je le cherche depuis près d'une heure.

— Je l'ignore, répondit simplement Ithan'ak. Je suppose qu'il fait le récit de ses exploits quelque part. Ou peut-être que

Vonth'ak a une fois de plus retenu ses services de traducteur. Ce warrak est d'une persévérance sans limites.

— Comme vous l'êtes, monseigneur, se moqua l'hyliann.

Ithan'ak accepta de bon cœur le commentaire et offrit à boire à l'ambassadrice.

— Au fait, pourquoi voulez-vous voir le keenox ? demanda le jeune chef d'un ton désinvolte.

— Pour être honnête avec vous, répondit Kamélia, je me sens un peu seule au milieu de tous ces warraks. Skeip est la seule personne présente qui n'appartient pas à votre race. Peut-être pourriez-vous m'aider à le trouver.

Ithan'ak prit un instant pour réfléchir. Comme il était rare que le keenox ne l'encombre pas, il n'avait aucune envie de le retrouver. D'un autre côté, il s'agissait d'une excuse parfaite pour se mettre subtilement à la recherche de Mikann. Cette perspective suffit à le convaincre.

— Allons-y, dit-il prestement. Je suis certain que notre Pourfendeur de dragons n'est pas très loin.

Comme l'avait prédit Ithan'ak, plusieurs warraks étaient regroupés autour du rongeur, majoritairement des femmes et des enfants. Ce que le jeune chef n'avait pas prévu était que Mikann soit confortablement assise à écouter les histoires du keenox.

Kamélia, qui ne voulait pas importuner davantage le jeune chef, le remercia de l'avoir aidée à retrouver Skeip.

— Je ne vous retiens pas plus longtemps, dit-elle en souriant. Je sais que même un grand guerrier tel que vous ne peut endurer la souffrance que procurent les inepties d'un keenox.

— Cessez de vous moquer, répondit Ithan'ak.

Il essayait de paraître offusqué.

— Pour vous prouver ma bonne foi, dit-il, je vais rester un moment.

Ravie, l'ambassadrice tenta de le traîner vers l'avant, mais le jeune chef lui expliqua qu'il désirait éviter que le rongeur, s'apercevant de la présence de son ami, l'intègre à ses histoires.

— Comme vous voudrez, répondit Kamélia. Cela ne vous dérange pas si je m'approche un peu ?

Au contraire, c'est ce qu'Ithan'ak espérait. Une fois que l'ambassadrice eut le dos tourné, il chercha une place vers l'arrière, plus particulièrement près de la jolie celfide à la fourrure rousse. Il attendit quelques instants, puis se décida à lui parler. Il ne la regardait pas directement, afin d'éviter d'éveiller les soupçons.

— Je suis un peu surpris de vous voir ici, lui dit-il. Je dois avouer que j'espérais que vous tenteriez de venir me voir, d'une façon ou d'une autre.

— C'est exactement ce que j'ai fait, souligna Mikann.

Confus, Ithan'ak tourna la tête vers elle. La celfide lui souriait, amusée par l'expression déconcertée du jeune chef. Elle était aussi belle que dans ses souvenirs ; peut-être même davantage. Il avait du mal à croire que quelques mois auparavant il avait posé ses lèvres sur les siennes. Cette seule pensée fit monter une vague de chaleur dans le cou du warrak. Lorsqu'il s'aperçut qu'il dévisageait la celfide, la bouche grande ouverte, il s'efforça de revenir au moment présent.

— Pardonnez-moi, mais en vous voyant assise à écouter les fabulations de Skeip, je n'ai pas eu l'impression que vous étiez impatiente de me revoir.

Ithan'ak savait qu'il était maladroit, mais son désir l'empêchait d'agir avec jugement. Il était nerveux à l'idée que l'opinion qu'avait de lui Mikann ait pu changer. Il savait qu'il ne supporterait pas de l'entendre dire qu'il valait mieux oublier le baiser qu'ils avaient échangé. Il lui fallut faire un effort considérable pour ne rien ajouter. Ses propos accusateurs risquaient seulement d'empirer la situation. Vulnérable, le jeune chef respira profondément et attendit les explications de la celfide.

— Ne croyez pas que je ne me languissais pas de venir à votre rencontre, dit-elle. Depuis des heures, je m'efforce de trouver un moyen de me faufiler jusqu'à vous sans attirer l'attention. Cependant, vous étiez assis juste à la droite de Kran'ak. Je crois qu'il n'hésiterait pas à me tuer s'il connaissait les sentiments que j'éprouve pour vous.

Ces derniers mots déstabilisèrent Ithan'ak au plus haut point. D'un côté, il ne pouvait refouler l'allégresse que lui procuraient les sentiments tendres de Mikann à son égard. De l'autre, il avait du mal à contenir la rage qu'il éprouvait à l'idée de voir celle qu'il aimait être supprimée par le dangereux priman'ak.

— Calmez-vous, dit la celfide, qui avait remarqué le changement d'humeur du warrak. Kran'ak ne m'a jamais touchée et il ne se doute de rien. Je dois par contre être très prudente en ce qui nous concerne.

Cette fois, Ithan'ak ne pouvait plus contenir sa joie. Mikann venait de parler d'eux comme d'une paire, d'un duo, d'un couple. Le jeune chef essayait de camoufler le sourire qui se dessinait malgré lui sur son visage ; sans succès.

— Je ne comprends toujours pas pour quelle raison je vous ai trouvée ici, demanda-t-il, espérant que le fait de dire quelque chose l'aiderait à retrouver son calme.

— Vous n'êtes pas un warrak comme les autres, expliqua la celfide. Vos fréquentations sont pour le moins surprenantes. J'ai cru comprendre que vous ne vous trouviez jamais très loin de votre ami keenox. Je savais donc qu'en demeurant près de lui je finirais par vous mettre le grappin dessus.

Ce que disait Mikann était vrai. Ithan'ak était devenu, sans s'en rendre compte, un marginal parmi les siens. Cette particularité aurait pu nuire à sa réputation, mais il n'en était rien. Au contraire, le jeune chef était plus populaire que jamais. Il est vrai qu'au début ses fréquentations avaient semé un profond doute chez les autres chefs, mais les récents faits d'armes d'Ithan'ak avaient renversé la vapeur. La présence d'un magicien à ses côtés ne faisait toujours pas l'unanimité, mais le temps ferait son œuvre. Quant à Skeip, Mikann avait raison de dire qu'il était toujours à proximité du jeune chef. La raison était simple : quelqu'un devait veiller à la sécurité du keenox, car celui-ci était incapable de veiller sur lui-même. Toutefois, bien qu'un certain lien unît maintenant Ithan'ak au rongeur, il n'était pas encore prêt à avouer qu'ils étaient amis.

— J'espère que vous n'êtes pas trop effrayée par les gens que je côtoie, s'inquiéta Ithan'ak. Je sais que certains warraks n'hésitent pas à qualifier mes relations de malsaines.

— Si vous faites référence à Kran'ak, sourit Mikann, ce n'est pas parce que je suis une sciak que je dois partager toutes les opinions de mon chef.

— Cela m'étonne qu'il n'ait pas déjà réquisitionné votre main, commenta Ithan'ak. C'est ce que font tous les chefs qui ont une celfide dans leur clan.

— L'explication est très simple, répondit Mikann. Notre priman'ak avait déjà une compagne avant ma naissance. Comme vous le savez, briser cette union serait perçue par tous comme un manquement à l'honneur et Kran'ak serait condamné de toutes parts.

Cette précision réconforta Ithan'ak, qui voyait Kran'ak comme un perpétuel adversaire. Il ne lui restait plus qu'à trouver un moyen d'unir sa vie à celle qu'il aimait.

— Je sais à quoi vous pensez, lui dit Mikann. Malgré tous les exploits que vous pourrez accomplir, vous ne pourrez jamais le convaincre de me donner à vous. La haine que vous éprouvez l'un envers l'autre est trop profonde.

— Qu'allons-nous faire ? demanda Ithan'ak, atterré.

Il n'était plus un combatif chef de clan ni un fin stratège. Il ne pouvait entrevoir aucune issue. De tous les champs de bataille, il se trouvait sur celui dont la retraite lui était la plus insupportable. Ici, sa bravoure ne lui était d'aucun secours. Il était comme un enfant qui n'arrive pas à atteindre la branche d'un arbre, comme un fauve qui essaie d'attraper une proie trop rapide pour lui.

— Qu'allons-nous faire ? répéta-t-il, dans un murmure.

— Transgresser les règles, répondit la celfide, qui avait profité des derniers mois pour réfléchir à la question.

D'un signe de la tête, elle intima au jeune chef de la suivre. Vulnérable et troublé, ce dernier accepta de quitter l'assistance, qui écoutait Skeip avec engouement, pour suivre Mikann à l'écart.

Sous le couvert de la nuit, dans un petit boisé qui bordait le camp des warraks, les tourtereaux s'enlacèrent dans les herbes hautes. Les baisers de la celfide faisaient monter le sang au visage d'Ithan'ak. De sa main gauche, il caressait doucement le dos de sa complice. En effet, ils étaient complices ; et coupables. Malgré tous les charmes de Mikann, le jeune chef ne pouvait s'empêcher de penser qu'il trahissait son propre honneur. Il était strictement interdit de partager son intimité avec une warrak, tant qu'une union formelle n'avait pas été célébrée. Le problème était que cette union devait être approuvée par le chef du clan de la promise.

Mikann se faisait de plus en plus câline, ce qui ne manquait pas de faire perdre la tête à Ithan'ak. Lui aussi mourait d'envie d'étreindre charnellement la celfide, mais cela lui était impossible. Sans son honneur, un warrak n'était rien. Mikann le savait, c'est pourquoi elle ne fut pas offusquée d'être repoussée par le jeune chef. Certes, elle avait espéré que ses charmes seraient suffisants pour détourner son soupirant du droit chemin, mais il ne s'agissait pas d'un simple guerrier. Ithan'ak était un chef de clan renommé et il avait la trempe d'un priman'ak. Ce genre de guerrier n'était pas aisément corruptible.

— Que ferons-nous, se chagrina Mikann, si je ne peux m'offrir à vous sans l'approbation de Kran'ak ? Il ne vous laissera jamais unir votre destin au mien.

— Je trouverai un moyen, la consola Ithan'ak. J'ignore encore comment, mais je ferai en sorte que vous soyez auprès de moi pour toujours.

Les paroles du jeune chef ne réussirent pas à réconforter la celfide. Elle pleurait et maudissait les warraks et leur honneur. Ithan'ak, immobile à côté d'elle, tentait d'apaiser les larmes de la warrak en lui caressant doucement les joues.

Mikann était désemparée. Elle avait la certitude qu'Ithan'ak était celui que les dieux avaient choisi pour elle. Pourtant, rien ne laissait présager de bon pour l'avenir. Un jour ou l'autre, Kran'ak offrirait la main de la celfide à un chef de clan pour s'assurer la loyauté de ce dernier. Le moment venu, il serait trop tard pour rebrousser chemin. Elle serait séparée d'Ithan'ak à jamais.

— Jurez-moi que vous ne vous détournerez jamais de moi, lui dit-elle. Seule votre parole pourra dissoudre le chagrin que j'éprouve loin de vous.

— Je penserai toujours à vous, répondit Ithan'ak. Même si je ne devais jamais vous revoir, votre visage sera éternellement gravé dans ma mémoire.

Ragaillardie par les paroles du jeune chef, la celfide lui tendit un pendentif. Désireux de plaire à celle qu'il aimait, Ithan'ak prit l'objet et tenta de l'examiner malgré la pénombre de la nuit. Au bout d'un cordon de cuir était attachée une pierre bleue savamment polie. Le jeune chef ignorait ce qu'il devait en faire. Il leva un regard interrogateur vers Mikann, qui lui fit un signe des yeux pour l'inciter à examiner davantage le présent qu'elle lui offrait. La surprise du warrak fut totale lorsqu'il s'aperçut que la pierre était devenue jaune.

— Il s'agit d'une émyantine, expliqua la celfide. Ce sont des pierres extrêmement rares. Il paraît qu'elles se forment seulement au creux des océans.

— Comment l'avez-vous obtenue ? s'intrigua Ithan'ak.

— C'est une longue histoire, répondit Mikann, mais je serais heureuse de vous la raconter.

Ithan'ak l'encouragea en lui prenant la main.

— Quelques années après ma naissance, commença-t-elle, un guerrier de mon clan m'a raconté qu'il existait tout un univers hors de la pointe d'Antos. D'après lui, d'autres races parcouraient notre monde, hormis nos pires ennemis, les hommes. Apparemment, certains peuples étaient même étrangers à la guerre. Ce guerrier racontait aussi qu'il faisait chaud, comme si le soleil descendait de son perchoir pour mieux observer les champs de bataille. Le monde que ce warrak décrivait me bouleversa au plus haut point. Comme je suis native de la péninsule, je fus immédiatement fascinée d'apprendre à quoi ressemblait le reste du continent d'Anosios. Bien décidée à connaître ce monde merveilleux qu'on m'avait décrit, je décidai de partir seule à l'aventure. Sans demander la permission, je pris quelques provisions dans la réserve du clan et m'enfuis durant la nuit. J'avais pris soin de choisir mon moment en fonction des précipitations de neige, afin que celles-ci couvrent mes traces. J'étais consciente que voyager seule comme je le faisais était très dangereux. Heureusement pour moi, mon escapade se déroulait durant l'été et la température était assez clémente pour permettre à la petite warrak que j'étais de ne pas mourir de froid. Au bout d'une semaine, même si j'avais pris soin de rationner ma nourriture, il ne me restait presque plus rien à me mettre sous la dent. Je tenais à peine debout, tellement épuisée que je ne m'aperçus même pas que j'avais atteint le rivage de l'océan Golphost. À bout de force, je m'effondrai sur les galets. Mes pensées divaguaient entre le rêve et la réalité, ne sachant plus ce qui était réel. C'est à cet instant précis que mes yeux se posèrent sur une petite pierre violette. À cette époque, je n'avais jamais vu cette couleur. Lentement, j'élançai mon bras pour prendre l'étrange caillou dans ma main. Lorsque je l'observai de nouveau, la pierre était devenue orange. J'ignore pourquoi, mais je compris que j'étais tirée d'affaire. Je n'avais pas atteint le continent d'Anosios, mais cela m'était égal. Il s'agissait pour moi d'un signe de Kumlaïd, qui m'accordait d'entrevoir au moyen de la pierre les beautés du monde que les warraks avaient malgré eux dû laisser derrière. Quelques heures suivant cette découverte, deux guerriers de mon clan me trouvèrent endormie, recroquevillée près du rivage, à moitié gelée. La neige avait cessé de tomber depuis plus de trois jours, ce qui leur avait permis de me retrouver. Heureusement pour moi, j'étais très différente de mes camarades. Si l'une d'entre elles avait agi comme je l'avais fait, le clan l'aurait abandonnée ; encore pire, elle aurait pu être exécutée. Le destin voulut que je sois une celfide et que ma valeur soit trop grande aux yeux de mon clan pour être sacrifiée. Bref, depuis ce jour, je conserve cette pierre pour qu'elle me porte chance.

— Je ne peux accepter un tel présent, dit le jeune chef. Cette pierre veille sur vous depuis votre enfance.

— C'est exact, répondit Mikann. C'est d'ailleurs la raison pour laquelle je tiens à ce que vous l'ayez. J'ignore si nous aurons de nouveau l'occasion d'être seuls avant longtemps. Peut-être ne pourrons-nous même jamais célébrer notre union. Je ne pourrai supporter cette idée que si vous acceptez ce cadeau. Tant que vous le porterez, je saurai que vos sentiments envers moi sont toujours aussi vifs.

— Dans ce cas, n'ayez aucune crainte, la rassura Ithan'ak.

Il enfila le pendentif autour de son coup.

— Jamais je ne m'en séparerai, ajouta-t-il. À moins que vous le réquisitionniez.

Les tourtereaux échangèrent un doux baiser, qui arracha quelques larmes à la celfide. Il était temps qu'ils se séparent avant que quelqu'un finisse par les découvrir. Comme Mikann n'arrivait pas à prendre l'initiative, ce fut Ithan'ak qui se leva et s'éloigna en direction du campement. Derrière son air courageux, il était aussi déboussolé que la celfide. Il éprouvait un étrange mélange de joie et de tristesse. Mécaniquement, il rejoignit sa tente et s'étendit sur sa couche. Malgré ce qu'il venait de vivre, le jeune chef ne put combattre le sommeil une minute de plus. Ce fut un rayon de soleil, que la toile de sa tente n'avait pu tenir à l'écart, qui vint le réveiller. Les yeux d'Ithan'ak se portèrent d'abord sur l'émyantine, qui avait adopté une couleur bourgogne. « Je suis impatient de savoir si la chance sera avec moi aujourd'hui », pensa-t-il.

CHAPITRE 7

Dès qu'Ithan'ak fut sorti de sa tente, le capitaine Yrus'ak vint à sa rencontre. Ce dernier, hors d'haleine, avait une nouvelle importante à communiquer à son chef.

— Qu'y a-t-il ? demanda Ithan'ak, qui avait l'intuition qu'il n'aimerait pas ce qu'il entendrait.

— Il s'agit de Kran'ak, répondit le capitaine. Il a convoqué tous les chefs de clan.

— Il n'y a rien d'inhabituel à ça, rétorqua le jeune chef. À moins que ce soit le sujet de la rencontre qui vous mette dans un tel état.

— Précisément, admit Yrus'ak. Cette nuit, plusieurs clans ont fait connaître leur désir d'accompagner les kourofs dans leur prochaine campagne.

— Vraiment ! le coupa Ithan'ak. J'ignorais que j'avais autant d'appui parmi les autres chefs.

— Voilà ce qui a dû contrarier le priman'ak, ajouta le capitaine. D'après mes sources, il a l'intention d'interdire à notre clan, ou à tout autre d'ailleurs, de quitter le siège d'Ymirion.

Ithan'ak jeta un coup d'œil au pendentif qu'il portait autour du cou. Il se demandait si une simple pierre suffirait à renverser la situation. Si la chance se présentait à lui, il saurait l'apprécier à sa juste valeur. D'ici là, mieux valait prendre les choses en main.

— Est-ce que les autres chefs connaissent les intentions de Kran'ak ? s'informa le jeune chef.

— La plupart, répondit Yrus'ak. Les réactions sont mitigées, mais ils n'oseront pas défier les ordres du priman'ak.

— Je n'en doute pas, dit Ithan'ak. Nous sommes en temps de guerre et le priman'ak a toute l'autorité nécessaire pour nous clouer ici.

Le capitaine demeurait immobile, impatient de connaître quelle serait la réaction de son chef. Celui-ci semblait réfléchir à toute vitesse, usant de son génie pour déjouer le mauvais tour que lui réservait Kran'ak. Peu importe la voie que son chef déciderait d'emprunter, Yrus'ak était prêt à la suivre. Il faisait entièrement confiance au jugement de son supérieur immédiat.

— Nous sommes arrivés hier soir, dit finalement Ithan'ak. Croyez-vous que mes guerriers seront contrariés d'apprendre que nous quittons déjà le campement ?

— Les kourofs sont prêts à se battre, assura Yrus'ak. Si vous décidez de défier la décision du priman'ak, je peux vous assurer qu'aucun d'entre eux ne vous tournera le dos ; même si cela signifie une guerre interne chez les warraks.

— Nous tâcherons d'éviter un tel scénario, soupira le jeune chef. Le roi Limius en profiterait pour envoyer Simcha et ses hommes éliminer ce qui resterait de nos forces. Je souhaite le rétablissement de notre peuple, non son effondrement. Pour arriver à mes fins, il me faut les conseils de l'ambassadrice de Lelmüd.

Ithan'ak demanda au capitaine Yrus'ak de veiller à ce que les kourofs puissent réagir à toute éventualité, y compris les femmes et les enfants. Il partit ensuite à la recherche de Kamélia, dont l'expérience en diplomatie était pour lui un atout précieux. Sur son chemin, il croisa Vonth'ak, qui affichait un air alarmé, comme si sa propre vie tenait à un fil.

— As-tu vu Skeip ? demanda le magicien, incapable de dissimuler sa détresse.

— Je n'ai eu aucune nouvelle de lui depuis hier soir, répondit Ithan'ak. Il racontait avec enthousiasme les exploits du Pourfendeur de dragons.

Comme sa remarque ne semblait pas dérider son compagnon, Ithan'ak ajouta qu'il ne fallait pas s'inquiéter pour le rongeur, qui prenait toujours un vilain plaisir à réapparaître au moment le moins opportun.

— Ne pas s'inquiéter ! s'emporta Vonth'ak. Si ce keenox venait à tomber entre les mains de notre ennemi, les problèmes que nous avons actuellement nous paraîtraient aussi futiles qu'une goutte d'eau dans l'océan. Sans compter que Skeip est primordial à mon apprentissage des langues anciennes et, par le fait même, au rétablissement de la magie.

Ithan'ak devait avouer que depuis quelque temps il avait graduellement cessé de s'inquiéter du danger constant associé au keenox. Il se trouvait pourtant à proximité de la cité d'Ymirion, où le roi Limius et son magicien attendaient patiemment l'occasion de s'emparer de la créature. De plus, le tyran pouvait à présent compter sur l'amitié qu'avaient autrefois entretenue Skeip et Simcha pour étendre son filet. Après tout, le keenox était assez naïf pour se laisser approcher du pirate. Devant cette éventualité, Ithan'ak ne put que soutenir les inquiétudes de Vonth'ak. Comme il n'avait pas le temps de s'occuper de cette affaire, il chargea le magicien d'un message pour le capitaine Horl'ak. Quelques guerriers ratisseraient le campement à la recherche de Skeip.

De son côté, il devenait pressant pour Ithan'ak de parler à Kamélia avant de prendre part à la réunion convoquée par Kran'ak. Il n'eut cependant pas trop de difficulté à trouver l'ambassadrice, avec qui il s'entretint rapidement à propos des intentions du priman'ak et des solutions pour contrer ce dernier. Comme l'avait prévu le jeune chef, Kamélia s'avéra être une source fort utile en matière de stratégie diplomatique. Ce bref entretien avait permis à Ithan'ak de rejoindre avec confiance les autres chefs de clan. Il n'aimait pas particulièrement ce que lui avait suggéré l'hyliann, mais si les choses tournaient mal, c'était la seule solution.

Comme les warraks assiégeaient Ymirion depuis de nombreux mois, plusieurs infrastructures importantes avaient été mises en place. La plus imposante d'entre elles était bien entendu dédiée au conseil des chefs. Il s'agissait d'un pavillon circulaire, dont la charpente était entièrement faite de perches de bois flexible reliées les unes aux autres et solidement enfoncées dans le sol à intervalles réguliers. Contrairement aux habitations plus petites, recouvertes d'une solide toile de coton, le bâtiment du conseil des chefs était recouvert de plusieurs couches d'écorce provenant d'arbres feuillus. Hormis un trou en son centre pour laisser échapper la fumée, l'habitation était entièrement étanche. À l'intérieur, des tabourets de bois étaient disposés de façon à former trois rangées en demi-cercle, en nombre suffisant pour accueillir cent cinquante warraks. Puisqu'il n'y avait qu'un peu plus de cent clans, tous les chefs pouvaient se trouver dans le pavillon sans y être à l'étroit.

Ithan'ak, tout en méditant sur les suggestions que lui avait faites Kamélia, pressait le pas en direction du lieu de réunion. Il ne désirait surtout pas attirer sur lui une attention néfaste en étant le dernier arrivé ; ce qui ne fut pas le cas. Lorsque le jeune chef prit place sur un tabouret, plusieurs chefs de clan étaient toujours manquants. Après tout, ils n'avaient goûté à aucune activité guerrière depuis plusieurs mois et ils voyaient probablement la convocation du priman'ak comme une simple formalité.

Kran'ak, impatient de mettre un terme à la notoriété montante d'Ithan'ak, ne prit même pas la peine d'attendre que l'assemblée soit réunie en entier. Animé par un feu intérieur qui dévorait son implacable orgueil, il avait l'intention de raffermir sa position de priman'ak. Comme il n'avait aucun goût pour les subtilités, le sombre warrak alla droit au but.

— Le temps des divisions est révolu, commença-t-il. Les warraks ne pourront vaincre les soldats du roi Limius, à moins d'être unis aussi solidement que le glaive et le bras qui le tient. J'ai l'intention de mener une nouvelle attaque contre la muraille d'Ymirion, qui s'avérera un franc succès. Pour ce faire, j'exigerai la coordination parfaite de tous les clans, sans aucune exception.

Cette dernière phrase vint confirmer les craintes qu'entretenait Ithan'ak. Kran'ak voulait empêcher les kourofs, et tout autre clan qui aurait pu les suivre, de quitter le campement. Pour y arriver sans soulever la colère des chefs, le priman'ak allait jouer sur la corde sensible des warraks : la guerre. En offrant à tous ces guerriers en soif de gloire la possibilité de combattre, il s'assurait l'appui de la majorité d'entre eux. Ils avaient besoin de brandir le glaive, même si cela se résumait à plonger tête première dans la gueule du loup.

— Est-ce que le chef des kourofs a l'intention d'obéir à mes ordres ? continua le priman'ak, en regardant Ithan'ak droit dans les yeux.

Le jeune chef aurait aimé laisser libre cours à sa pensée, même si Kamélia le lui avait fortement déconseillé. D'après l'ambassadrice, Kran'ak attendait l'occasion d'en finir une fois pour toutes avec cet affrontement, qui nuisait à son image. En tant que chef des armées warraks, il avait toute l'autorité nécessaire pour ordonner aux kourofs de cesser leurs activités. Si Ithan'ak daignait déroger aux ordres, le priman'ak pouvait exiger la peine de mort ; ce qu'il ferait sans hésiter.

Conscient que son avenir dépendait de ce qu'il allait dire, Ithan'ak se leva pour prendre la parole. Depuis son départ de la pointe d'Antos, il avait appris à mieux contrôler son exécrable humeur. Le jeune chef ignorait ce qui l'avait changé à ce point. Était-ce la compagnie de Skeip, de Vonth'ak, de Fork, d'Elwym et de Kamélia, ou bien son apprentissage de la magie auprès de Nicadème, qui exigeait une importante maîtrise de soi ? Quoi qu'il en soit, le temps était venu pour lui de mettre à l'épreuve cette nouvelle facette de sa personnalité.

— Puisque le priman'ak me permet de m'exprimer, j'aimerais respectueusement lui rappeler qu'il a lui-même entériné ma demande pour effectuer des raids dans le royaume de Kalamdir.

— Cette permission est annulée, le coupa Kran'ak, espérant que ce serait suffisant pour stimuler la rage d'Ithan'ak.

En effet, le chef des kourofs éprouvait beaucoup de difficulté à maintenir son calme. Il était clair que le priman'ak cherchait à le provoquer et Ithan'ak n'avait aucune solution satisfaisante pour dénouer le nœud qui se resserrait sur lui. Ne pas répliquer à l'attaque évidente de Kran'ak équivalait à accepter la domination de ce dernier. Tous les chefs pourraient le constater et les partisans du jeune chef s'envoleraient comme les feuilles qui quittent l'arbre à l'automne. D'un autre côté, si Ithan'ak était assez brave, ou stupide, pour contredire les ordres, une mort insignifiante et déshonorable l'attendait. Le choix était difficile pour un warrak tel que lui, dont l'honneur était l'axe central de sa vie. Les conseils que lui avait prodigués Kamélia martelaient son esprit. Il ne pouvait se résoudre à accepter l'inévitable : la soumission.

— Comme vous tous, je suis un chef de clan, commença Ithan'ak. J'ai l'habitude de prendre toutes les décisions sans attendre l'approbation de quiconque. Je n'ai aucun doute que, comme moi, plusieurs d'entre vous sont parfois en désaccord avec les décisions prises par notre priman'ak. Toutefois, à la pointe de son glaive, Kran'ak a gagné le droit de commander et la coutume veut que ce soit lui qui prenne toutes les décisions en temps de guerre. Ce sera donc avec fierté que les kourofs se joindront aux autres clans en vue de la prise d'Ymirion.

Sur le visage de plusieurs, le jeune chef pouvait lire la déception. Lui-même avait du mal à croire qu'il avait finalement plié devant Kran'ak. Son orgueil blessé, il s'assit en essayant de réprimer les lames qui lui déchiraient l'estomac.

Kran'ak ne s'attendait pas à ce qu'Ithan'ak se plie si docilement à sa volonté. En fait, il espérait que le chef des kourofs serait assez stupide pour se dresser devant lui, ce qui aurait permis au priman'ak d'en terminer une fois pour toutes avec cet importun. Kran'ak était certes contrarié, mais il n'avait pas encore dit son dernier mot. Ses multiples défaites contre la cité d'Ymirion lui avaient appris une chose : ne jamais sous-estimer ses adversaires.

Alors qu'Ithan'ak croyait que la situation ne pouvait se dégrader davantage, Kran'ak ordonna à deux de ses guerriers de venir le rejoindre au centre de l'assistance. Ceux-ci entraînaient de force un prisonnier avec eux, qui n'était nul autre que Skeip.

De toute évidence, le keenox avait été maltraité. Son corps était couvert de sang et son œil droit avait du mal à rester ouvert. Il avait de la difficulté à tenir debout, mais ses jambes semblaient n'avoir rien de cassé. En revanche, son moral était brisé, probablement plus qu'il ne l'avait jamais été auparavant.

« Voilà pourquoi Vonth'ak n'arrivait pas à le trouver ! » comprit Ithan'ak.

Le jeune chef se figura immédiatement la manœuvre que Kran'ak avait mise en place. Ithan'ak ne s'en était jamais rendu compte jusque-là, mais son attachement à ses compagnons était devenu l'une de ses faiblesses. Cette nouvelle attaque de la part du priman'ak en était le plus bel exemple.

— Nous connaissons tous cette créature et les risques que nous fait courir le chef des kourofs en la gardant en vie, gronda Kran'ak. Il faut être inconscient ou stupide pour laisser vivre un être dont la simple existence menace l'avenir du continent.

Cette fois, les yeux d'Ithan'ak étaient flamboyants, d'un rouge aussi vif qu'un brasier ardent. Sa colère n'était pas attisée par les insultes dirigées contre lui, mais plutôt par ce qu'il devinait des intentions de Kran'ak. En effet, il était évident que sans une intervention adéquate les jours de Skeip étaient comptés.

— Pour le bien des warraks et de tous les ennemis de Kalamdir, continua Kran'ak, j'ai décidé que nous allions sacrifier le keenox dès demain, au lever du jour. Ainsi, le roi Limius comprendra que ses armes s'amenuisent et que sa fin est imminente.

Une fois de plus, tous les yeux se tournèrent vers le chef des kourofs. Ithan'ak en était conscient, ce qui rendait son dilemme intérieur encore plus insoluble. Ce qu'il s'apprêtait à faire serait déterminant pour son avenir.

— Je constate que le chef des kourofs a perdu son regard calme, dit le priman'ak, espérant que son rival commettrait une bévue. Souhaiterait-il contredire mes ordres pour épargner la vie de son insignifiant compagnon ?

Il n'y avait aucun doute dans l'esprit de Kran'ak quant à la réaction d'Ithan'ak. D'un instant à l'autre, le jeune chef allait signer son arrêt de mort.

L'œil valide de Skeip fixait intensément Ithan'ak. Le rongeur, tout comme Kran'ak, espérait que son compagnon interviendrait en sa faveur. Il retint son souffle lorsqu'Ithan'ak ouvrit la bouche pour prendre la parole.

— Si notre priman'ak croit que le keenox doit être sacrifié, dit le warrak, nous devons nous plier à sa volonté.

— Ce sale rongeur est pourtant votre ami, s'indigna faussement Kran'ak. Vous avez l'intention de le laisser mourir sans rien faire ?

— Comme je l'ai déjà mentionné, répondit Ithan'ak, je n'approuve pas toutes les décisions du priman'ak. Toutefois, je respecte la coutume et je ne m'oppose pas à ses ordres.

Ithan'ak et Kran'ak bouillaient tous deux intérieurement. L'un comme l'autre détestaient le jeu politique auquel ils s'adonnaient. Toutefois, le priman'ak avait remporté une grande victoire face au chef des kourofs. Ce dernier avait finalement fléchi les genoux, prouvant ainsi aux autres chefs qu'il n'était pas celui qu'ils croyaient. Ce conseil avait permis à Kran'ak d'établir une fois pour toutes sa domination. De son côté, Ithan'ak en sortait humilié, sans compter la perte de Skeip, qu'il avait trahi malgré sa conscience. Aux yeux de tous les chefs de clan, le conflit interne qui rongeait les warraks avait pris fin, pour le meilleur et pour le pire.

À la suite de sa brève apparition au conseil des chefs, on avait emmené Skeip dans une cage en bois avec un minimum de surveillance. La mine déconfite, le rongeur n'avait même plus la force de s'entretenir avec ses geôliers. Il se contentait de les observer en train de fabriquer le bûcher sur lequel ils brûleraient leur prisonnier.

« Quelle triste fin pour le dernier des keenox ! pensait Skeip. Sans le Pourfendeur de dragons, le continent d'Anosios s'en trouvera inévitablement appauvri. »

Jugeant qu'il était triste de passer ses derniers instants enfermé dans une minuscule cage en bois, le keenox décida de dormir. De cette façon, il déjouerait l'ennui et la douleur que lui infligeaient ses blessures. Jusqu'au coucher du soleil, le rongeur rêva des voyages qu'il aurait aimé entreprendre et des gens qu'il n'avait pas encore rencontrés. Il se vit même aux côtés des dieux, soulignant la chance que les divinités avaient de l'avoir parmi eux. Les choses se corsèrent lorsqu'il bascula dans un affreux cauchemar, dans lequel Xioltys, le magicien d'Ymirion, tendait la main pour s'emparer de lui.

Skeip se réveilla dans un sursaut. Recroquevillé dans sa cage, une pluie glaciale faisait grelotter ses maigres os. Le ciel était sombre, surchargé de nuages gris, qui empêchaient les rayons de la lune de combattre la pénombre de la nuit. Au loin, de puissants éclairs précédaient le vacarme du tonnerre. Selon Skeip, la nature se déchaînait pour affirmer son désaccord en regard de l'exécution du dernier des keenox. Toutefois, le rongeur aurait grandement souhaité être au sec avant de mourir.

Le campement des warraks était désert. Les féroces guerriers s'étaient réfugiés sous les tentes pour dormir. Seul un petit groupe d'entre eux, chargés de veiller sur le keenox, faisaient les cent pas dans la boue. De toute évidence, ils regrettaient amèrement d'avoir été choisis pour cette tâche, dont le plus grand défi consistait à passer la nuit sous la pluie.

Comme il n'avait personne d'autre à qui parler, Skeip décida que ces pauvres bougres méritaient qu'il leur remonte le moral.

— À quel clan appartenez-vous ? demanda le keenox à l'un d'eux.

D'abord surpris par l'interpellation du rongeur, les guerriers s'approchèrent de la cage.

— Nous sommes des sciaks, répondit leur capitaine.

— Vraiment ! s'exclama Skeip, empêchant le warrak d'ajouter autre chose. C'est votre chef qui a ordonné ma mise à mort. Ce doit être un grand honneur pour vous de veiller sur moi.

Les warraks ne savaient pas comment réagir. Comme ils n'avaient jamais fréquenté de keenox, ils ne pouvaient comprendre l'insouciance caractéristique de ces créatures, même face à la mort. Skeip avait bien eu un petit moment de faiblesse, mais le sommeil l'avait ragaillardi. Il était maintenant convaincu que le monde ne pouvait se passer de lui et que, d'une manière ou d'une autre, Ithan'ak changerait d'avis et ferait comprendre aux autres clans warraks l'importance d'avoir un keenox comme allié. C'est d'ailleurs ce qu'il essayait d'expliquer à ses geôliers.

— Il semblerait que vous ne partagez pas l'opinion d'Ithan'ak à mon propos, disait-il. Mon aide est beaucoup trop précieuse pour être bêtement rejetée.

— J'aimerais bien savoir à quoi tu pourrais nous être utile, répondit l'un des guerriers sciaks. Je mettrais ma main à couper que tu ne sais même pas manier une arme.

— Comme je vous l'ai déjà mentionné, s'obstina le rongeur, ce n'est pas l'avis d'Ithan'ak.

— Le chef des kourofs est un imbécile et un pleutre, commenta un autre sciak. D'après ce que j'ai entendu, il n'a même pas eu le courage de se porter à ton secours. À mon avis, il craignait beaucoup trop la fureur du priman'ak. S'il était ici, je donnerais une bonne leçon d'humilité à ce moins que rien.

— C'est le moment ou jamais, répondit Skeip, car il est juste derrière vous.

Le warrak se retourna prestement en dégainant son glaive. Le keenox avait dit vrai. Ithan'ak ainsi qu'une poignée de ses guerriers avaient déjà mis à mort les autres gardes.

— Comment se fait-il que je n'aie rien entendu ? s'étonna le survivant.

— Contrairement à ce que pense Kran'ak, expliqua Ithan'ak, il y a des avantages à avoir un magicien dans son camp.

— Ainsi qu'un keenox, ajouta Skeip, certain que le jeune chef avait tout simplement oublié de le mentionner.

— C'est votre magicien qui a tué mes camarades ? demanda le survivant.

— Je me suis simplement contenté de dissoudre le bruit des altercations, répondit Vonth'ak, qui voulut approcher pour libérer le keenox.

— Vous ne passerez pas, s'objecta le guerrier sciak.

Vonth'ak allait lancer un sort pour se débarrasser du soldat gênant, mais Ithan'ak le retint par le bras.

— Tu veux que j'épargne cette vermine ! s'étonna le magicien. Il lancera tout le campement à nos trousses dès que nous serons partis.

— Cette vermine, comme tu l'as si bien exprimé, est aussi un warrak. Par conséquent, il mérite une mort de guerrier. De plus, je dois avouer qu'il a quelque peu piqué mon orgueil et je n'ai pas l'intention de laisser son offense impunie. Fais seulement en sorte que personne n'entende le cri qu'il poussera lorsque ma lame lui traversera le corps ; je m'occupe de lui.

Ithan'ak souleva son glaive en direction de son ennemi. À en juger par la couleur des yeux de ce dernier, il était prêt à combattre. Ce fut d'ailleurs lui qui porta le premier coup, qui fut efficacement bloqué par le chef des kourofs. La réplique d'Ithan'ak ne se fit pas attendre. Habilement, il balança son arme de bas en haut sur sa gauche, laissant à peine le temps à son adversaire de parer la manœuvre. Les deux warraks échangèrent quelques coups successifs, auxquels Ithan'ak prenait un malin plaisir à retenir sa lame. Le jeune chef, avant de porter le coup fatal, désirait faire payer son adversaire pour les propos dégradants qu'il avait tenus.

Le guerrier sciak comprenait très bien à quoi s'adonnait son ennemi, mais il n'avait pas l'intention d'abandonner. S'il mourait avec honneur, il irait rejoindre Kumlaïd sur les champs de bataille éternels. À elle seule, cette pensée lui redonna les forces nécessaires pour porter une brillante attaque contre Ithan'ak. Malheureusement pour le sciak, ce dernier était beaucoup trop habile pour se laisser déstabiliser. Au contraire, c'est ce moment précis qu'il choisit pour mettre fin au combat. Afin de souligner le courage de son adversaire, Ithan'ak lui planta son glaive dans le cœur. Le guerrier sciak, après avoir craché un jet de sang, s'effondra sur le sol ; il n'avait pas souffert.

Le jeune chef n'eut pas besoin de dire à Vonth'ak de libérer Skeip, ce qui était déjà chose faite. Le rongeur voulut remercier personnellement chacun des guerriers ayant participé à sa libération. Il tint à ajouter qu'il n'avait jamais douté de la sincérité d'Ithan'ak et qu'il savait pertinemment que celui-ci se porterait à son secours. Skeip avoua qu'il avait fait erreur sur la façon de s'y prendre, mais que, globalement, il avait deviné ce qui allait se passer.

Ithan'ak était heureux de constater que le keenox ne lui tenait pas rigueur pour ce qui s'était passé au conseil des chefs, mais il ne pouvait s'empêcher de penser aux conséquences du geste qu'il venait de poser. En se portant au secours du keenox, il avait trahi les valeurs véhiculées par son peuple. Il avait condamné les kourofs à fuir leurs semblables. Par-dessus tout, il avait trompé son propre honneur. Les autres chefs, incluant ses partisans, ne lui pardonneraient jamais une telle infamie. Que dirait Mikann lorsqu'elle apprendrait que son bien-aimé avait dérogé aux principes fondamentaux des warraks ? Ithan'ak n'osait même pas y penser. Pour l'instant, il devait mener les kourofs le plus loin possible d'Ymirion avant le lever du jour. Le jeune chef était certain que Kran'ak lancerait des centaines de guerriers à leur trousse, au risque de devenir vulnérable face à Simcha et ses hommes.

Yrus'ak et les autres capitaines avaient minutieusement préparé le départ du clan afin qu'il se déroule sans encombre. On avait expliqué aux plus jeunes qu'il était impératif de ne faire aucun bruit et qu'ils devraient marcher le plus rapidement possible, jusqu'à l'épuisement. Quant aux bébés, les femmes avaient fait bouillir pour eux des racines aux propriétés soporifiques. Si la journée s'était avérée difficile pour Ithan'ak et son clan, la nuit était beaucoup moins mouvementée.

Les kourofs purent quitter le campement sans être gênés. Si Ithan'ak n'avait pas été un warrak, il aurait sans aucun doute été ému par l'attitude de ses guerriers. En effet, si un seul d'entre eux avait décidé de le trahir, le clan des kourofs aurait été réduit à néant. Cette fidélité résultait de deux points importants : d'abord, les guerriers d'Ithan'ak avaient un très grand respect pour l'attitude au combat et le génie militaire de leur chef ;

ensuite, ils ne voyaient aucune utilité d'attaquer une nouvelle fois la cité d'Ymirion, comme le préconisait Kran'ak. Au contraire, ils préféraient continuer d'être véritablement utiles à leur peuple. Le prix à payer était grand, mais selon eux le jeu en valait la chandelle.

L'ambassadrice de Lelmüd, qui accompagnait une nouvelle fois les kourofs, était particulièrement fière d'Ithan'ak. Malgré les conseils qu'elle lui avait donnés, elle n'aurait jamais cru que le jeune chef puisse faire taire son esprit combatif au profit de la raison. Cela n'avait certainement pas été chose facile pour le warrak. Pourtant, il avait compris que, s'il s'opposait moindrement à la volonté du priman'ak, celui-ci aurait tout mis en œuvre pour l'éliminer. Le plan de Kamélia avait majestueusement déjoué cette réalité. Kran'ak, profane en diplomatie, avait perdu pied face à l'attitude d'Ithan'ak. Il ne s'était jamais douté un seul instant que si le chef des kourofs pliait ainsi devant lui, c'était pour mieux répliquer par la suite. Cette technique avait évité à Ithan'ak d'être sous haute surveillance, et par le fait même permit aux kourofs de prendre la poudre d'escampette. Seul l'incident impliquant Skeip n'avait pas été prévu par l'ambassadrice. D'ailleurs, elle était impatiente d'en connaître les détails. S'approchant d'Ithan'ak, elle retira son capuchon, qui laissa courir ses longs cheveux dorés sur sa cape.

Le jeune chef comprit que l'ambassadrice désirait s'entretenir avec lui et décida de prendre les devants.

— Quelle mission avez-vous confiée à Elwym ? demanda-t-il, certain de déstabiliser l'hyliann.

Kamélia parut en effet surprise par la question, mais retrouva rapidement son assurance.

— Je ne peux malheureusement pas vous dévoiler cette information, dit-elle avec douceur. Il s'agit d'une affaire de la plus haute importance, dont le dénouement sera bénéfique pour nos deux peuples.

Ithan'ak détestait ce genre d'intrigue. Il ne comprendrait jamais ce comportement typique aux hylianns, qui était selon lui à la fois dangereux et inutile.

— Les hylianns devraient entrer en guerre aux côtés des warraks, dit le jeune chef, voilà ce qui serait utile à nos deux peuples.

— Je vous assure que votre opinion est partagée par plusieurs figures importantes de notre société, souligna l'ambassadrice. Malheureusement, il n'y a toujours pas de consensus sur la question.

— Les hylianns possèdent un chef, dit le warrak. Ackémios ne désire-t-il pas empêcher le roi Limius et son armée de prendre possession de tout le continent ?

— Je suis désolée d'avoir à vous le répéter une fois de plus, balbutia Kamélia, mais les choses ne sont pas si simples. Je crains que notre conversation ne mène à rien. Décrivez-moi plutôt ce qui s'est passé au conseil des chefs. Il semblerait que mes leçons de diplomatie aient porté leurs fruits.

— J'ignore encore si j'ai agi judicieusement, grogna Ithan'ak. Jetez un coup d'œil aux warraks qui marchent à nos côtés. Mes décisions ont fait d'eux des traîtres.

— Il est vrai qu'ils sont des traîtres envers leur peuple, concéda Kamélia. Néanmoins, ils marchent la tête haute, car ils ont confiance en vous et sont fiers d'être sous vos ordres. Tout comme moi, ils sont conscients que vous êtes l'avenir des warraks. Vous avez déserté le campement afin d'éviter une bataille perdue d'avance, ce qui vous permettra d'en gagner plusieurs autres par la suite. Vous avez secouru Skeip, non seulement pour honorer votre amitié, mais aussi parce que vous êtes convaincu qu'il est primordial pour les warraks d'entretenir de bonnes relations avec les autres races. Il est facile de se contenter de suivre les ordres, ce qu'auraient fait la plupart de vos semblables. Contrairement à eux, vous avez su écouter votre conscience et emprunter le chemin le plus ardu. Voilà ce qui fait de vous un grand chef.

Comme Ithan'ak ne réagissait pas aux propos de l'ambassadrice, celle-ci crut bon de s'éloigner pour le laisser réfléchir. En effet, elle avait plongé le jeune chef dans une profonde réflexion. Les choix qu'avait faits Ithan'ak s'étaient montrés déchirants et il mettrait beaucoup de temps à les accepter. Seuls le temps et le recul pourraient lui dire s'il avait véritablement agi en faveur de son peuple. D'ici là, il fallait se préparer au pire. Les femmes et les enfants ralentissaient considérablement la progression des kourofs et il ne faisait aucun doute que si Kran'ak avait envoyé des guerriers à leur poursuite, ceux-ci n'auraient aucune difficulté à les rattraper. Ithan'ak était conscient que le priman'ak avait tous les clans à sa disposition et qu'en cas d'affrontement les kourofs étaient condamnés à mort. Le jeune chef avait bien entendu trouvé une solution à ce problème, mais celle-ci le répugnait au plus haut point.

À contrecœur, il se dirigea vers Vonth'ak, qui marchait un peu plus loin en compagnie de Skeip. En le voyant approcher, le magicien sut qu'il était temps d'user de ses pouvoirs et de ceux de son nouvel assistant.

— Es-tu certain d'avoir besoin de mon aide pour jeter cet enchantement ? demanda pour la énième fois Ithan'ak.

— Nous avons déjà eu cette discussion, répliqua Vonth'ak. Mes pouvoirs ne sont pas suffisants pour que j'y arrive seul. Si tu désires vraiment protéger ton clan, tu devras mettre tes scrupules de côté.

Ithan'ak avait des doutes sur l'honnêteté du magicien. Sans savoir pourquoi, il le soupçonnait de vouloir le mettre dans l'embarras devant ses guerriers. Cette accusation ne reposait sur aucune preuve, mais Ithan'ak ne pouvait s'empêcher d'en vouloir à Vonth'ak de l'entraîner dans cette voie. Quoi qu'il en soit, il n'avait pas le choix ; l'avenir de son clan en dépendait.

— Je pourrais très bien être ton assistant, proposa Skeip, certain qu'il venait d'avoir l'idée du siècle.

— Est-ce qu'un dieu a eu la bonté de doter l'une de tes petites pattes d'une puissance magique hors du commun ? rétorqua Vonth'ak.

— Je ne crois pas, répondit le rongeur, mais peut-être l'aurait-il fait durant mon sommeil. Autrement, comment serais-je devenu celui que tout le monde appelle le Pourfendeur de dragons ?

— Si tu pouvais réellement prendre ma place, le consola Ithan'ak, je te l'aurais cédé sans regret.

Skeip parut satisfait de cette intervention de la part du jeune chef. Il ne manqua pas de souligner à Vonth'ak la confiance que lui allouait Ithan'ak. Le magicien, exaspéré par l'attitude du rongeur, le menaça de le transformer en glurpède s'il ne déguerpissait pas au plus vite. Le warrak n'avait aucunement ce pouvoir, mais cette menace avait toujours un effet immédiat sur Skeip, dont la fierté d'être un keenox n'avait d'égal que son propre orgueil.

Comme le clan avançait rapidement, le jeune chef et le magicien n'eurent pas à attendre très longtemps avant de se retrouver à la queue du peloton. Ithan'ak aurait aimé attendre d'être hors de vue pour pratiquer l'enchantement, mais ce n'était malheureusement pas possible. En effet, Vonth'ak disait pouvoir effacer les traces laissées par les kourofs au cours du trajet déjà parcouru à condition que ceux-ci soient à proximité. Cela exigeait une énergie considérable ; voilà pourquoi il avait réclamé l'aide d'Ithan'ak. Le moment était venu pour le jeune chef de sacrifier son secret.

Alors que la lune commençait à décliner dans le ciel, Vonth'ak leva les bras vers les étoiles, puis les dirigea vers le sol. Contrairement à ce à quoi s'attendait Ithan'ak, aucune lueur verte ne s'échappa des paumes du magicien. Étrangement, la lumière sortit progressivement du sol, effaçant les traces de pas laissées derrière les warraks.

Vonth'ak était conscient qu'il lui était impossible d'effacer toutes les traces laissées depuis que les kourofs avaient quitté le campement ; c'est pourquoi le renfort d'Ithan'ak lui était essentiel.

Le jeune chef savait parfaitement ce qu'il devait faire. Il se tenait prêt à intervenir au moindre signe d'épuisement du magicien. Savoir que tous ses guerriers l'observaient lui était très inconfortable, mais il ne pouvait laisser ce désagrément nuire à son devoir. Le moment venu, il n'aurait pas droit à l'erreur.

Vonth'ak ne pouvait plus voir l'extrémité du rayon lumineux, qui avait depuis longtemps franchi l'horizon. Toutefois, ses sens magiques lui permettaient de le contrôler sans problème. Lorsqu'il sentit qu'il ne pourrait tenir plus longtemps, il fit signe à Ithan'ak de lui apporter son appui. Immédiatement, le jeune chef approcha et posa sa main droite sur l'épaule du magicien. Pour la première fois, le jeune chef transmettait son énergie à un autre individu. Heureusement, la manœuvre était beaucoup plus aisée que de recevoir la puissance d'un autre.

Le magicien, abasourdi, avait du mal à croire ce qu'il ressentait. Il ne s'était jamais douté que son compagnon était doté d'une telle énergie. De toute évidence, lorsque le dieu de la guerre avait donné des pouvoirs à son protégé, il désirait s'assurer que rien ne pourrait l'arrêter. Une chaleur enivrante s'infiltrait dans l'épaule de Vonth'ak. Le warrak, qui n'avait jamais eu accès à une si grande source de magie, éprouvait un plaisir non dissipé à l'utiliser. Ses sens magiques étaient décuplés à un point tel qu'il pouvait ressentir chaque empreinte de pas qu'il effaçait dans les moindres détails, sur une distance inimaginable.

Les kourofs, qui observaient la scène, étaient stupéfiés par ce qu'ils voyaient. En d'autres circonstances, leur premier réflexe aurait été de se soustraire à ce phénomène étrange, mais leur chef appuyait de toute évidence la démarche du magicien. La plupart d'entre eux étaient troublés de constater qu'Ithan'ak possédait lui aussi des pouvoirs magiques, mais ils n'en étaient plus à leur première surprise de sa part.

Tout se déroulait pour le mieux lorsque Vonth'ak mit son propre plan à exécution. Ayant terminé d'effacer entièrement les empreintes laissées par les kourofs, il était temps de passer aux choses sérieuses. Soudainement, la lueur verte qui s'échappait du sol s'étendit jusqu'aux warraks. Les guerriers, alarmés, tentèrent de protéger les femmes et les enfants, mais il était déjà trop tard. Le magicien, sans demander leur avis ou celui d'Ithan'ak, avait lancé sur eux un puissant enchantement.

Chapitre 8

Les dernières semaines avaient été particulièrement dures pour Simcha. Ses rapports avec le roi Limius s'envenimaient de jour en jour. Ce dernier était d'une humeur encore plus massacrante qu'à l'habitude et il menaçait sans cesse le pirate d'une peine exemplaire si l'ennemi n'était pas repoussé une fois pour toutes.

Comme si ce n'était pas assez, Simcha avait eu la stupidité de briser l'alliance qu'il avait forgée avec le magicien d'Ymirion. Avec le recul, il constatait qu'il s'agissait là de sa plus grande erreur. Xioltys, par son statut auprès du roi, aurait pu calmer les ardeurs du monarque. Avec un peu de chance, il aurait peut-être même su démontrer l'extraordinaire ardeur que l'homme borgne mettait à défendre la cité. Quoi qu'il en soit, le magicien blond n'était plus un atout pour Simcha.

Afin d'éviter d'aggraver la situation, le pirate prenait toutes les précautions pour éviter le roi. Chaque matin, il quittait le château à l'aurore pour se rendre à la grande muraille. Avant de pénétrer dans la petite habitation où il avait installé son bureau, il prenait toujours le temps de visiter ses soldats et de s'informer à propos des activités de l'ennemi. Les warraks avaient tenté des attaques-surprises à quelques reprises, ce qui obligeait Simcha à demeurer constamment sur le qui-vive. C'est d'ailleurs pour cette raison qu'il passait une grande partie de ses journées enfermé dans son bureau, à élaborer des stratégies de défense et à analyser l'information recueillie par ses espions. Le pirate avait souvent du mal à se concentrer, car il était continuellement interrompu par les vigiles qui venaient lui faire leur rapport sur les activités ennemies. Ce n'est qu'à la tombée de la nuit qu'il pouvait réellement trouver la quiétude nécessaire à l'activité mentale. Plutôt que de retourner au château, Simcha demeurait dans son bureau, le seul endroit où il se sentait un peu chez lui. Il privilégiait donc ce moment pour travailler sur un dossier particulier, qu'il considérait comme plus important que tout autre.

La routine du pirate était devenue d'une constance étonnante. D'une certaine façon, cela rassurait ses hommes, qui voyaient en lui un personnage méthodique. Jamais il n'avait été pris au dépourvu devant les attaques menées contre la capitale. À chaque fois, avec adresse, l'homme borgne avait repoussé l'envahisseur. Il n'y avait aucun doute dans l'esprit du pirate que c'était pour cette seule et unique raison que le roi Limius ne lui avait pas déjà retiré son poste. Quoi qu'il en soit, les soldats en première ligne n'avaient jamais eu aussi confiance en leur chef, hormis durant la brève période où ils avaient été commandés par le général Karst.

L'aurore venait à peine de montrer le bout de son nez lorsque Simcha arriva sur la muraille nord. Ces derniers jours, les warraks avaient passablement été agités, ce qui n'annonçait rien de bon. Il y avait beaucoup d'allées et venues chez les différents clans.

— Y a-t-il eu du nouveau durant la nuit ? demanda le pirate, faisant irruption dans un groupe de soldats qui discutaient.

Les hommes se tournèrent tous vers leur général, surpris par la question de ce dernier.

— Je croyais qu'on vous avait averti, balbutia l'un d'eux. Les warraks ont divisé leurs forces tout autour de l'enceinte de la cité.

— Vraiment ! s'inquiéta Simcha. Jusqu'ici, ils avaient toujours concentré leurs attaques au même endroit dans l'espoir de créer une brèche. Leur priman'ak a enfin compris que la principale faiblesse d'Ymirion est sa trop grande superficie.

Simcha, en voyant le visage de ses soldats, comprit que son commentaire n'avait rien de rassurant.

— Ne craignez rien, dit-il en essayant de se montrer nonchalant. Nous aurons bientôt l'occasion de mettre à l'épreuve les différentes stratégies que j'ai élaborées depuis que j'ai pris votre commandement. Premièrement, il faut mobiliser tous les soldats d'Ymirion, sans exception. Les warraks vont essayer de nous submerger par le nombre. Chaque parcelle de la muraille doit être couverte. Je veux les archers en première ligne. Si mes ordres sont suivis à la lettre, il n'y aura aucune raison de s'inquiéter.

En situation de guerre, l'attitude du chef face à l'adversité était en grande partie responsable du moral des troupes. Simcha ignorait si ses hommes arriveraient à défendre la cité si elle était attaquée sur tous les fronts, mais il ne pouvait laisser paraître son doute.

Menés par Kran'ak, les warraks se préparaient à lancer un ultime assaut contre Ymirion. La fuite d'Ithan'ak avait fait exploser la colère du priman'ak, d'autant plus qu'aucun éclaireur n'avait pu retrouver la trace des fugitifs. Afin d'assouvir sa rage, Kran'ak avait devancé de plusieurs semaines l'attaque de la capitale de Kalamdir. Certains chefs avaient souligné que les warraks manquaient de préparation, mais rien ni personne n'aurait pu faire changer d'avis le priman'ak.

Kran'ak savait pertinemment que plusieurs clans avaient montré le désir de suivre les kourofs dans leurs aventures. Seule une interdiction formelle les avait retenus. En prenant la fuite,

Ithan'ak et ses guerriers étaient devenus des parias aux yeux de tous les warraks, mais cela n'avait pas rendu le priman'ak plus populaire. Pour arriver à regagner l'estime de tous les clans, il devait remporter une victoire éclatante. Celle-ci évincerait le souvenir des maigres faits d'armes accomplis par Ithan'ak.

Les forces des warraks avaient été divisées en plusieurs groupes, certains réunissant deux ou trois clans, d'autres à peine une vingtaine de guerriers. Il était devenu évident que la muraille d'Ymirion, trop haute et bien équipée, ne pouvait être prise d'assaut qu'en dispersant les Kalamdiens chargés de la protéger. Les catapultes servant à la défense de la cité ne pouvaient pas être partout à la fois, ce qui était aussi vrai pour les archers. Bien que ceux-ci fussent très nombreux, leur efficacité serait grandement réduite par la nouvelle tactique des warraks. En effet, la précision des Kalamdiens devrait être beaucoup plus grande, ce qui allait sans aucun doute ralentir leur cadence de tir.

Selon Kran'ak, son plan était parfait. Il allait enfin prendre possession de la capitale de Kalamdir et, par le fait même, mettre fin au long règne des hommes sur le continent d'Anosios. Il était probable que, en réponse à la perte de son roi, l'armée campée dans le nord viendrait défier le nouveau maître du territoire. Le priman'ak estimait que ses effectifs, bien que moins nombreux, auraient à leur disposition les défenses d'Ymirion et qu'une bataille incomparable aurait lieu sous son commandement.

En réaction à l'attaque que préparait Kran'ak, Simcha se hâtait de donner ses instructions de dernière minute. D'un instant à l'autre, les warraks déploieraient leurs échelles pour s'emparer de la cité. Pour la première fois, les soldats d'Ymirion craignaient que le pire puisse arriver. D'une façon ou d'une autre, leurs inquiétudes avaient gagné le palais.

Malgré ses récentes rages contre son nouveau général, le roi Limius savait que Simcha était en mesure de défendre Ymirion. Le monarque avait appris à soutirer le meilleur de chacun de ses pantins, avant de les envoyer aux rebuts. Même Xioltys, que le roi avait recueilli lorsqu'il n'était encore qu'un enfant, subirait un jour le même sort. D'ici là, les capacités du magicien seraient mises à bon escient, comme un outil qu'on use jusqu'à ce qu'il se brise entre nos mains.

Xioltys n'aimait pas l'idée de se mêler aux ridicules escarmouches qu'entretenaient les soldats de la cité et les warraks. Tout son temps était concentré dans ses livres de magie. Sans l'aide d'un keenox, il était peu probable qu'il puisse un jour invoquer correctement un dragon céleste, mais l'ambition aveuglait désormais le jeune homme blond. Il espérait qu'à force d'étudier la structure des langues anciennes il finirait par en déchiffrer le code. Chaque jour, il espérait voir apparaître une quelconque signification dans les signes étranges qu'il examinait, ce qui se soldait sans cesse par un échec. Son travail infructueux le rendait fou de rage, ce qui le menait à persécuter le personnel du château.

Lorsqu'un messager cognait à la porte de la chambre du magicien pour lui apporter une missive, il n'était jamais certain de repartir sans encombre. C'est d'ailleurs ce qui inquiétait le petit homme à moustache qui s'apprêtait à cogner à la porte en question. À sa grande surprise, celle-ci s'ouvrit avant qu'il n'ait pu prendre son souffle. Le magicien, sans porter attention au messager qui se trouvait devant lui, porta son regard sur la missive que transportait ce dernier. L'homme à moustache, confus, tendit la lettre du bout de ses longs doigts maigrelets.

— J'irai seulement si ma présence devient cruciale, dit le magicien, refusant de prendre ce que lui tendait son interlocuteur.

Sans rien ajouter, il referma la porte et replongea dans son livre, laissant dans le corridor le messager abasourdi. Heureusement pour lui, l'homme blond était trop occupé pour s'amuser à ses dépens.

Alors que Xioltys se moquait de la menace que subissait la grande cité d'Ymirion, Simcha mettait toute son énergie au profit de la défense de la capitale. Les warraks avaient lancé leur première attaque, qui avait été difficilement repoussée par les Ymiriens. L'ingéniosité dont avaient fait preuve les constructeurs de la muraille n'était d'aucune utilité s'il n'y avait pas assez d'hommes pour la protéger. Curieusement, au lieu d'affecter toutes ses unités à la défense, Simcha avait ordonné à un nombre important de soldats de rester à l'écart et de se tenir prêts à monter sur la muraille à tout moment. L'homme borgne suivait attentivement les combats et ordonnait sans cesse aux réservistes de se déplacer d'un point à un autre. Il ne semblait obéir à aucun schéma en ce qui les concernait. Au lieu d'utiliser leur force pour repousser l'envahisseur, il les envoyait sans raison apparente à des endroits où les combats n'étaient pas particulièrement animés.

— Nous avons besoin des soldats que vous gardez en réserve ! suppliaient les subordonnés de Simcha, ce qui laissait indifférent le pirate.

Les combats duraient depuis près de deux heures, soulevant la poussière qui venait irriter la gorge déjà sèche des soldats. De plus en plus d'échelles étaient apposées à l'est de la muraille, ce qui rendait le flot d'envahisseurs presque impossible à repousser. Il était devenu évident aux conseillers de Simcha qu'il fallait concentrer davantage de troupes de ce côté, y compris les réservistes. En appliquant ce plan d'action, les warraks seraient repoussés à coup sûr.

Simcha n'était pas de cet avis. Outré d'un tel manque de jugement, l'un de ses conseillers accusait l'homme borgne de conduire ses hommes à leur perte.

— Faites ce que je vous ordonne ou je vous trancherai moi-même la tête, lui répondit froidement le pirate.

Les soldats à l'est de la muraille seraient bientôt submergés, mais ça n'avait plus aucune importance aux yeux de Simcha. Il savait que d'un instant à l'autre il aurait un tout autre problème sur les bras. Pendant la bataille, son regard n'avait jamais quitté le priman'ak. Au cours des derniers mois, le pirate avait scrupuleusement étudié les dernières attaques menées par Kran'ak, ce qui l'avait amené à mieux comprendre le comportement de ce dernier.

Selon l'homme borgne, le guerrier à la tête des armées warraks était profondément orgueilleux. En effet, durant les batailles, le priman'ak prenait soin de toujours être l'axe central du combat. Il semblait refuser qu'un autre que lui accapare la gloire qu'entraînerait la prise d'Ymirion.

Cette fois-ci, contrairement à son habitude, Kran'ak ne se trouvait pas à la tête des guerriers qui représentaient une menace sérieuse à l'est de la muraille. Curieusement, le priman'ak opérait à l'ouest, accompagné d'une poignée de warraks. Ce détail avait éveillé les soupçons de Simcha, qui commençait à comprendre la stratégie qu'avait élaborée son ennemi. En y regardant de plus près, le pirate avait remarqué que plusieurs groupes de warraks menaient des attaques dispersées à l'ouest de l'enceinte de la cité. Isolés, ces petits groupes ne représentaient aucun danger véritable, mais il était clair que les choses étaient sur le point de changer ; l'attaque à l'est d'Ymirion n'était qu'un subterfuge. D'un instant à l'autre, Kran'ak réunirait ses forces pour lancer une offensive à l'ouest, alors que la majorité des soldats d'Ymirion étaient concentrés de l'autre côté de la cité.

Le priman'ak avait enfin démontré qu'il était capable d'user de ruse, mais Simcha n'avait pas dit son dernier mot. En effet, le pirate avait anticipé la manœuvre, ce qui l'avait mené à garder une partie de ses hommes en réserve. Afin de conserver son effet de surprise, il avait demandé à ces soldats de monter sur la muraille, tout en demeurant suffisamment penchés pour demeurer invisibles à l'ennemi.

Comme l'avait prédit Simcha, Kran'ak réunit ses combattants isolés et se lança à l'assaut d'une partie de la muraille ouest. Sans la présence d'esprit du pirate, les warraks auraient pénétré sans grande résistance dans la cité. Le priman'ak fut donc le premier surpris par la résistance imprévue qui lui faisait face. Il avait pourtant planifié sa victoire dans les moindres détails. Il s'était bien sûr attendu à une faible résistance, mais celle-ci était beaucoup plus impressionnante que ce qu'il avait prévu.

À vue de nez, les deux troupes d'opposants étaient à peu près égales. Malgré tout, Kran'ak avait un avantage marqué sur les soldats d'Ymirion. À dire vrai, les Ymiriens étaient avant tout des archers et ils n'étaient pas aussi chevronnés que les warraks dans le combat au corps à corps. Le pirate rappela à ses hommes que leurs familles étaient en danger, espérant que cette remarque saurait pallier leur manque d'entraînement.

Les citoyens de la capitale n'avaient pas eu besoin qu'on leur ordonne de demeurer dans leurs maisons. Pour la première fois, leur précieuse sérénité semblait être véritablement précaire. À l'abri derrière les impressionnantes défenses de la ville, il ne leur était jamais venu à l'idée que leur vie paisible pourrait un jour être menacée. Depuis la fondation d'Ymirion, qui remontait à plusieurs décennies, jamais la capitale de Kalamdir n'avait couru un tel risque. Pour cette raison, les habitants n'avaient jamais cru possible que les warraks puissent arriver à franchir le mur d'enceinte. Après tout, n'était-ce pas l'armée de Kalamdir qui avait poussé ces barbares à se réfugier sur la pointe d'Antos ?

Ce que les Ymiriens avaient négligé de prendre en compte était que la majorité de l'armée du roi Limius était campée dans le nord, ce qui rendait leur précieuse cité vulnérable.

Sur le rempart ouest, Simcha avait joint son épée aux forces de ses hommes. Ceux-ci tenaient bon, mais le féroce priman'ak faisait des ravages dans leurs rangs. À lui seul, Kran'ak menaçait de faire basculer le combat en faveur des warraks. De toute évidence, le belliqueux chef des sciaks avait l'intention de prouver à tous qu'il pouvait conquérir Ymirion, contrairement à ce que clamait Ithan'ak.

Avant que la situation ne s'envenime davantage, Simcha décida de s'occuper lui-même de Kran'ak. Le priman'ak, qui avait réussi à vaincre Ithan'ak en combat singulier, risquait de mettre le pirate en morceaux, mais ce dernier avait calculé qu'il avait une mince chance de s'en sortir. Certes, son ennemi avait une force incroyable, mais la mêlée générale dans laquelle il se trouvait l'empêchait de déployer tout son potentiel. Quant à Simcha, il espérait qu'il saurait mettre à profit son agilité.

Comme un chat avança sur sa proie, le pirate se faufila jusqu'à Kran'ak en prenant soin de ne pas être remarqué par le warrak. Lorsqu'il fut à une distance convenable, il bondit sournoisement sur sa victime. Le priman'ak remarqua la présence du pirate et réagit juste à temps pour éviter le pire. Malgré tout, d'un coup rapide et précis, Simcha entailla l'épaule droite de Kran'ak, celle qui maniait son dangereux glaive. Un court instant, le pirate crut que son adversaire allait laisser tomber son arme, mais celui-ci n'en fit rien. Dans la mesure où le priman'ak était couvert du sang de ses ennemis, il était impossible de distinguer si sa blessure était sérieuse. Simcha était certain que sa lame avait pénétré profondément dans la chair du warrak, mais il n'arrivait pas à distinguer l'entaille qu'il avait faite. Seul le regard embrumé de Kran'ak prouvait qu'il était bien blessé.

« Je dois en finir avec lui avant qu'il ne retrouve sa contenance », pensa le pirate.

Il n'eut malheureusement pas le temps de passer à l'action. En effet, deux guerriers sciaks avaient remarqué la manœuvre perfide du pirate et s'étaient interposés entre l'homme borgne et leur chef.

La bataille faisait rage et Simcha savait que la clé de la victoire était d'éliminer le priman'ak. Deux guerriers l'éloignaient de son objectif, ce qui lui rendait la tâche ardue. Le pirate aurait aimé solliciter l'appui d'un de ses soldats, mais tous ceux qui l'entouraient en avaient déjà plein les bras. À court d'options, il dirigea son épée contre l'un des deux importuns qui protégeaient Kran'ak.

Le choc des lames, plus brutal qu'il ne l'avait escompté, fit vibrer le bras du pirate. Conscient que sa force résidait dans sa vitesse d'exécution, il évita la réplique de son adversaire en se déplaçant habilement sur sa droite tout en baissant la tête. Cette parade lui permit de se rapprocher du second guerrier qui n'eut pas le temps d'éviter le métal froid qui lui transperça l'abdomen. Un rapide coup d'œil permit à Simcha de constater que Kran'ak n'avait toujours pas retrouvé son aplomb, mais ce cours instant faillit coûter cher au pirate. En effet, le guerrier sciak subsistant n'avait pas renoncé au combat et son glaive vint érafler la cuirasse brune que portait l'homme borgne.

Afin d'éviter d'être coupé en deux, Simcha avait dû se projeter au sol, perdant ainsi toute sa mobilité. Son coude, qui lui faisait atrocement mal, avait absorbé le choc. Lorsque le warrak responsable de sa chute pointa de nouveau le glaive en sa direction, le pirate para timidement l'attaque avec son arme, qui lui glissa de la main. Satisfait, le sciak s'apprêtait à porter le coup fatal lorsqu'il fut bousculé par Kran'ak.

— Il est à moi, rugit le priman'ak.

Cet intermède permit à Simcha de récupérer son épée et de se relever en position de combat. La douleur que lui procurait son coude avait déjà diminué, ce qui l'encouragea à reprendre les hostilités.

Guidé par sa rage, Kran'ak prit le premier l'offensive. Malgré la force considérable des coups que portait le warrak, Simcha arrivait à dévier chaque attaque. À n'en pas douter, la blessure du priman'ak avait fait son effet. Cette fois, le pirate avait une chance de vaincre le chef suprême des armées warraks. Il lui suffisait de demeurer vigilant suffisamment longtemps pour permettre à la coupure pratiquée sur Kran'ak de s'aggraver. Le moment venu, l'homme borgne serait sans pitié.

Autour des deux chefs de guerre, les effusions de sang n'avaient d'égal que la pagaille des combats. Il était difficile de savoir si un camp avait pris l'avantage sur l'autre, bien que contrairement aux autres fois les warraks aient établi une solide position sur la muraille. Les Ymiriens, qui combattaient de toutes leurs forces, espéraient que la situation s'était améliorée du côté est de la cité. Avec un peu de chance, s'ils tenaient en échec leurs rivaux suffisamment longtemps, des renforts viendraient appuyer leur défense. L'espoir qu'ils entretenaient n'était regrettablement pas fondé.

En effet, les warraks à l'est d'Ymirion avaient redoublé d'ardeur et menaçaient d'entrer dans la capitale d'un instant à l'autre. Rien ne laissait croire que les Ymiriens avaient une chance de s'en tirer. Pourtant, les warraks n'avaient toujours pas rencontré leur plus grand obstacle. Alors que tout semblait perdu pour les soldats de Simcha, Xioltys rejoignit enfin l'enceinte est de la ville. Le magicien, qui était incapable de se déplacer à l'aide de sa magie, était fortement irrité de devoir quitter son antre pour venir mettre de l'ordre dans le désastre créé par Simcha.

Tous les warraks connaissaient l'existence du magicien d'Ymirion. Toutefois, hormis Ithan'ak et Vonth'ak, aucun d'entre eux ne l'avait jamais vu. C'est pourquoi l'arrivée de Xioltys ne fit aucun émoi dans les rangs des féroces guerriers. Ce manque de notoriété n'irrita pas le jeune homme blond, qui profita de cette négligence de la part de l'ennemi pour se positionner efficacement. Depuis longtemps, le magicien savait qu'il devrait un jour intervenir pour repousser les warraks, ce qui l'avait amené à se pencher sur un sortilège particulièrement intéressant.

Selon lui, le principal problème lors d'une mêlée générale n'était pas d'atteindre les opposants, mais plutôt d'épargner les soldats appartenant à son camp. Les Ymiriens n'avaient pas une grande importance à ses yeux, mais la perte d'Ymirion aux mains de l'envahisseur aurait des conséquences néfastes pour ses propres plans, qui dépassaient de loin sa position actuelle auprès de son père adoptif, le roi Limius. C'est pourquoi il avait adapté un sortilège qu'il avait appris à maîtriser au cours des dernières années, afin que celui-ci n'ait aucun effet sur les hommes. Il était maintenant temps pour Xioltys de vérifier si sa création fonctionnait. Dans le pire des cas, les soldats de Simcha subiraient le même sort que les warraks. Leurs vies ne servaient-elles pas à défendre la cité ?

Sur le mur d'enceinte opposé, l'affrontement entre Simcha et Kran'ak n'avait toujours pas pris fin. Le pirate manœuvrait prudemment, certain que la blessure qu'il avait infligée à son adversaire finirait par lui donner l'avantage. La force physique du priman'ak était certes impressionnante, mais chacun de ses coups était moins puissant que le précédent. Bientôt, Simcha pourrait tenter de mettre à mort le priman'ak, ce qui redonnerait certainement du courage aux Ymiriens qui commençaient à faiblir. Le pirate reconnaissait que sa victoire reposerait sur la fourberie de sa première attaque, ce qui lui était égal. « La fin justifie les moyens », tel était son credo.

Kran'ak, qui pouvait à peine soulever son glaive, savait qu'il ne pourrait tenir encore longtemps contre Simcha. Il lui aurait été aisé de demander l'aide d'un de ses guerriers, mais son orgueil était beaucoup trop grand pour accepter cette idée. Le priman'ak vaincrait ou périrait par les armes, mais il n'était pas question d'appeler à l'aide.

— Je sais que tu attends que mon bras devienne aussi impuissant qu'une branche morte, dit le warrak à l'intention de Simcha. J'espère que tu as appris à cultiver ta patience, car je n'ai pas l'intention d'abdiquer si facilement. Je me battrai jusqu'à mon dernier souffle.

— Je n'en attendais pas moins du warrak qui a vaincu Ithan'ak en combat singulier, répondit l'homme borgne. Pourtant, nous savons tous les deux que je l'emporterai.

— Ta fourberie a peut-être su confondre ma vigilance, répliqua Kran'ak, mais le dieu que tu vénères, quel qu'il soit, est certainement plus vigilant que je ne l'ai jamais été. Il saura la manière dont tu auras remporté le combat et il te refusera ta place auprès de lui. Alors que tu pourriras dans le gouffre éternel, je combattrai vaillamment aux côtés de Kumlaïd sur les champs de bataille éternels.

Simcha, insensible aux propos du priman'ak, s'assura qu'il avait une prise solide sur la poignée de son épée. Concentré, il s'apprêtait à bondir comme un félin lorsque son œil valide fut attiré par un éclat de lumière bleue qui s'élevait à l'est. Tous les combattants comprirent immédiatement qu'il s'agissait du magicien d'Ymirion, qui venait d'entrer en scène. Ce renfort inattendu, bien qu'il ne s'adressait pas à eux directement, redonna du courage aux soldats de Simcha. Ils étaient maintenant convaincus que l'enceinte est de la ville résisterait à l'envahisseur. S'ils effectuaient leur devoir, Ymirion serait bientôt tirée d'affaire.

Cette diversion permit à Kran'ak d'échapper à Simcha. Un flot de sang coulait de son épaule droite et il avait de la difficulté à garder la tête froide. Il observait avec étonnement les combats qui se déroulaient autour de lui. Le priman'ak se rendait à l'évidence que les warraks ne pourraient pas pénétrer dans la capitale. À contrecœur, il dut ordonner la retraite, qui ne fut pas sans encombre. Les warraks devaient emprunter le même chemin que celui par lequel ils étaient arrivés : les échelles. La plupart d'entre eux, pendant que leurs compagnons faisaient de leur mieux pour tenir l'ennemi à distance, avaient pu quitter sains et saufs la muraille. Il en fut tout autrement pour les valeureux guerriers demeurés derrière ; aucun ne fut fait prisonnier.

Kran'ak, décontenancé par ce revirement de situation, estimait que plus de la moitié des guerriers qui avaient combattu à ses côtés avaient péri. Sans vraiment y croire, il espérait que les warraks à l'est du mur d'enceinte n'avaient pas subi le même sort.

CHAPITRE 9

Deux semaines s'étaient écoulées depuis que les kourofs avaient quitté le siège d'Ymirion. Ce geste avait fait d'eux des traîtres auprès des leurs, mais ils ne regrettaient aucunement d'avoir suivi Ithan'ak. Le jeune chef était selon eux le seul warrak capable de défendre leurs intérêts. La seule chose qui leur était difficile à accepter était son amitié avec Vonth'ak.

La nuit de leur départ, dans un excès de zèle, le magicien avait lancé sur eux ce qu'il appelait un enchantement, dont les effets avaient été immédiats. Depuis, aucun kourof ne laissait de traces de pas derrière lui, pas plus que Skeip et Kamélia. Le geste de Vonth'ak avait failli coûter très cher à Ithan'ak, dont les guerriers avaient menacé de se rebeller contre lui s'il ne mettait pas à mort le frêle warrak qui avait usé sur eux de sa magie. Le jeune chef, qui avait l'habitude de traiter sans pitié les séditieux, n'avait pu user de sa sévérité habituelle envers son clan en entier. Patiemment, il avait expliqué que le roi Limius avait un magicien à sa disposition et que seul Vonth'ak pouvait rivaliser avec lui sur son propre terrain. Voyant que les kourofs n'étaient toujours pas apaisés, Vonth'ak tenta de diminuer la pression en promettant que les effets de l'enchantement disparaîtraient dans moins d'une semaine. Plus ou moins rassurés, les kourofs avaient décidé de faire une fois de plus confiance à leur chef.

Les jours passèrent et l'enchantement de Vonth'ak ne semblait pas diminuer. Les warraks reprochaient au magicien d'avoir usé de ses pouvoirs sur eux, mais ils commençaient secrètement à apprécier leur nouvelle condition. En effet, bien qu'ils aient été choqués au début, les guerriers reconnaissaient maintenant l'utilité de ne laisser aucune trace. Cela leur avait évité d'être poursuivis par le priman'ak, ce qui les aurait obligés à abandonner leurs épouses et leurs enfants. Malgré tout, aucun des féroces guerriers n'était prêt à admettre que ce qu'avait fait Vonth'ak était fort utile aux kourofs. Au contraire, la plupart d'entre eux, peu enclins à dévoiler leur appréciation de la magie, continuaient de critiquer le magicien.

Ithan'ak ne se souciait pas de l'attitude adoptée par ses guerriers. Il savait que Vonth'ak ne serait jamais totalement accepté dans le clan. L'important pour lui était que les kourofs respectent son choix de faire confiance au magicien. Le jeune chef, en démontrant qu'il avait lui aussi certains pouvoirs, était lui-même devenu étrange au sein de son clan. Heureusement, ses subordonnés avaient une confiance totale en lui et personne ne remettait en doute sa décision d'avoir quitté le campement et ainsi défié les ordres du priman'ak.

En dépit de tous ces petits tracas, Ithan'ak avait un moral d'acier. En plus de la guerre menée contre Kalamdir, un nouveau projet avait pris forme dans sa tête. Puisqu'il avait passé les derniers mois à combattre loin du campement, il n'avait pu observer l'évolution des jeunes kourofs. À présent que ceux-ci étaient chaque jour sous ses yeux, le chef constatait que plusieurs d'entre eux étaient prêts à accomplir les rites de passage. Avant d'être soumis au chemin du guerrier, l'épreuve ultime pour devenir un véritable combattant, chaque récipiendaire devait être soumis à un long et difficile entraînement. Les derniers mois avaient été parsemés de combat et le clan avait connu des pertes significatives. C'était le moment de rattraper le temps perdu et d'assurer la relève chez les kourofs.

Tenant lui-même à superviser la formation de ses futurs guerriers, Ithan'ak avait ordonné au capitaine Yrus'ak de gérer pour un temps les affaires courantes du clan. Quant au capitaine Horl'ak, il était chargé d'assister son supérieur. En temps normal, la formation des jeunes warraks se déroulait du lever au coucher du soleil, souvent parsemée d'épreuves nocturnes. Malheureusement, comme Ithan'ak désirait mener son clan le plus rapidement possible au royaume de Küran, ces conditions optimales ne pouvaient être remplies. Durant la journée, le clan avançait aussi rapidement qu'il le pouvait. Évidemment, les femmes et les enfants ne pouvaient rivaliser avec la vitesse des guerriers, ce qui ralentissait la progression de la troupe. Les warraks avaient l'habitude de se déplacer ainsi et il était normal pour les guerriers de faire preuve de patience.

Le soir venu, alors que le reste du clan profitait d'un repos bien mérité, les futurs guerriers devaient se soumettre au difficile entraînement que leur réservait Ithan'ak. Selon Skeip, il était injuste que ces jeunes recrues ne puissent profiter des conseils du Pourfendeur de dragons, mais Ithan'ak ne voulait rien entendre. Malgré l'évidente sympathie qu'il avait développée pour le keenox, il ne voulait qu'aucune distraction vienne perturber l'importante tâche qu'était de former les jeunes warraks. Chaque soir un peu plus déçu, Skeip était contraint de partager avec Vonth'ak sa science innée des langues. Parfois, Kamélia prenait le rongeur en pitié et tentait de le distraire, ce qui déplaisait au magicien dont la soif d'apprendre était intarissable.

Chez les warraks, la cellule familiale se limitait au guerrier et à son épouse. Les enfants, séparés de leurs parents dès la naissance, étaient élevés par tous les membres du clan. Il était donc impossible pour un warrak de suivre l'évolution de sa descendance. Toutefois, lorsqu'un apprenti se démarquait du lot, chaque guerrier clamait qu'il s'agissait là de sa progéniture.

Ithan'ak et le capitaine Horl'ak faisaient de leur mieux pour accorder la même attention à tous les candidats, même si deux d'entre eux étaient particulièrement prometteurs. Ryan et Kalë, âgés de dix-neuf ans, étaient des compagnons inséparables. Leur principal loisir était de pratiquer ensemble le maniement du glaive. Presque tous leurs temps libres y étaient consacrés. Depuis longtemps, les deux jeunes warraks rêvaient du jour où ils auraient enfin la chance d'être soumis au chemin du guerrier.

Leurs camarades, désireux de devenir aussi habiles qu'eux, requéraient sans cesse de s'entraîner avec les deux virtuoses du combat. Ryan et Kalë acceptaient généralement à contrecœur, car combattre contre des adversaires plus faibles les empêchait d'évoluer.

Chaque soir, les guerriers venaient observer les progrès de leurs futurs compagnons d'armes, plus particulièrement le développement de Ryan et de Kalë. Souvent, le capitaine Horl'ak s'engageait en combat singulier avec l'un ou l'autre. Le résultat était toujours surprenant. Bien que les warraks ne développaient pas toutes leurs forces avant l'âge de cent ans, les deux jeunes kourofs avaient appris à combler cette lacune par une étude approfondie des techniques d'esquive. Ils n'arrivaient bien sûr qu'à retarder le moment fatidique où Horl'ak effectuait une parade qui leur aurait été mortelle dans un combat véritable, mais ils offraient tout de même un bon spectacle. Sévère, Ithan'ak leur rappelait sans cesse que l'esquive ne représentait qu'un aspect du combat et qu'il était dangereux d'en abuser.

— Seule l'attaque peut venir à bout de votre adversaire, répétait-il chaque soir.

Les journées bien remplies du jeune chef lui permettaient d'occuper son esprit. C'était la seule façon de détourner ses pensées de Mikann, qu'il ne reverrait pas avant longtemps, peut-être même jamais. La nuit, allongé sous les étoiles, il prenait dans ses mains le précieux pendentif que lui avait donné la celfide. Incapable de trouver le sommeil, il fixait l'émyantine, qui changeait parfois de couleur sous ses yeux. La plupart des kourofs croyaient que le bijou porté par leur chef était un artéfact magique confectionné par Vonth'ak, mais même le magicien ignorait ce qu'était l'étrange pierre.

Un jour, alors que les kourofs étaient sur le point d'atteindre le royaume de Küran, Kamélia s'approcha d'Ithan'ak pour lui demander où il avait obtenu le pendentif qu'il conservait autour de son cou.

— Il s'agit d'une pierre extrêmement rare, dit l'ambassadrice. On ne peut la trouver que sur le bord de la mer. Je suis curieuse de savoir comment vous l'avez obtenue. Je croyais que les warraks détestaient l'eau.

Ithan'ak, mal à l'aise, ne savait pas quoi répondre à l'épineuse question de l'ambassadrice.

— Vous avez encore beaucoup de choses à apprendre à propos des warraks, dit-il, de façon à éluder la question.

Kamélia vit sans difficulté que l'intérêt qu'elle portait au pendentif embarrassait le jeune chef, ce qui l'amena à déduire que l'objet en question était relié à une affaire de cœur. Jusqu'à récemment, elle avait toujours perçu Ithan'ak comme un puissant chef de guerre, déterminé à arriver à ses fins. D'une certaine façon, elle n'avait jamais cru qu'il était capable de sentiments plus profonds que ceux qu'il accordait aux affaires militaires. Cette nouvelle facette de la personnalité du jeune chef était étonnante et à la fois rassurante. Ce warrak en qui elle avait mis toute sa confiance n'était pas qu'un guerrier avide de combats. Au fond de lui, il connaissait la subtilité des sentiments reliés à l'amour. Selon Kamélia, Ithan'ak avait sans l'ombre d'un doute toutes les qualités d'un grand dirigeant, dont seul l'altruisme lui faisait défaut.

— Êtes-vous toujours décidé à incendier les terres que les Küraniens ont mis toute leur énergie à cultiver ? demanda l'ambassadrice, qui ne pouvait toujours pas se résoudre à cette éventualité.

Ithan'ak, habituellement irrité par la persévérance de l'hyliann à revenir sur cette question, l'accueillit cette fois-ci avec soulagement. Du moment où l'ambassadrice ne s'intéressait pas davantage à son pendentif, il était prêt à aborder n'importe quel autre sujet avec joie.

— Je croyais vous avoir expliqué qu'il était primordial de couper les vivres aux troupes de Kalamdir qui sont campées dans le nord, dit le jeune chef, faussement exaspéré. De cette façon, lorsque le roi Limius les rappellera à lui pour écraser les warraks, ses hommes seront affamés et par le fait même épuisés. Je ne comprends pas pourquoi vous ne pouvez accepter ce plan une fois pour toutes.

— Parce qu'il y a d'autres solutions que nous pouvons exploiter, argumenta Kamélia. Je suis certaine que si vous acceptiez de rencontrer le roi de Küran, vous pourriez le convaincre sans difficulté de se joindre aux warraks. Unis, vos deux peuples sauraient tenir tête au tyran de Kalamdir. Ne disiez-vous pas, récemment, que les Küraniens devraient entrer en guerre aux côtés des warraks ?

— Je me souviens d'avoir prononcé ces paroles, admit le jeune chef, mais qui suis-je pour ordonner à ce peuple de prendre les armes ?

— Vous êtes l'inspiration dont ils ont besoin, insista l'hyliann. Le roi Filistant ne pourra détourner son regard plus longtemps face à vos arguments.

Alors qu'Ithan'ak s'apprêtait à répliquer, il vit apparaître au loin Ryan et Kalë, qu'il avait envoyés plus tôt comme éclaireurs. Il s'agissait là d'une partie de leur entraînement. Impatient d'entendre leur rapport, le jeune chef promit à l'ambassadrice qu'il considérerait sérieusement les arguments qu'elle venait d'avancer. Kamélia accepta donc de mettre fin à leur conversation.

Ryan et Kalë, excités et à bout de souffle, avaient du mal à se faire comprendre de leur chef.

— Calmez-vous et dites-moi ce que vous avez vu, sévit Ithan'ak. Ma patience est aisément épuisable.

Ryan, de nature plus loquace que son compagnon, s'empressa d'exposer son rapport.

— À moins d'une heure de marche, disait nerveusement le jeune kourof, se trouve un poste frontalier de Kalamdir. Nous l'avons épié un moment et nous estimons qu'une quinzaine de soldats sont entassés dans la caserne.

— Ils sont probablement le double, pensa tout haut Ithan'ak. Ils ont l'habitude d'envoyer des patrouilles quadriller leur périmètre. Que suggérez-vous que nous fassions ? demanda le supérieur aux deux apprentis.

— J'aimerais suggérer de les attaquer, répondit Ryan, mais cela me semble risqué. Si nous n'éliminons pas la garnison en entier, les survivants risquent de dévoiler notre position et d'être en mesure de nous tendre une embuscade. Il serait probablement plus sage de simplement contourner ce secteur.

Il était évident que Ryan mourrait d'envie d'attaquer la caserne à lui seul, mais le jeune warrak désirait davantage prouver à son chef qu'il possédait un esprit de stratège. Cette tentative n'impressionna nullement Ithan'ak, qui se tourna vers Kalë.

— Toi, qu'en penses-tu ? demanda-t-il, tout en plongeant son regard dans celui de son interlocuteur.

— Je ne suis pas du même avis que Ryan, répondit Kalë. Contourner ce secteur nous prendra un temps considérable et nous ignorons si nous arriverons vraiment à passer inaperçus. Si ces soldats ont connaissance de notre présence, ils auront tout le loisir de demander des renforts et de nous tendre une embuscade. Je propose d'attendre jusqu'à la nuit. Leurs patrouilles seront alors de retour à la caserne et ce sera le moment idéal pour les attaquer.

Les deux jeunes warraks, bien qu'ils aient émis des opinions complètement différentes, n'entretenaient aucune rivalité. Une certaine compétition les animait, mais elle était accompagnée d'une franche camaraderie. Néanmoins, tous deux espéraient qu'Ithan'ak adopte leur plan et non celui de l'autre. Le jeune chef, amusé par l'attitude des deux apprentis, décida de leur donner une chance de prouver leur valeur.

— Je crois qu'il est temps de vous confier votre première mission, décida Ithan'ak. Toutefois, aucun de vous ne m'a proposé un plan qui me satisfasse entièrement. Comme l'a si bien mentionné Kalë, contourner le secteur serait beaucoup trop long. D'un autre côté, la journée est encore jeune et patienter jusqu'à la nuit nous ralentirait considérablement.

— Que proposez-vous ? demanda Ryan, excité à l'idée de participer enfin à l'action.

— Je veux que vous divisiez les apprentis en deux groupes égaux, répondit le jeune chef. Ryan prendra la tête de l'un d'eux et pistera les soldats en patrouille, si jamais il y en a. De son côté, Kalë attaquera directement la caserne. Je veux que vous soyez partis dans dix minutes.

— Nous aurons chacun environ quinze de nos compagnons sous nos ordres, commenta Ryan. Que dois-je faire si le nombre de soldats en patrouille est supérieur à ce nombre ?

— Ce n'est pas mon problème, répondit froidement Ithan'ak. Cela fait partie de votre entraînement et votre objectif est d'éliminer l'ennemi, quels qu'en soient les moyens. Le droit de commander vos compagnons est un privilège que je vous accorde. En retour, j'attends de vous qu'aucun d'entre eux ne tombe au combat aujourd'hui. Avant toute chose, vous devez apprendre qu'il est important d'utiliser son cerveau avant d'agiter son glaive. Est-ce bien compris ?

— Oui ! répondirent à l'unisson les deux compagnons.

Sans rien ajouter, ils partirent rejoindre leurs camarades. Rapidement, ils formèrent deux groupes parmi les futurs guerriers, puis expliquèrent la mission qui leur avait été confiée. Ryan, beaucoup plus loquace que Kalë, crut bon de motiver les troupes avant le départ.

— Pour la première fois, nous allons combattre les hommes, s'enflammait le jeune warrak. Cela nous mènera encore plus près du chemin du guerrier. Voilà notre chance de prouver que nous sommes prêts à affronter l'épreuve ultime pour devenir de véritables combattants. Je sais qu'aucun de vous n'a peur de la mort, mais ce n'est pas ce qu'on attend de nous. Ce n'est pas en sacrifiant sa vie que l'on gagne une guerre, mais bien en prenant celle de l'ennemi. C'est pourquoi la ruse sera notre arme principale, comme nous l'a recommandé notre chef. À présent, montrons à nos aînés que, comme eux, le sang des kourofs circule dans nos veines.

Le discours de Ryan s'acheva par les acclamations de ses compagnons, comprenant ceux de Kalë. Cette réaction était évidemment celle souhaitée par le téméraire apprenti, ce qui lui permit d'oublier qu'il jouait les seconds violons. En effet, selon Ryan, son ami Kalë s'était vu confier l'objectif le plus important, qui était de prendre d'assaut la caserne. Pour sa part, Ryan devait retrouver la piste d'une patrouille dont l'existence était incertaine.

Quoi qu'il en soit, le jeune warrak savait que c'était par sa faute qu'il se trouvait dans cette fâcheuse position. N'était-ce pas lui qui avait suggéré à Ithan'ak de contourner lâchement le poste frontalier ?

Kalë connaissait bien le caractère de son éternel compagnon. Ryan avait toujours été le plus fort, tant au corps à corps qu'au maniement du glaive. De plus, l'extraordinaire charisme de ce dernier avait depuis longtemps gagné la faveur des autres apprentis. Il n'y avait aucun doute dans l'esprit de Kalë que Ryan deviendrait un jour chef de clan. Il était étrange que la première mission qu'on confiait aux deux jeunes warraks fut à l'inverse de ce à quoi chacun d'eux s'attendait. Kalë était très fier d'avoir obtenu l'objectif principal, mais il espérait que cela n'entraverait pas son amitié avec son perpétuel partenaire. Il aurait aimé entretenir une discussion à ce sujet avec Ryan, mais le temps manquait. Ithan'ak leur avait accordé dix minutes pour se préparer, délai qu'aucun des futurs guerriers n'entendait dépasser.

— N'oubliez pas ce que je vous ai dit, leur rappela Ithan'ak, alors qu'ils s'apprêtaient à partir. Je ne tolérerai aucune perte dans vos rangs. Ne cherchez pas à vous couvrir de gloire et contentez-vous d'accomplir votre mission.

Sur ce rappel plus ou moins rassurant, les deux groupes d'apprentis s'éloignèrent dans des directions opposées.

Kalë, qui connaissait déjà précisément la position géographique de son objectif, n'avait qu'à répéter le trajet qu'il avait effectué plus tôt dans la journée. Sa connaissance du terrain lui permettait de planifier son attaque. Les scénarios, du plus optimiste au plus alarmiste, défilaient et se bousculaient dans sa tête. Le jeune warrak désirait pallier toute éventualité. La planification avait d'ailleurs toujours été sa grande force. Cette caractéristique, qui faisait souvent défaut à Ryan, avait permis à Kalë de tirer son épingle du jeu. Les deux compagnons se complétaient à merveille l'un et l'autre, ce qui laissait un grand vide lorsqu'ils étaient séparés. Néanmoins, Kalë était bien décidé à accomplir la mission qu'Ithan'ak lui avait confiée. Il était convaincu qu'en cas de succès tous les jeunes warraks sous son commandement, ainsi que lui-même, pourraient accéder au chemin du guerrier. Cette perspective à elle seule donnait des ailes aux apprentis, qui arrivèrent en vue de la caserne dans la moitié du temps prévu.

La plupart des jeunes warraks sous le commandement de Kalë auraient aimé se lancer à bride abattue vers leur premier véritable combat. Toutefois, ce dernier usa de son influence pour atténuer cet excès de zèle.

— Avant de passer à l'attaque, expliquait-il, il faut nous assurer de bien connaître notre adversaire. Nous pourrons ainsi tirer profit de ses faiblesses. Tout d'abord, je veux connaître le nombre exact des hommes qui occupent ce poste frontalier. Lorsque nous en saurons certains, je vous soumettrai mon plan. J'attends de vous que vous le suiviez à la lettre.

Kalë sentait que ses compagnons ne prenaient pas tout à fait son autorité au sérieux, mais l'heure n'était pas à la discipline. Pour l'instant, l'important était qu'ils suivent ses directives. Bientôt, grâce à son plan, cette première victoire serait remportée et le problème s'évaporerait de lui-même.

Dissimulés parmi les herbes hautes, une quinzaine de jeunes warraks avançaient le ventre contre le sol. Leurs yeux étaient d'un rouge flamboyant, ce qui aurait davantage compliqué les choses si leur mission s'était déroulée la nuit. En effet, si cette caractéristique des warraks était très utile pour effrayer l'ennemi, elle était un désavantage lorsqu'il s'agissait d'opérer subrepticement.

La patience à laquelle Kalë avait contraint ses compagnons s'était révélée fort utile. Onze hommes occupaient la caserne, dont trois étaient constamment postés à l'extérieur. Ce paresseux trio, peut-être parce que les combats étaient inexistants dans cette partie du continent, semblait prendre sa tâche à la légère. Cela faciliterait de beaucoup le travail des jeunes warraks. Afin d'éviter toute confusion, Kalë avait confié une cible à chacun d'entre eux. Puisque les hommes étaient en nombre inférieur, certains apprentis avaient été jumelés. Cela ne leur plaisait guère, mais on leur avait appris depuis longtemps qu'un bon guerrier doit mettre ses forces au profit de son clan et non à sa seule gloire. Cet enseignement pouvait parfois paraître grotesque, car tous les chefs de clans se démarquaient par des actes solitaires et héroïques. Heureusement, la plupart des futurs guerriers étaient conscients qu'ils n'avaient pas encore atteint ce niveau.

L'humidité caractéristique du royaume de Küran rendait la chaleur insupportable. Des perles de sueur coulaient sur le visage de Kalë et de ses compagnons. Leurs mains suintaient, les obligeant à frotter leurs paumes sur la terre afin de conserver une prise adéquate sur leur arme. Ils essayaient de conserver un calme exemplaire, mais leur souffle rapide trahissait leur échec. L'exaltation qu'ils ressentaient allait bien au-delà des expériences de chasse qu'ils avaient connues jusque-là. D'un instant à l'autre, Kalë ordonnerait l'attaque et toutes leurs pensées seraient alors tournées vers la rage, vers la mort.

— On nous attaque ! aboya un des hommes, avant que Kalë ait ordonné l'assaut.

Shuan, un des apprentis qui prenaient part à la mission, venait de commettre une erreur cruciale. Incapable d'attendre plus longtemps et brûlant d'envie de se couvrir de gloire, il s'était levé et fonçait déjà vers la caserne.

— Nous avons perdu la surprise, s'écria Kalë. Contentez-vous de suivre notre plan et tout ira bien. À l'attaque !

Heureusement, le groupe commandé par Kalë était suffisamment près pour prêter main-forte à Shuan, qui devait maintenant affronter trois adversaires simultanément. Ceux-ci furent rapidement rejoints par les autres soldats, qui opposèrent une lutte féroce aux envahisseurs. Ces hommes n'étaient pas particulièrement de grands combattants, mais ils avaient l'intention de lutter pour leur vie jusqu'à leur dernier souffle. Pour la plupart, ils avaient une famille, de jeunes enfants. L'idée d'en faire des orphelins était pour eux une source de rage dans laquelle ils puisaient leurs forces. Malgré les efforts constants fournis par les jeunes warraks, aucun des Kalamdiens ne périssait sous leurs glaives.

— Ils sont moins nombreux que nous, hurla Kalë. Ils seront bientôt à bout de force.

Contraints à combattre deux warraks en même temps, certains hommes étaient manifestement sur le point de flancher sous les coups. L'un d'entre eux, touché près du cœur, succomba finalement à sa blessure, ce qui fut le début de la fin. Ses deux bourreaux, qui venaient de faire leur première victime, purent joindre leur force à celles de leurs camarades, ce qui mena rapidement au déclin des Kalamdiens. En peu de temps, tous les hommes furent éliminés.

Alors que les combats venaient à peine de prendre fin, Kalë se retourna subitement et, avec la précision qu'était la sienne, trancha une oreille à Shuan. Ce dernier, pantois, rejeta la douleur de son esprit et pointa son glaive en direction de son compagnon. Imperturbable, Kalë ne prit même pas la peine de se placer en position de combat.

— Tu es toujours en vie, expliqua-t-il, parce qu'Ithan'ak m'a ordonné de tous vous ramener sains et saufs. Crois-moi, je ne verrai aucun inconvénient à te prendre autre chose qu'une oreille si tu insistes davantage.

Shuan comprit que Kalë ne prononçait pas sa menace à la légère et renonça au combat. Avant de repartir vers leur clan, les futurs guerriers prirent soin d'inspecter minutieusement la caserne, dans l'espoir de ramener des informations à leur chef. Ne sachant pas lire, ils laissèrent en place les différents documents, hormis une carte détaillée du royaume de Küran. Puisque les kourofs s'apprêtaient à pénétrer sur ces terres, ce plan géographique serait certainement très utile à Ithan'ak. Satisfait de cette découverte, Kalë décida qu'il était temps de partir.

La tête haute et la poitrine gonflée, les apprentis rejoignirent leur clan, remplis d'orgueil. Ithan'ak, qui n'attendait pas moins de ses futurs guerriers, les félicita pour cette première victoire qu'ils venaient de remporter.

— Vous venez d'apporter la preuve que vous êtes prêts à être soumis au chemin du guerrier, déclara le jeune chef. Bientôt, lorsque nos déplacements constants auront cessé, nous verrons si vous méritez tous de rallier les rangs de mes guerriers.

Alors que l'on applaudissait les paroles d'Ithan'ak, Kalë s'avança vers celui-ci et lui tendit la carte que ses compagnons et lui avaient découverte. Immédiatement intéressé, le jeune chef s'en empara et mit sa main sur l'épaule de l'apprenti.

— Cela nous sera fort utile durant les semaines à venir, dit-il. Je n'hésiterai pas à te donner à nouveau un groupe à commander.

Impatient de prendre connaissance des informations que renfermait la carte, il tourna les talons et demanda aux capitaines Yrus'ak et Horl'ak de le suivre. Vonth'ak et Kamélia, dont l'opinion comptait aux yeux du jeune chef, furent aussi invités.

Mécontent de ne pas avoir été convié à cette petite réunion, Skeip avait tourné son attention vers le héros du jour. Kalë, entouré de jeunes et belles warraks, racontait le combat qu'il avait dirigé dans ses moindres détails. Les filles étaient envoûtées par les paroles de cet apprenti dont l'avenir était prometteur.

— Ils sont tous pareils, disait une warrak plus âgée qui regardait la scène. Au début, ils vous regardent de leurs yeux verts attendrissants, puis au bout d'un moment leurs pensées se tournent entièrement vers la guerre et ce vert si pur s'entremêle avec le sang.

— À la fin, seul le rouge demeure et l'amour n'est plus qu'un puéril souvenir, se moqua le conjoint de la warrak. Combien de fois ai-je entendu ces paroles ? Ne suis-je pourtant pas revenu vers toi chaque fois que la guerre me donnait un répit ?

Tendrement, le guerrier prit la main de la warrak et l'entraîna à l'écart pour l'embrasser.

Cet échange amoureux, dont Skeip n'avait rien manqué, avait semé une question dans l'esprit du keenox. Résolu à obtenir une réponse, le rongeur se dirigea vers Kalë et ses admiratrices.

— Avez-vous l'intention d'unir votre vie à l'une de ces dames ? demanda innocemment le rongeur.

Embarrassé par l'interrogation du keenox, Kalë eut un bégaiement timide, qu'il s'empressa de rattraper.

— Qu'est-ce qu'un keenox connaît aux choses de l'amour ? se moqua le jeune warrak. Votre race est au gouffre de l'extinction. Si j'étais toi, je me demanderais plutôt à quelle demoiselle je pourrais offrir mon cœur, car tu ne sembles pas avoir l'embarras du choix.

Les paroles de Kalë avaient blessé Skeip plus durement qu'il l'aurait été par un rînock. Le jeune warrak s'en aperçut aussitôt et fit immédiatement ses excuses au keenox. Skeip esquissa un sourire et concéda qu'il avait la fâcheuse tendance à se mêler des affaires d'autrui. Préoccupé, il s'excusa pour son intrusion déplacée et s'esquiva.

Skeip, comme la plupart de ses semblables, ne s'était jamais soucié d'assurer sa descendance. Il lui était égal de ne pas avoir d'enfants. Désireux de conserver sa liberté, il avait toujours soutenu qu'aucune demoiselle keenox ne méritait toute sa précieuse attention. Être le dernier de sa race lui apportait une grande fierté, mais cela signifiait aussi qu'il ne pourrait jamais trouver une bien-aimée. Curieusement, il n'y avait jamais songé jusque-là. Bien qu'il n'ait jamais cherché à unir sa vie à une keenox, cette nouvelle perspective le rendait profondément triste. Il se rappelait les paroles que le bosotoss Fork lui avait dites un jour : « On n'apprécie jamais quelque chose, tant qu'on ne l'a pas perdu. » À l'époque, Skeip n'avait pas compris la signification de ces mots. D'un seul coup, il se détestait et détestait la nonchalance qui avait causé la disparition des keenox.

— Pour la première fois de ma vie, dit-il pour lui-même, je désire être seul.

Le keenox laissa échapper un soupir et sortit un mouchoir de la petite sacoche qu'il traînait continuellement avec lui. Une fois ses larmes séchées, il rangea soigneusement le bout de tissu et se mit à avancer tranquillement. Alors qu'il passait au milieu des guerriers qui discutaient vigoureusement, l'un d'eux souligna joyeusement la présence du Pourfendeur de dragons parmi eux. Skeip ne porta aucune attention à la remarque. Désillusionné, il se contentait de mettre une patte devant l'autre, la tête basse et les épaules courbées vers l'avant. Les guerriers, inconfortables avec le comportement inhabituel du keenox, se contentèrent de l'ignorer et de reprendre leur conversation.

— Le jeune Kalë a prouvé qu'il méritait de combattre à nos côtés, dit l'un d'eux.

— C'est la vérité, répondit un autre, mais j'attends avec impatience le retour de Ryan. Ce jeune warrak est selon moi le plus talentueux de sa génération. Il pourrait bien nous impressionner.

— Pour cela, il doit d'abord se dénicher un ennemi. Kalë a peut-être déjà eu raison de tous les hommes qui gardaient le poste frontalier.

Ce genre de discussions animait tout le clan, ce qui n'était pas rare lorsque de jeunes warraks se préparaient au chemin du guerrier. Même Ithan'ak, s'il n'avait pas été aussi occupé, se serait joint aux échanges de propos. Entouré de ses deux principaux capitaines, de Vonth'ak ainsi que de l'ambassadrice de Lelmüd, le jeune chef entretenait un débat d'une tout autre nature.

— Il est immoral d'attaquer des paysans sans défense, dit Kamélia. Si vous empruntez cette voie, vous serez alors aussi cruel que le roi Limius.

— Le plan que je propose est de très loin différent des méthodes employées par Kalamdir, répliqua Ithan'ak, qui ne comprenait pas pourquoi l'hyliann s'entêtait à l'affronter sur ce point. J'ai l'intention de détruire les cultures afin de couper le ravitaillement aux troupes du roi campées dans le nord. Je peux vous assurer que les Küraniens auront la vie sauve.

— Comment pouvez-vous en être certain ? s'obstina l'ambassadrice. Ces paysans vivent de leurs cultures et ils ne les regarderont pas brûler sans rien faire. Que ferez-vous s'ils décident de répliquer par les armes ? Si je vous laisse appliquer votre plan, le sang coulera inévitablement.

Ithan'ak avait du mal à conserver son calme. Il savait que les arguments de l'ambassadrice étaient fondés. D'un autre côté, il devait employer tous les moyens nécessaires pour affaiblir l'ennemi.

— N'y aurait-il pas une façon d'utiliser la magie pour arriver à nos fins ? suggéra Yrus'ak.

Cette remarque surprit Ithan'ak et Vonth'ak, qui n'avaient pas l'habitude d'entendre les autres warraks plaider en faveur de la magie. Pour la première fois, hormis le jeune chef, un kourof proposait de mettre à profit les pouvoirs de Vonth'ak. Ce changement s'était opéré lentement durant les derniers mois. Plus récemment, les kourofs avaient vu le magicien user de ses dons pour éliminer les empreintes qu'ils laissaient en marchant, ce qu'ils considéraient à présent comme un merveilleux atout.

— Je vais devoir y réfléchir, dit finalement Vonth'ak. Il existe une quantité phénoménale d'enchantements et de sortilèges. Je dois trouver lequel d'entre eux saurait le mieux servir nos intérêts.

— Je te laisse jusqu'à demain, trancha Ithan'ak. Au lever du jour, si je n'ai pas d'autre option, je serai contraint d'exécuter le plan qui déplaît tant à Kamélia.

— Cela n'arrivera pas, ajouta l'ambassadrice, sur un ton de défi.

Une fois la réunion terminée, Ithan'ak interrogea l'un de ses guerriers pour savoir si on avait eu des nouvelles du groupe d'apprentis commandé par Ryan. La réponse fut négative, mais cela n'inquiéta pas le jeune chef, qui s'attendait à ce que leur retour se fît attendre. Ce n'est qu'en fin d'après-midi que revinrent enfin les apprentis chargés de nettoyer le territoire ; et ils n'étaient pas seuls. Au loin, les silhouettes des jeunes warraks paraissaient insignifiantes aux côtés de celles des bosotoss.

Chapitre 10

Ithan'ak, qui utilisait une main pour protéger ses yeux du soleil, estimait qu'une trentaine de bosotoss accompagnaient Ryan et ses compagnons. Le jeune chef n'avait jamais vu autant de ces colosses réunis. Le spectacle qu'ils offraient était saisissant. Marchant côte à côte, portant chacun une massue surdimensionnée, ils formaient une barrière infranchissable.

— Je crois que Fork est avec eux, dit Ithan'ak à Vonth'ak, qui l'avait rejoint. Skeip sautera de joie en apprenant son retour.

Aussitôt, le magicien se raidit et prit congé de son acolyte. Il n'avait pas vu le keenox depuis un bon moment, ce qui le rendait toujours inquiet.

— Il est certainement en train d'importuner l'un de mes guerriers, dit Ithan'ak, dans le but de rassurer son compagnon.

Vonth'ak ne l'entendait déjà plus.

Lorsque les nouveaux arrivants furent plus près, il devint clair pour le chef des kourofs que Fork faisait partie du groupe de bosotoss qui suivait les jeunes warraks.

Ryan, qui craignait que l'arrivée des bosotoss jette de l'ombre sur sa récente victoire, fit de son mieux pour distancer les géants.

— Nous avons remporté notre première victoire, s'écria-t-il, tout en soulevant son glaive haut dans les airs.

Cette nouvelle suscita une exclamation générale dans le clan tout entier.

Plus loin, les bosotoss hésitaient à approcher davantage. Ils ignoraient toujours si leur arrivée impromptue était la bienvenue. Fork, qui avait une meilleure connaissance de la culture des warraks, avait recommandé à ses compagnons de patienter un peu. L'initiation des futurs guerriers était un rite important chez les warraks et il ne voulait surtout pas nuire à Ithan'ak. Cette courtoisie fut très appréciée du jeune chef, qui désirait connaître les détails de la mission menée par Ryan.

— Je devine que vous avez trouvé une patrouille, commença le jeune chef. Combien de soldats étaient-ils ?

Ryan ne put cacher qu'il espérait qu'on lui pose la question. Son enthousiasme débordant était partagé par ses camarades.

— Ils étaient vingt-six, répondit fièrement le jeune warrak.

— Ils étaient donc onze de plus que vous, comptabilisa Ithan'ak. Est-ce que les bosotoss vous ont aidés à les vaincre ?

— Aucunement, se défendit Ryan. Nous ne les avions pas encore croisés. Notre victoire repose sur les ruses que vous nous avez enseignées, en particulier l'effet de surprise. Ils n'ont pas eu le temps d'organiser une défense adéquate.

— Je vois, lâcha froidement Ithan'ak, qui ne paraissait pas impressionné. Pourtant, je compte dans votre groupe un apprenti en moins. Suis-je en droit de conclure que vous n'avez pas su limiter vos pertes à zéro ?

Cette remarque sonna comme un coup de fouet aux oreilles de Ryan, qui croyait que son chef n'avait pas remarqué ce détail. Cela n'arriva toutefois pas à réprimer son allégresse.

— Ce que vous dites est vrai, admit-il, mais nous avons tout de même vaincu, alors qu'ils avaient l'avantage du nombre. Je crois pouvoir dire objectivement que notre mission est un franc succès.

— Je suis le seul habilité à décider de votre réussite ! rugit Ithan'ak. Mes instructions étaient pourtant claires. Je ne vous accordais aucune perte. Je suis hautement contrarié de votre inefficacité. Pour l'instant, je n'ai pas le temps de décider de votre sort. Contrairement au groupe de Kalë, vous n'êtes peut-être pas encore prêts à être soumis au chemin du guerrier. Je devrai réfléchir sérieusement à la question. Disparaissez de ma vue à présent.

Confondus, les jeunes warraks s'éloignèrent la mine basse. En un instant, leur excitation avait fait place à une profonde amertume. À aucun moment ils ne s'étaient imaginé la réaction qu'avait eue Ithan'ak. Ils venaient d'apprendre qu'il ne suffisait pas de vaincre l'ennemi pour remporter la victoire.

Malgré la déconfiture que venaient de subir Ryan et ses compagnons, une certaine jovialité avait gagné le clan. Les guerriers étaient tout de même fiers de leurs futurs compagnons d'armes et les femmes ne tarissaient pas d'éloges à leur sujet. De plus, les kourofs étaient ravis de l'arrivée inusitée des bosotoss, race qu'ils avaient appris à apprécier au contact de Fork.

À présent qu'il en avait terminé avec les apprentis, Ithan'ak pouvait accueillir le groupe de colosses, dont la patience était inépuisable. Avant d'entreprendre le dialogue, Ithan'ak examina rapidement son vieil ami. Leur dernière rencontre remontait à quelques mois à peine et Fork n'avait évidemment pas changé. Pourtant, son attitude était différente. La quiétude qui habitait ordinairement ses yeux s'était métamorphosée en une certaine angoisse. Ithan'ak remarqua aussi que le géant portait un long bracelet en cuir brun à chaque poignet, ce qui le distinguait des bosotoss qui l'accompagnaient. Le jeune chef, qui ne connaissait pas très bien la culture de ce peuple de nomades, en déduisit qu'il s'agissait là d'un titre honorifique. Hormis cet élément distinctif que portait Fork, seul un pagne recouvrait l'épaisse peau brune des colosses. Bien que leurs visages ne fussent aucunement identiques, ils étaient tous aplatis et munis de deux yeux creux. Les quelques cheveux fins qui couvraient leur crâne volaient continuellement au vent, les rendant impossibles à coiffer. Leurs muscles étaient extraordinairement développés, ce qui leur permettait de soulever sans peine leur redoutable massue. Même leurs mains, qui ne possédaient que trois doigts, étaient d'une proportion démesurée. Curieusement, côte à côte avec ceux de sa race, Fork se fondait dans la masse malgré sa stature imposante.

Conscient qu'il ne pouvait passer davantage de temps à scruter l'apparence des colosses, Ithan'ak entama le dialogue.

— Je suis désolé de vous avoir fait attendre, commença le jeune chef. Soyez assurés que les kourofs et moi-même sommes ravis du concours de circonstances qui vous a menés jusqu'à nous.

— Merci pour ton accueil, répliqua Fork, mais notre rencontre n'a rien à voir avec une coïncidence. Comme tu le sais, les bosotoss sont des nomades qui vivent généralement isolés des autres races. À la suite des épreuves tragiques que nous avons traversées récemment, ce mode de vie ne pouvait continuer plus longtemps. Notre seule option était de quitter le désert et de rejoindre le continent d'Anosios. Puisque je suis le seul d'entre nous qui entretient certains liens avec les autres races, j'ai été désigné comme guide et porte-parole. Voilà pourquoi je porte les bracelets de cuir qui ont attiré ton attention.

— Je ne suis pas certain de comprendre, avoua Ithan'ak, qui essayait de mettre de l'ordre dans les informations qu'il venait de recevoir. Pourrais-tu me dire exactement ce qui vous a poussés à quitter le désert ?

— La même menace qui a poussé les warraks à quitter la pointe d'Antos, répondit simplement le bosotoss.

À ces mots, une certaine tension se fit sentir parmi les warraks. Les féroces guerriers n'avaient peur de rien, mais ils étaient préoccupés par ce nouvel ennemi dont ils ne comprenaient pas la nature. Même les bosotoss, dotés d'une force incroyable, redoutaient les ombres meurtrières. Cette nouvelle n'annonçait rien de bon.

— Avez-vous connu de nombreuses pertes? s'inquiéta Ithan'ak, qui anticipait déjà la réponse.

— Nous ne sommes pas les seuls survivants, si cela peut te rassurer. Tu devrais savoir que les bosotoss ne sont pas faciles à tuer. Il est vrai que nous avons perdu plusieurs des nôtres, mais la majorité se sont dirigés vers le sud, où les attaques sont beaucoup moins fréquentes.

D'un seul coup, Ithan'ak comprit ce que signifiait vraiment la présence du groupe de Fork sur le continent d'Anosios. Il était clair que les géants n'étaient pas venus chercher refuge. Au contraire, ils venaient prêter main-forte à leurs voisins du nord. Le jeune chef reconnaissait bien là la nature paternelle que Fork entretenait à son égard. Le colosse avait même su convaincre certains des siens de l'accompagner.

— Les attaques de ces ombres deviennent de plus en plus fréquentes, observa Ithan'ak. Avez-vous découvert quelle est leur nature et quelles sont leurs motivations ?

— Nous ignorons ce qu'elles sont, déplora Fork. Même les plus vieux et les plus sages d'entre nous n'ont jamais rencontré ce mal qui s'acharne sans distinction sur les différentes races.

Toutefois, je mettrais ma main au feu que ces créatures ne furent pas créées par les dieux. J'espérais que durant les derniers mois Vonth'ak aurait peut-être percé leur mystère.

— Hélas non ! soupira Ithan'ak. J'ai même cru que le magicien d'Ymirion pouvait être à l'origine de tout cela, mais les ombres attaquent aussi les habitants de Kalamdir. De plus, Vonth'ak affirme que même Antos n'aurait pu créer de telles créatures. En temps voulu, nous découvrirons ce que tout cela signifie.

— Je suis d'accord, renchérit Fork, car nous avons un problème encore plus urgent à régler.

Le commentaire du géant éveilla la curiosité du jeune chef, qui n'avait pas la moindre idée de ce à quoi son vieil ami faisait référence. D'après les sourcils froncés du bosotoss, il s'agissait d'une affaire qui serait difficile à gérer.

— Il y a plus d'une semaine que nous essayons de retracer ton clan, avoua le colosse. Je devrai penser à féliciter Vonth'ak pour l'enchantement qui a rendu les kourofs impossibles à pister. Quoique tu aies aussi participé à cet exploit, d'après ce que m'a expliqué le jeune Ryan. Bref, je savais que vous aviez pris la direction du royaume de Küran, mais sans la possibilité de suivre vos traces, je désespérais de vous trouver. Heureusement, le destin a voulu que nous rencontrions par hasard le groupe de Ryan qui revenait de mission. Ils m'ont immédiatement reconnu et mené jusqu'à toi.

— Je comprends maintenant comment vous êtes arrivés jusqu'ici, dit Ithan'ak, mais j'ignore toujours quel est le problème urgent que nous devons régler.

— J'y viens, l'assura Fork. Tu dois savoir que, après que les kourofs eurent quitté le siège d'Ymirion, Kran'ak a immédiatement lancé une attaque massive sur la capitale. D'après mes informations, les warraks ont presque connu la victoire. Malheureusement, celle-ci leur a finalement échappé. Xioltys, le magicien blond qui sert le roi Limius, est intervenu au dernier moment et sa magie a pu mettre le priman'ak et ses guerriers en déroute. Je suis désolé d'avoir à t'apprendre que près de la moitié des warraks ont péri durant la retraite.

— Quel imbécile ! rugit Ithan'ak. Je regrette que Kumlaïd ne m'ait pas donné la force de le vaincre lorsque je l'ai affronté pour le titre de priman'ak.

— Es-tu certain qu'il ne l'a pas fait ? rétorqua Fork à la déclaration du jeune chef.

Ithan'ak savait parfaitement à quoi le colosse faisait allusion. Il était vrai que le dieu de la guerre avait doté le bras droit du kourof d'une puissance magique incroyable, mais ce dernier n'avait pas encore appris à la maîtriser. De plus, il lui aurait semblé déloyal, voire même abject, d'utiliser ce potentiel dans un duel.

— Kumlaïd m'a fait ce don pour que je l'utilise contre nos ennemis, répliqua le jeune chef, non pour me permettre d'assouvir mes ambitions. Dis-moi plutôt d'où tu tiens tes renseignements concernant la défaite de Kran'ak.

— D'accord, céda le bosotoss, mais tu dois promettre de rester calme. Puis-je avoir ta parole ?

— Aucun warrak ne donne sa parole aussi aveuglément, rétorqua Ithan'ak. On croirait entendre un hyliann, avec tous ces mystères. Cesse de me tourmenter et dis-moi ce que tu redoutes tant que j'apprenne.

— Puisque tu ne me donnes pas le choix, déclara Fork, je vais te dévoiler d'où viennent mes informations. Néanmoins, je ne te laisserai pas tirer ton glaive avant que tu aies entendu toute l'histoire.

Ithan'ak devenait de plus en plus impatient. Il se demandait pourquoi le colosse usait d'autant de prudence. Cela lui semblait puéril et interminable.

Fork, au lieu d'expliquer franchement pourquoi il était si inquiet de la réaction du jeune chef, s'écarta pour laisser ce dernier constater par lui-même ce qu'il n'avait pas noté jusque-là.

Les bosotoss, qui étaient arrivés en groupe compact, n'avaient pas encore rompu leur formation. Instantanément, Ithan'ak comprit que les géants cherchaient à dissimuler quelque chose, ou plutôt quelqu'un. Une foule de visages défilèrent dans la tête du warrak, mais aucun ne lui semblait plausible. Lorsque les bosotoss dissolurent enfin leur peloton, une vieille connaissance s'avança vers le chef des kourofs. L'homme n'avait pas changé. Les multiples cicatrices et le cache-œil du pirate le rendaient impossible à confondre avec un autre. Il s'agissait bien du traître qui avait livré Ithan'ak et ses compagnons au roi Limius, malgré les risques que comportaient le fait de laisser Skeip entre les mains du magicien d'Ymirion.

— Simcha ! s'étonna Ithan'ak, plus surpris que contrarié.

Le jeune chef cherchait une réponse sur le visage de Fork. Il ne pouvait s'expliquer la présence du pirate et encore moins la raison pour laquelle les bosotoss l'avaient mené jusqu'aux kourofs. Alors qu'Ithan'ak se remémorait tout ce que Simcha lui avait fait subir, ses yeux devenaient de moins en moins verts. Son esprit luttait pour ne pas céder à une rage incontrôlable, mais il n'y avait rien à faire. D'un geste rapide, il sortit son glaive de son fourreau et fonça vers le pirate.

Sans comprendre ce qui venait d'arriver, le jeune chef se retrouva sur le dos, désarmé. Un bosotoss avait freiné sa course en lui assenant un solide coup de massue. Ce revirement de situation avait fait réagir les warraks, dont les puissants glaives menaçaient les bosotoss. Fork, qui craignait que la situation s'envenime davantage, fit signe à ses semblables de baisser leur massue.

Toujours sous le choc, Ithan'ak avait du mal à retrouver ses esprits. Ce fut le capitaine Yrus'ak qui vint le relever et qui s'assura que son chef n'avait pas été blessé.

— Dites à mes guerriers de baisser leurs armes, lui intima Ithan'ak. Je sais que mon exemple n'était pas très approprié, mais nous ne devons pas obéir aux actes irréfléchis.

Le jeune chef récupéra son glaive, qu'il laissa aux bons soins d'Yrus'ak. Les mains libres, il retourna vers Fork.

— Puisque c'est toi qui le demandes, déclara-t-il, j'écouterai les explications que ce traître et toi avez à me donner. Ordonne à Simcha de laisser ses armes à tes compagnons et rejoignez-moi près du gros rocher sur notre gauche, qui masquera bientôt le soleil couchant. J'y serai dans cinq minutes, le temps que je calme mes guerriers.

Alors que la pénombre couvrait peu à peu le continent d'Anosios, Ithan'ak, Fork et Simcha se retrouvèrent à l'endroit qui avait été désigné. Il était étrange pour le jeune chef d'être face à face avec le pirate. Cet homme, qui s'était autrefois fait passer pour son allié, l'avait ensuite trahi d'une manière atroce. Contre toute attente, pour une raison qui demeurait obscure, Simcha se présentait aujourd'hui devant lui.

Sous la tutelle de Fork, l'homme et le warrak s'observèrent un bon moment, sans qu'aucun d'entre eux prenne la parole. Alors que la haine animait les pensées du jeune chef, le pirate cherchait une façon d'engager la conversation sans s'attirer le courroux du warrak.

— La fin justifie les moyens, dit-il enfin. Est-ce que les warraks connaissent cette doctrine ?

— Nous ne sommes pas idiots, répondit froidement Ithan'ak. Où veux-tu en venir ?

— Je veux d'abord savoir si tu as déjà eu à choisir entre deux lignes de conduite, insista Simcha, bien qu'aucune d'entre elles ne soit entièrement satisfaisante.

— Je sais que tu nous as livrés au roi Limius pour libérer les hommes qui ont jadis navigué sous tes ordres. Tu as jeté sur eux et sur toi-même le déshonneur en agissant comme tu l'as fait. De plus, tu en as profité pour te procurer une place de choix aux côtés du tyran qui règne sur Kalamdir. Ce que tu as fait, ce n'était pas pour les pauvres bougres qui périssaient dans les cachots d'Ymirion ; c'était avant tout pour toi.

Fork assistait silencieusement à l'échange entre les deux opposants, impatient de voir se dénouer cet épineux conflit. L'animosité qu'entretenait Ithan'ak à l'égard de Simcha ne rendait pas les choses faciles. Cette fois, l'hostilité du warrak était parfaitement justifiée.

Simcha ne paraissait nullement troublé par les accusations du jeune chef. D'un instant à l'autre, le voile se lèverait et le warrak verrait d'un nouveau jour celui qu'il considérait comme un félon.

— Tu crois me connaître, commença le pirate, alors que tu ignores tout des raisons qui m'ont amené à me mettre sous les ordres du roi Limius. Durant dix ans, j'ai combattu sans relâche les navires de Kalamdir. La cause que je servais alors était la même que celle que je sers aujourd'hui.

— La seule cause que tu sers est ta fortune personnelle, vociféra Ithan'ak, obligeant Fork à jouer les médiateurs.

— Laisse à Simcha la chance de s'expliquer, exigea le bosotoss. Tu pourras ensuite mieux juger de son intégrité.

— Je comprends la réaction d'Ithan'ak, admit le pirate. J'ai d'ailleurs fait de mon mieux pour que tout le monde ait la même, y compris le roi Limius.

— Que veux-tu insinuer ? s'intéressa le jeune chef.

— Je croyais que tu comprendrais plus rapidement, se moqua Simcha. Ne vois-tu pas quel était mon objectif ?

— Tu voudrais me faire croire que tu nous as trahis dans le but de te rapprocher de notre ennemi commun, répliqua Ithan'ak. Je n'en crois pas un mot. Au contraire, tu as repoussé chaque attaque menée par les warraks contre la cité d'Ymirion.

— Je ne peux le nier, avoua Simcha. J'espérais qu'ainsi j'obtiendrais plus facilement la confiance du roi. Tout comme les warraks, mon but était de mettre fin aux jours de ce tyran. Après tout, je suis originaire du royaume de Küran.

— Ce royaume n'est pas en guerre contre Kalamdir, souligna Ithan'ak.

— Parce que le roi Filistant a accepté de se soumettre à la volonté du plus fort, expliqua l'homme borgne. Malgré les apparences, les Küraniens vivent le même sort que les autres peuples opprimés par le roi Limius. Les impôts sur leurs récoltes sont si élevés qu'il ne reste plus rien à manger aux paysans. De plus, la plupart d'entre eux sont forcés d'envoyer leurs fils se battre pour le compte de Kalamdir. C'est d'ailleurs ainsi que j'ai perdu mes frères aînés.

— N'essaie pas de m'attendrir, le coupa Ithan'ak. Dis-moi plutôt pourquoi le roi Limius est toujours en vie.

— Lorsque j'ai pris mon service auprès du tyran, expliqua Simcha, j'espérais pouvoir entrer progressivement dans son cercle intime. Satisfait d'avoir mis la main sur un keenox grâce à moi, il avait accepté de me laisser mater la révolte des warraks, qu'il considérait comme insignifiante. La victoire m'aurait assuré la confiance du monarque, mais le destin en a voulu autrement. Malheureusement, le souverain de Kalamdir ne connaît pas le pardon. Je fus rapidement mis de côté et la défense d'Ymirion fut confiée au général Karst. Si ce dernier n'avait pas insisté pour se lancer à la poursuite des kourofs, jamais le roi ne m'aurait confié sa précieuse cité. Je me suis rapidement aperçu que ce nouveau poste, loin du trône royal, ne me permettrait jamais de remplir la mission que je m'étais donnée. Pendant des jours entiers, je méditais en quête d'un moyen d'approcher suffisamment le roi pour user sur lui de mon épée, sa garde personnelle étant impénétrable. Les sintoriens sont chargés d'utiliser tous les moyens nécessaires pour repousser quiconque se trouvant à moins de dix pas de leur suzerain. Cette mesure draconienne a été mise en place peu après le début du siège de la capitale. J'ai même essayé de convaincre le roi de les lancer à la poursuite des kourofs, mais il a refusé catégoriquement. Quoi qu'il en soit, mes chances de réussite s'amenuisaient de jour en jour.

— L'attaque menée par Kran'ak fut la goutte de trop, comprit Ithan'ak.

— C'est exact, confirma le pirate. Sans l'intervention de Xioltys, Kran'ak aurait pris d'assaut Ymirion. Il était clair pour moi que le roi ne tolérerait pas ce fiasco. Après la bataille, lorsqu'il me fit venir devant lui, je pris soin de dissimuler soigneusement une courte dague sous ma cuirasse. J'étais conscient que les sintoriens ne me laisseraient jamais approcher du trône, mais rien ne m'empêchait d'essayer d'atteindre ma cible à distance. Alors que le roi répandait un flot continu d'insultes à mon égard, je saisis la dague et le visa droit au cœur. À mon grand regret, je vis un sintorien intercepter le projectile.

— Il est étonnant que tu sois toujours en vie, commenta Ithan'ak, suspicieux. Je suis impatient de savoir comment tu as réussi à t'enfuir.

Le commentaire du jeune chef fit sourire le pirate, dont l'œil valide observait chaque réaction du warrak.

— Qu'est-ce qui t'amuse ainsi ? demanda Fork, à qui il manquait aussi une pièce du casse-tête.

— Je m'attendais à une certaine dose de naïveté, railla Simcha, mais je croyais qu'Ithan'ak aurait compris plus rapidement.

— Cesse cette comédie et dis-nous comment tu as pu fuir, se fâcha le jeune chef, dont la patience ne devait pas être beaucoup plus grande que celle du roi Limius.

— Un complice m'a remis les clés de la cellule dans laquelle je pourrissais, lâcha enfin le pirate. Une créature que les soldats du roi ne penseront jamais à soupçonner. Peut-être vous rappellerez-vous le nom de Gluk ?

Ithan'ak et Fork n'eurent pas à chercher très longtemps pour se souvenir du glurpède qui leur avait permis de s'évader des cachots d'Ymirion. La visqueuse créature leur avait affirmé qu'elle serait copieusement récompensée pour ce geste et les fugitifs n'avaient pas eu le temps d'étudier davantage la question.

— Les glurpèdes ne sont pas très intelligents, commenta Simcha, mais en échange de quelques rîns ils peuvent s'avérer très utiles. C'est par nécessité que je vous ai livré au tyran de Kalamdir. Toutefois, j'espérais vous faire évader par la suite, sans éveiller les soupçons sur moi. Gluk était le candidat idéal pour cette mission. Le malheureux ne vit que l'appât du gain et ne s'est jamais douté qu'il risquait la mort. Lorsqu'à mon tour j'ai visité de force les cachots d'Ymirion, le glurpède s'est de nouveau montré très utile. Avec son aide, j'ai pu fuir vers la ville de Chrysmale et le destin voulut que j'y rencontre Fork et ses compagnons. Il faut dire qu'il est difficile pour un groupe de bosotoss de passer inaperçu.

Ithan'ak ne savait plus que penser. Il en voulait profondément à Simcha de l'avoir trahi, mais les arguments du pirate étaient convaincants. Comme lui, si le jeune chef avait eu une chance d'éliminer le roi Limius, il l'aurait prise sans hésiter.

— Je comprends les raisons qui t'ont poussé à te conduire comme tu l'as fait, dit finalement le warrak, mais remettre Skeip aux mains du magicien d'Ymirion était une erreur magistrale. Qui sait ce qui aurait pu arriver si les traductions du keenox avaient permis à Xioltys d'invoquer un dragon céleste ? Nous ne serions certainement plus ici pour en discuter.

— J'ignorais ce que le roi comptait faire du rongeur, se défendit Simcha. Skeip était mon ami, mais je ne pouvais laisser ce détail interagir avec mon devoir.

La tension montait de nouveau entre le warrak et l'homme.

— N'essaie pas de justifier ton immoralité par la nécessité, dit Ithan'ak, sans réfléchir.

— Qui es-tu pour me donner des leçons ? répliqua l'homme borgne. D'après ce que j'ai compris, tu comptes incendier les cultures des Küraniens pour couper les vivres aux troupes de Kalamdir. N'est-ce pas plus scandaleux que tout ce que j'ai fait pour arriver à mes fins ? Tu pourrais offrir au roi de Küran la chance de se joindre aux warraks contre Kalamdir.

— Heureusement que vous avez laissé vos armes, intervint une voix féminine. Autrement, Fork aurait dû vous empêcher de vous entretuer.

Perchée sur l'immense rocher à côté duquel Ithan'ak, Fork et Simcha avaient leur entretien, l'ambassadrice de Lelmüd n'avait rien manqué de la conversation. Pour l'hyliann, passer inaperçue avait été un jeu d'enfant.

— Depuis combien de temps nous épiez-vous ? la réprimanda Ithan'ak.

— Je suis là depuis le début, répondit l'hyliann, qui n'avait pas le moindre scrupule. J'estime qu'en tant qu'ambassadrice j'ai parfaitement le droit d'assister à cette importante réunion.

— Elle ne vous concerne en rien, la rabroua Ithan'ak.

Kamélia se contenta de sourire au jeune chef, puis descendit de son perchoir. D'un signe de la tête, elle salua Fork, qu'elle était ravie de revoir. Simcha, dont elle ne connaissait que le nom, n'avait d'intérêt à ses yeux que dans la mesure où l'homme s'opposait au projet d'Ithan'ak. Elle jeta un rapide coup d'œil vers lui, répugnée par le passé qu'elle lui connaissait. De plus, elle éprouvait un certain malaise à soutenir son regard, car elle se sentait idiote de fixer son unique œil.

Toute l'attention de l'ambassadrice se concentra donc sur Ithan'ak. Depuis longtemps, elle était décidée à l'empêcher de s'en prendre aux cultures des Küraniens, ce qu'elle considérait comme épouvantable et indigne d'un grand chef tel que lui. Cette fois-ci, elle avait enfin trouvé un moyen de l'obliger à renoncer. Le warrak remarqua le sourire espiègle qui s'était dessiné sur les lèvres de l'ambassadrice, signe qu'elle avait trouvé une faille à exploiter.

— Que me voulez-vous ? s'impatienta Ithan'ak, qui appréhendait une nouvelle joute verbale avec l'hyliann.

— Pour un warrak, commença Kamélia, ne pas tenir sa parole est un manquement à l'honneur.

— C'est exact, confirma Ithan'ak. J'ose espérer que vous ne vous êtes pas jointe à nous seulement pour rappeler ce détail.

— Je n'oserais pas interrompre un grand seigneur tel que vous pour une raison aussi insignifiante, le taquina l'hyliann. En vérité, je suis ici pour vous obliger à tenir vos engagements.

— Je vous serais reconnaissant d'exposer clairement votre propos, demanda le jeune chef, qui n'avait pas le même intérêt que les hylianns pour les périphrases.

Fork et Simcha, qui ne comprenaient pas tout à fait ce qui se passait, observaient passivement la scène. Il était intéressant de voir avec quelle aisance Kamélia tissait la toile qui se refermait peu à peu sur le warrak. Le dénouement demeurait incertain, mais l'ambassadrice était indubitablement en contrôle de la situation.

— Plus tôt dans la journée, dit-elle plus sérieusement, vous nous avez donné jusqu'au lever du jour pour trouver une alternative au carnage que vous proposez.

Ithan'ak comprenait enfin où voulait en venir l'ambassadrice de Lelmüd. Un instant plus tôt, Simcha avait proposé de parlementer avec Filistant, le roi de Küran. Kamélia avait aussitôt sauté sur l'occasion pour rappeler à Ithan'ak sa promesse. Le jeune chef était en effet lié par sa parole, mais il n'avait pas l'intention de s'avouer vaincu si aisément.

— C'est à Vonth'ak que j'ai donné cet ultimatum, tenta le warrak. J'attendais de lui qu'il trouve un moyen d'éviter des pertes humaines durant nos opérations. Je n'ai pas l'intention de retarder davantage ce qui aurait dû être fait depuis des mois.

— Vous essayez désespérément de vous défiler en jouant sur la rhétorique, se fâcha l'ambassadrice. La personne qui apporte la solution est beaucoup moins importante que la solution elle-même.

— Elle a raison, l'appuya Fork, qui estimait aussi que le plan du jeune chef était un peu trop radical. On ne peut pas condamner les Küraniens sans d'abord leur demander de se joindre à nous.

L'opinion de Fork comptait beaucoup pour Ithan'ak, mais il craignait de commettre une erreur en modifiant la stratégie qu'il espérait mettre en œuvre depuis si longtemps.

— La mort dans l'honneur, ajouta le bosotoss, qui connaissait bien la maxime à laquelle son ami se référait fréquemment pour prendre ses décisions importantes.

Ce dernier commentaire fit céder les dernières réticences du warrak. Jusqu'ici, il s'était convaincu que détruire les cultures des Küraniens était un mal nécessaire pour affamer l'armée du roi Limius. D'une certaine façon, Simcha avait usé du même principe lorsqu'il avait abandonné le jeune chef et ses compagnons aux mains du tyran de Kalamdir. À présent, le pirate justifiait ses actes en raisonnant que, pour éliminer le roi Limius, le sacrifice de quelques individus était bien peu en comparaison des bienfaits qui en découleraient.

Ithan'ak n'avait jamais réalisé à quel point Simcha et lui se ressemblaient. En effet, ils étaient tous deux des meneurs, prêts à tout pour défendre leurs idéaux. Ils étaient entêtés l'un comme l'autre et leur orgueil était à la limite du raisonnable. Ils connaissaient la ruse et la stratégie militaire et ils partageaient un ennemi commun. Toutefois, Ithan'ak n'agissait pas en solitaire comme le pirate. Au contraire, il s'était entouré d'individus aux capacités et aux opinions multiples, dont il essayait de tirer le meilleur parti.

Songeur, le jeune chef posa son regard vert sur Kamélia, puis sur Fork, et vint finalement accrocher celui de l'homme borgne.

— Je comprends pourquoi tu nous as livrés au roi Limius, lui dit-il, et je respecte ton choix. Néanmoins, les actes que tu as commis étaient immoraux et je refuse d'en faire autant. C'est pour cette raison que je vais offrir au royaume de Küran une chance de se joindre à notre cause.

Simcha détestait lorsque le jeune chef lui parlait de la sorte, mais il était tout simplement soulagé d'entendre que Küran, sa patrie, ait droit à un sursis. Kamélia, beaucoup moins réservée, s'était littéralement jetée sur le warrak et l'avait embrassé plusieurs fois sur les joues. Pour les hyliann s, le commerce avec les Küraniens était essentiel, ce qui rendait le destin des deux contrées étroitement lié. En détournant Ithan'ak de son dessein, Kamélia espérait épargner la famine aux deux peuples. De plus, elle considérait Ithan'ak comme un véritable héros et elle était soulagée de le voir emprunter un chemin moins sombre que ce qu'il projetait. De son côté, Fork n'avait jamais douté de la capacité d'Ithan'ak à prendre la bonne décision. Comme un père, il avait donné une tape dans le dos du warrak, lui signifiant qu'il était fier de lui.

Le jeune chef, qui n'était pas doué avec ce genre d'émotion, décida qu'il était temps de mettre fin à la réunion.

— Nous partirons à l'aube vers de palais du roi Filistant, annonça-t-il. Je veux y être le plus rapidement possible. Je laisserai donc le clan sous le commandement du capitaine Yrus'ak.

— Désires-tu que je t'accompagne ? le questionna Fork. Je pourrais demander aux autres bosotoss de demeurer avec ton clan. En cas d'attaque des ombres meurtrières, les massues de mes compagnons ne seront pas de trop.

— J'accepte ta proposition, répondit le jeune chef. La présence des bosotoss renforcera notre défense et ta précieuse sagesse m'accompagnera une fois de plus.

— Suis-je aussi la bienvenue parmi vous ? s'enquit l'ambassadrice, qui n'avait pas l'intention de les laisser partir sans elle.

— Cela est hors de question, dit fermement Ithan'ak, d'un ton qui voulait sa réponse définitive.

Conscient qu'il avait mille préparatifs à effectuer et instructions à donner avant son départ, le warrak tourna les talons et fit quelques pas dans le sens opposé à l'immense rocher qui découpait le paysage. Il s'arrêta soudainement, fit volte-face et pointa Simcha du doigt.

— Tu viendras aussi avec nous, précisa-t-il. Tu prétends qu'à ta façon tu as toujours été notre allié. Si ton histoire est véridique et que tu as réellement risqué ta vie pour éliminer le tyran de Kalamdir, tu auras enfin ma confiance. D'ici là, j'ai l'intention de surveiller chacun de tes gestes.

— Je n'accepterai jamais d'être sous tes ordres, riposta le pirate. Toutefois, le destin des Küraniens me tient à cœur et j'ai l'intention de m'assurer que tu donneras une véritable chance au roi Filistant de prendre les armes contre Kalamdir. C'est la seule raison pour laquelle je te laisse me parler ainsi.

Ithan'ak, qui connaissait bien le tempérament vigoureux de Simcha, s'attendait à cette réaction. Sans rien ajouter, il poursuivit son chemin en direction du campement qui s'installait pour la nuit.

— Un long voyage nous attend, dit Fork, en réprimant un bâillement. Nous ferions mieux d'aller dormir un peu.

— C'est vrai, répondit distraitement l'ambassadrice, qui fixait de nouveau l'œil unique du pirate.

Elle pouvait compter sur ses doigts les gens qui avaient un caractère suffisamment robuste pour faire face à Ithan'ak. Curieusement, l'homme borgne, un bandit, en faisait partie. Jusque-là, elle avait été tout à fait convaincue que l'intégrité de Simcha était un leurre et que le pirate avait inventé de toutes pièces sa courageuse croisade contre le roi Limius. À présent, un doute avait investi son esprit.

— Cessez de me regarder ainsi, l'invectiva le pirate, délivrant brusquement l'hyliann de sa réflexion.

Embarrassée, Kamélia détourna le regard et s'éloigna sans prendre la peine de saluer Fork.

— Vonth'ak n'a pas daigné venir nous dire bonjour, remarqua le bosotoss, qui était maintenant seul avec le pirate.

— Ithan'ak croit que je mens, grogna l'homme, qui n'avait rien entendu. Je suis certain qu'il n'a pas cru un mot de ce que je lui ai raconté.

— Je ne suis pas de cet avis, le contredit le colosse. Tel que je connais Ithan'ak, s'il te soupçonnait d'être de connivence avec le roi Limius, il t'aurait déjà tué.

— Tu as peut-être raison, approuva Simcha, mais il ne m'a certainement pas pardonné.

— N'oublie pas que tu as dirigé la bataille de Locktar, souligna le bosotoss. Par la suite, tu as mis en déroute chacune des attaques que les warraks ont portées contre Ymirion. Il faudra beaucoup de temps à Ithan'ak pour admettre que tu n'es pas un traître.

Les paroles sages du bosotoss pouvaient calmer les esprits les plus tumultueux. Pour les jours à venir, Fork avait conscience qu'il devrait veiller constamment à ce que l'homme et le warrak ne se livrent pas bataille, du moins par les armes.

La nuit était tombée et le ciel était suffisamment dégagé pour laisser apparaître les étoiles. Ithan'ak, étendu sur le dos, observait les minuscules points brillants qui tapissaient la voûte céleste. Dans sa main, le jeune chef manipulait machinalement l'émyantine que lui avait donnée Mikann. La pierre avait adopté une teinte dorée, ce qui avait plongé le jeune chef dans une grande réflexion.

Il se rappelait la description qu'Elwym avait faite à propos des étoiles. Selon ce dernier, chacun des points qui scintillaient dans le ciel était l'âme d'un hyliann ayant autrefois foulé le sol de Nürma, la terre bienfaitrice. Tout comme l'émyantine que protégeait jalousement le jeune chef, certaines étoiles étaient dorées. Or, tous les hylianns que le warrak avait rencontrés dans sa vie avaient la peau argentée. Les pensées d'Ithan'ak s'étaient donc dirigées vers Ackémios, l'hyliann d'or, dont le nom était connu sur tout le continent d'Anosios. Ce dernier faisait peut-être partie d'une race différente, qui avait aussi droit à sa place dans le firmament.

Comme il sentait le sommeil l'envelopper, le warrak remit son précieux pendentif autour de son cou. Détendu, il ferma les paupières et laissa son esprit glisser dans le monde des rêves.

Chapitre 11

Ce ne fut pas le lever du jour qui tira Ithan'ak de son sommeil. En pleine crise, Vonth'ak s'était chargé de cette tâche. Accompagné de Fork, le magicien avait secoué le jeune chef jusqu'à ce qu'il ouvre les yeux. Le réveil avait été brutal.

— Qu'y a-t-il ? grogna Ithan'ak, qui n'était qu'à demi éveillé. Il ne fait même pas encore jour !

— Nous avons perdu Skeip, s'alarma Vonth'ak.

Une montée d'adrénaline fit accélérer le rythme cardiaque du chef des kourofs, qui fut aussitôt sur ses pieds. Il prit quelques secondes pour réfléchir, puis essaya de se calmer.

— Ce n'est pas la première fois que nous perdons sa trace, admit-il, mais nous le retrouvons chaque fois. Il dort probablement, confortablement installé entre deux warraks. Je vais demander à Yrus'ak de vérifier.

— C'est déjà fait, le coupa le magicien. À la suite d'une inspection approfondie, Yrus'ak et Horl'ak m'ont certifié que le keenox n'était plus parmi nous.

Vonth'ak avait une mine affreuse, mais ce n'était rien en comparaison de Fork. Le regard fuyant, le bosotoss évitait de croiser les yeux de son compagnon. Il n'en fallait pas plus à Ithan'ak pour comprendre la situation désastreuse dans laquelle son vieil ami se trouvait. Néanmoins, il espérait désespérément s'être trompé.

— Est-ce que Simcha est lui aussi introuvable ? demanda-t-il, même s'il connaissait déjà la réponse.

— Je suis désolé, répondit Fork, dont le sentiment de culpabilité était palpable. Je n'aurais jamais dû faire confiance à ce pirate.

— Tu as commis une grave erreur, admit Ithan'ak, mais je n'ai pas été plus malin que toi. Notre priorité est maintenant de retrouver Skeip. Vous savez comme moi qu'il ne doit tomber en aucun cas entre les mains de l'ennemi. Avant tout, nous devons retrouver sa trace.

— Ses empreintes sont invisibles par ma faute, s'attrista Vonth'ak. Et il est fort probable qu'elles ne réapparaîtront jamais.

— Je croyais que tu avais dit que ton enchantement était provisoire, s'étonna Ithan'ak.

— C'était un mensonge, lui avoua le magicien. Jumelées à la puissance de ton bras, mes compétences sont devenues momentanément hors de contrôle. J'étais convaincu que les effets de l'enchantement diminueraient au bout d'une ou deux semaines, mais je crois à présent qu'ils seront permanents.

Vonth'ak, dont les motivations étaient purement pratiques, suivait les kourofs pour assurer la protection du dernier des keenox. Il ne se considérait pas comme un véritable membre du clan. Pour cette raison, il ne réservait pas à Ithan'ak le même respect que les autres kourofs. Le jeune chef l'avait compris depuis longtemps, c'est pourquoi il ne s'attendait pas à une justification de la part du magicien. Ce dernier était dans un état pitoyable, ce qui était suffisant.

Si la situation n'avait pas été si critique, le jeune chef aurait éclaté de rire devant Fork et Vonth'ak, tellement leur manque de réflexion était flagrant.

— Vous devriez faire taire vos émotions et prendre le temps de réfléchir, leur suggéra Ithan'ak. Il est vrai que les traces de Skeip sont devenues indétectables, mais Simcha ne jouit pas d'un tel camouflage. Je suis certain qu'en examinant soigneusement le périmètre nous trouverons la piste de ce traître. Je vais ordonner qu'on prenne les dispositions adéquates.

Comme l'avait prédit le jeune chef, il fallut moins de vingt minutes à ses guerriers pour repérer la piste du pirate. Cette rapidité d'exécution était inespérée, car l'aube n'était toujours pas levée. Accompagné du jeune Ryan, le capitaine Horl'ak faisait à Ithan'ak l'éloge de son apprenti.

— C'est Ryan qui a déniché les empreintes laissées par l'homme borgne, disait le capitaine. Ce jeune warrak a une vue incroyable, car la démarche de Simcha est aussi légère que celle d'un chat.

— Je vois, dit simplement Ithan'ak. Par contre, je ne comprends pas la raison pour laquelle vous amenez Ryan devant moi.

— J'aimerais me porter volontaire pour mener un groupe d'apprentis récupérer le keenox, répondit Ryan à la place du capitaine.

La requête du jeune warrak démontrait qu'il espérait pouvoir récupérer la confiance d'Ithan'ak, ce qui n'était pas à portée de la main.

— La dernière mission que je t'ai confiée ne fut pas couronnée de succès, dit gravement le jeune chef. Je sais que tu crois le contraire, mais tu fais erreur. Je suis conscient que votre groupe a rencontré une plus grande résistance que prévu. En temps normal, lorsque l'on remporte la victoire, la perte de un ou de plusieurs guerriers peut se montrer acceptable ; ce n'était pas le cas hier. Devenir un véritable guerrier est un chemin ardu où les apprentis n'ont droit à aucune erreur. Cela est encore plus vrai lorsque je confie à l'un d'eux le commandement.

Le jeune chef savait que chacune de ses paroles frappait Ryan plus durement que la précédente, mais il n'en avait pas encore terminé avec le jeune warrak.

— Lorsqu'un de mes guerriers échoue une mission, ajouta-t-il, je le récompense rarement en lui en donnant une autre. De plus, la sécurité de Skeip est beaucoup plus importante que ce que tu peux imaginer. Pour l'instant, je veux que tu continues ton entraînement avec tes camarades. Nous verrons plus tard si tu mérites d'affronter comme eux le chemin du guerrier.

Le jeune chef signifia à Ryan que sa présence n'était plus requise, puis demanda au capitaine Horl'ak de l'accompagner.

— Je devine que vous souhaitez plaider en faveur de ce jeune warrak, lui dit-il.

— Ryan est un excellent apprenti, répondit Horl'ak. Il n'est peut-être pas aussi fin stratège que son ami Kalë, mais son adresse au combat est surprenante et il possède un fort esprit de commandement. Je ne comprends pas pourquoi vous êtes si dur envers lui. Je suis certain qu'en grandissant il pourrait devenir un très bon capitaine. Je ne doute pas qu'il puisse un jour prendre ma place.

— Où la mienne, laissa entendre Ithan'ak.

Horl'ak ne savait pas comment interpréter la remarque de son chef. Celui-ci n'avait jamais craint rien ni personne. Il allait même jusqu'à défier l'autorité suprême du priman'ak. Se pouvait-il qu'il se sente menacé par un jeune warrak tel que Ryan ?

— Je constate que vous êtes confus, s'amusa le jeune chef. Rassurez-vous, je ne crains pas d'être destitué par ce jeune warrak, qui n'est même pas encore un guerrier. Toutefois, je ne vivrai pas éternellement et je dois veiller à ce que la future génération de kourofs ait un chef d'envergure. Ryan n'a pas encore fait ses preuves, mais je crois qu'il a un grand avenir devant lui.

Cette fois, le capitaine n'y comprenait plus rien. Selon lui, un chef devait avoir confiance en lui, ainsi que le soutien des warraks qui l'accompagnaient. En moins d'une journée, Ryan avait perdu les deux.

— S'il compte un jour devenir chef de clan, ajouta Ithan'ak, ce jeune warrak doit d'abord apprendre à surmonter les embûches. Nous devons forger son caractère et lui apprendre à douter de lui-même. Un bon chef doit savoir remettre ses décisions en question et être apte à accueillir les suggestions qui lui sont faites. Croyez-moi, nous ne rendrions pas service à Ryan en lui simplifiant la tâche.

Encore une fois, Horl'ak avait été déjoué par l'esprit complexe de son chef. Ithan'ak était pour lui le warrak le plus fort et le plus avisé qu'il avait rencontré dans sa vie. Il était pour lui davantage qu'un chef ; il était avant tout un modèle.

L'aube allait bientôt illuminer le continent et les traces laissées par Simcha deviendraient aisées à suivre. S'il voulait avoir une chance de récupérer Skeip, Ithan'ak n'avait plus une minute à perdre. Il recommanda à Horl'ak de continuer l'entraînement des apprentis durant son absence. La présence des bosotoss pouvait s'avérer utile à cet effet. Affronter les colosses animerait sans nul doute la soif de vaincre des futurs guerriers.

En l'absence du jeune chef, le commandement du clan revenait une fois de plus au capitaine Yrus'ak. Ce warrak, plus que capable, avait dirigé le clan après la disparition d'Ithan'ak dans les monts Himlash. Ses preuves n'étaient plus à faire et il avait toute la confiance de son chef.

Sans plus de cérémonie, Ithan'ak rejoignit Fork et Vonth'ak pour se lancer à la poursuite du pirate. Comme il s'y attendait, Kamélia était avec eux.

— Le temps nous presse, dit fermement le jeune chef, je ne peux donc m'engager dans une futile argumentation. Vous êtes une ambassadrice et je ne peux garantir votre sécurité. Je sais que Skeip compte pour vous. Nous vous aviserons de son état dès notre retour.

La fermeté du jeune chef était à son apogée, ce qui n'empêcha pas Kamélia d'éclater de rire.

— Je foule cette terre depuis bien avant votre venue au monde, lui fit-elle savoir. Je n'ai pas besoin de vous pour me protéger. L'orgueil des warraks est si grand que ces derniers croient les femmes incapables de se défendre. Croyez-moi, je maîtrise parfaitement le maniement des armes.

D'un geste rapide et gracieux, l'ambassadrice sortit deux cimeterres de sous l'ample et souple tissu bleu qui épousait son corps. Les lames à double tranchant étaient parfaitement aiguisées et leur éclat était si prononcé qu'elles paraissaient être sorties tout droit de la fonderie.

— Je doute que ces armes se soient déjà frotté à d'autres, commenta le jeune chef, qui refusait d'entendre raison.

D'un mouvement sec du poignet, l'ambassadrice lança l'une de ses lames, qui vint se figer dans le sol entre les deux bottes du jeune chef.

— Je vous conseille d'être un peu plus respectueux, déclara-t-elle. Ma patience est plus vaste que la vôtre, mais elle n'est pas inépuisable.

— C'est noté, répondit Ithan'ak en s'emparant de l'arme plantée entre ses jambes.

Il savait pertinemment que Kamélia n'était pas plus offusquée qu'il ne l'était. Il aimait seulement entretenir cette querelle constante qui les animait. D'un air moqueur, il tendit le cimeterre à l'hyliann et ne put s'empêcher de faire un commentaire.

— Voici votre jouet, railla-t-il en réprimant un sourire. Tâchez de ne pas vous blesser en l'utilisant.

Faussement offusquée, l'ambassadrice récupéra brusquement son arme, puis les compagnons partirent au secours de Skeip. Puisqu'ils n'étaient que quatre, leur rapidité s'en trouvait accrue. Ithan'ak le savait, c'est pourquoi il avait ordonné à son clan de demeurer en place. S'il escomptait sauver Skeip, il devait miser sur la vitesse. De plus, le jeune chef était accompagné d'individus aux multiples ressources, sur qui il comptait pour maîtriser Simcha sans trop de difficulté. Cette fois-ci, le pirate devrait affronter son destin.

Plus de deux heures s'étaient écoulées et l'homme borgne était toujours hors de portée. Les empreintes qu'il avait laissées longeaient une rivière et devenaient de plus en plus profondes. Cela encourageait les quatre poursuivants à accélérer.

Vonth'ak commençait à montrer des signes d'épuisement, mais ce n'était rien en comparaison de l'époque où il gaspillait son énergie pour dissimuler son aura argentée. Le magicien était hors d'haleine, mais il était bien décidé à continuer. Il ne pouvait imaginer Skeip tomber de nouveau entre les mains du magicien d'Ymirion. De plus, il avait besoin du keenox pour déchiffrer les langues anciennes dans lesquelles étaient rédigés la plupart des livres de magie. Un jour, lorsque la guerre serait terminée, Vonth'ak comptait retourner sur la pointe d'Antos. Il y avait laissé les bouquins de son défunt maître, jugeant qu'ils ne lui étaient d'aucune utilité s'il ne pouvait les lire. Avec l'aide de Skeip, tout cela pourrait changer ; à condition que le rongeur survive à la chasse que lui livraient les sbires du roi Limius.

La course folle d'Ithan'ak et de ses compagnons les éloignait du royaume de Küran. Heureusement, la piste qu'ils suivaient ne traversait pas les villages. Si tel avait été le cas, les Kalamdiens auraient irrémédiablement ralenti leur progression. Alors que leur proie semblait leur glisser entre les doigts, Kamélia déclara qu'elle avait aperçu Simcha, dissimulé dans une vieille charrette.

Pour Ithan'ak, Fork et Vonth'ak, ce que l'ambassadrice disait être une charrette n'était qu'un point grisâtre à l'horizon. Pourtant, l'hyliann était certaine de ce qu'elle avançait.

— Que ferait une vieille charette au milieu de nulle part ? s'interrogea le jeune chef.

— Je crois qu'elle est à la limite d'un champ, avança Kamélia. Si nous avançons encore un peu, peut-être apercevrons-nous une ferme.

— Allons-y, décida Ithan'ak, mais Simcha ne doit pas s'apercevoir de notre présence. Vonth'ak, pourrais-tu nous rendre invisibles ?

— Seulement l'un d'entre nous, acquiesça le magicien. Notre course m'a déjà suffisamment épuisé, je ne veux pas m'affaiblir davantage.

— J'irai, trancha le jeune chef. Vous me rejoindrez dès que j'aurai maîtrisé Simcha.

— Dès que vous l'aurez tué ? laissa entendre Kamélia.

Le ton qu'avait emprunté l'ambassadrice laissait croire qu'elle n'était pas très encline à cette idée.

— Je ne vois pas quel est le problème, gronda Ithan'ak. Ce traître ne mérite pas mieux que le sort que je lui réserve.

L'ambassadrice de Lelmüd dut expliquer que son raisonnement allait plus loin que l'esprit de vengeance qui animait Ithan'ak. Selon elle, bien que Simcha méritât la haine qui était dirigée contre lui, il possédait aussi de précieuses informations. Durant les derniers mois, l'homme borgne avait géré la défense d'Ymirion, ce qui constituait un atout majeur pour quiconque le détenait prisonnier. Invariablement, le pirate connaissait les faiblesses de la cité dans leurs moindres détails. Ces précieux renseignements ne pouvaient être perdus au profit d'une vengeance personnelle.

— Mon intention n'est pas d'envahir Ymirion, s'entêta Ithan'ak. C'est ce qu'essaie de faire Kran'ak depuis des mois ; voyez où cela l'a mené.

— Kamélia a raison, le coupa Fork. J'ignore quoi exactement, mais il y a certainement quelque chose à tirer de Simcha. Mieux vaut le garder en vie pour l'instant.

Le bosotoss était probablement l'être qui avait le plus d'influence sur le jeune chef. Le colosse ne prenait jamais de décision à la légère et préférait patienter plutôt que de commettre l'irréparable. Cette qualité manquait parfois à Ithan'ak ; c'est pourquoi le warrak appréciait les opinions pondérées de son vieil ami.

— Vous avez gagné, céda enfin le warrak. Fork ira à ma place.

À la grande surprise d'Ithan'ak, le colosse refusa cette responsabilité.

— Bien que je sois convaincu que Simcha doit rester en vie, je ne suis pas certain que je pourrai me contrôler si tu me laisses me charger de lui. Jamais je n'aurais dû prêter l'oreille à ses mensonges. Je me sens si stupide de lui avoir fait confiance.

Puisqu'Ithan'ak et Fork ne pouvaient se charger du pirate, il ne restait que Vonth'ak et Kamélia. Le magicien, dont seules les capacités du keenox importaient, décida que Kamélia était plus apte à s'occuper de cette affaire. Vonth'ak n'avait pas cultivé le même orgueil que ceux de sa race et il lui était égal d'admettre ses limites ; pourvu que l'ambassadrice ramenât Skeip sain et sauf.

Comme il l'avait fait plus d'une fois avec Ithan'ak et Fork, le magicien leva les bras et la lueur verte qui s'échappa de ses paumes enveloppa l'hyliann, qui commença par devenir translucide, puis invisible.

— Quelle étrange sensation, commenta-t-elle, en essayant de distinguer ses propres mains qu'elle agitait devant ses yeux.

— Il n'y a pas de temps à perdre, la gronda Vonth'ak. Il est pour moi crucial qu'il n'arrive rien à Skeip. N'oubliez surtout pas que, parce que je suis affaibli, cet enchantement est très instable et qu'à la moindre altercation il se dissipera en un éclair.

— C'est compris, le rassura l'ambassadrice. Cette crapule n'aura aucune chance contre moi, soyez-en certain.

De ses pas feutrés, l'hyliann s'éloigna sans faire le moindre bruit. Elle ne mit pas longtemps à rejoindre la charrette dans laquelle elle avait aperçu le pirate. Celui-ci y était toujours, mais il n'y avait aucune trace de Skeip. Silencieuse, Kamélia observait les agissements étranges de l'homme borgne. Il essayait manifestement de dissimuler sa présence, jetant de rapides coups d'œil en direction de la maison que devaient habiter les propriétaires des lieux. Avant de se manifester, Kamélia profita de la situation pour observer sans gêne le pirate. Son attention s'était auparavant concentrée sur l'unique œil, qui était la cause de son malaise. À présent qu'elle était invisible, elle pouvait examiner soigneusement son visage. Simcha avait un visage plutôt élégant. Ses traits carrés et sévères lui donnaient une certaine prestance, que Kamélia n'avait pas remarquée jusque-là. Avant la perte de son œil, il avait dû être un véritable enjôleur. Il était dommage que la guerre et les combats aient fait sur lui le même travail de destruction qu'ils opéraient partout sur le continent.

Kamélia aurait aimé scruter davantage le pirate, mais elle était consciente qu'Ithan'ak devait commencer à s'impatienter. Il était temps de passer à l'action.

— J'aimerais vous poser deux questions, dit l'ambassadrice.

Simcha sursauta dans la charrette, paniqué de ne pouvoir repérer d'où provenait la voix. Il agitait la tête dans tous les sens, essayant de comprendre comment on avait pu s'approcher de lui subrepticement, alors qu'il se trouvait sur un terrain découvert.

— Auriez-vous peur des fantômes ? continua la voix.

Cette deuxième intervention n'avait pas eu le même effet que la première sur le pirate. Son œil valide cherchait toujours à repérer celle qui l'avait fait sursauter, mais il avait retrouvé son calme. Il lui avait été aisé de reconnaître l'esprit taquin de l'ambassadrice de Lelmüd.

— J'ignorais que Vonth'ak était suffisamment puissant pour faire disparaître une personne, dit le pirate.

La pointe d'une lame vint se poser sur le cou de Simcha. Ce contact fut suffisant pour rompre l'enchantement qui dissimulait Kamélia. En un éclair, l'ambassadrice apparut devant l'homme borgne. D'un air résolu, elle appliquait volontairement une pression plus que nécessaire sur son cimeterre, de sorte qu'une goute de sang glissa sur la peau du pirate.

Immobile, Simcha ne pouvait se permettre la moindre erreur. Originaire du royaume de Küran, il connaissait assez bien les hylianns pour savoir que leurs femmes étaient initiées au maniement des armes. Sa meilleure option était de ne rien faire et de laisser Kamélia mener le jeu. Le soir précédent, il avait rencontré pour la première fois l'ambassadrice de Lelmüd, qui lui avait paru aussi ennuyante que tous ceux de sa race. Pour le pirate, l'immortalité des hylianns faisait d'eux des êtres sages, mais incroyablement insipides. Leur goût pour l'aventure, l'amour et l'action se ternissait avec le temps. D'une certaine façon, Simcha se les représentait comme des vieillards éternellement jeunes.

Comme tous les hylianns, les yeux de Kamélia formaient un croissant de lune, mais ils n'avaient rien perdu de leur fougue. Ses oreilles retenaient sa longue chevelure dorée, dans laquelle de petites nattes avaient été tressées. Les traits de son visage étaient doux, comme tous les hylianns. Simcha passait rapidement au peigne fin toutes ces caractéristiques, en essayant de trouver ce qui rendait l'ambassadrice si différente. La réponse lui vint lorsqu'il s'attarda à la bouche de l'hyliann. Cette dernière affichait un sourire particulier. Ses fines lèvres formaient un dessin parfait, qui remontait sur la gauche et creusait ainsi une fossette dans la joue de Kamélia. Cette particularité donnait à celle-ci cet air malicieux qui la distinguait des autres hylianns. Pour elle, tout semblait être un jeu.

— Qu'attendez-vous pour me dire où est Skeip ? demanda Kamélia, dont la lame devenait de plus en plus menaçante.

— Ce n'est pas moi qui l'ai capturé, bredouilla Simcha, inquiété par le cimeterre qui lui brûlait le cou.

— Je ne crois pas que vous compreniez très bien la situation dans laquelle vous avez mis les pieds, l'avertit Kamélia. D'un instant à l'autre, Ithan'ak sera ici et j'ignore si je pourrai l'empêcher de vous exécuter.

— Voilà pourquoi vous devez m'écouter, supplia le pirate. Skeip est en grand danger et nous devons être très prudents. Le magicien d'Ymirion…

Kamélia enfonça davantage son arme dans la peau de l'homme, espérant ainsi obtenir enfin la vérité. Comme si elle souhaitait lire les pensées de Simcha, elle plongea son regard dans le sien. Elle ne possédait aucun don qui aurait pu lui permettre d'obtenir l'information qu'elle souhaitait, mais son instinct lui dictait d'écouter ce qu'avait à dire le pirate. En demeurant sur ses gardes, l'hyliann retira sa lame du cou de Simcha.

Ithan'ak, Fork et Vonth'ak, qui avaient vu Kamélia reparaître, se dirigeaient vers la charrette. Avant que le trio les rejoigne, l'ambassadrice promit à Simcha qu'il aurait la chance de s'expliquer. En contrepartie, l'homme devait s'en tenir à la vérité, sous peine de goûter plus radicalement la lame d'un cimeterre.

— Ne lui laissez aucune latitude, recommanda Ithan'ak, qui s'inquiétait de voir Kamélia éloigner son arme du traître. Obligez-le à nous dire où est Skeip.

— Reprenez votre souffle, lui suggéra l'ambassadrice, j'ai la situation bien en main. Votre ami s'apprêtait justement à m'expliquer ce qui était arrivé au keenox.

— Cet homme ne compte pas parmi mes amis et je n'ai pas l'intention de me laisser une fois de plus envoûter par ses tromperies.

— Tu devras pourtant me faire confiance, intervint Simcha. À l'instant où je te parle, Skeip est entre les griffes de Xioltys et du général Karst.

Cette affirmation inattendue figea sur place le jeune chef. Il essayait de clarifier dans sa tête ce qu'il venait d'entendre, mais cela n'avait aucun sens. Il était vrai que les individus évoqués par Simcha désiraient s'emparer du rongeur, mais rien ne laissait croire qu'ils étaient dans les parages.

— Peux-tu prouver ce que tu énonces ? demanda Fork de sa voix caverneuse.

— Avant tout, répondit Simcha, nous ne devons pas rester ici. Nos ennemis occupent la maison un peu plus loin. S'ils ne nous ont pas encore aperçus, cela ne saurait tarder.

Il n'y avait aucun moyen de vérifier les affirmations du pirate, mais il valait mieux ne prendre aucun risque. Vonth'ak, qui n'avait encore rien dit, recommanda de se mettre à l'abri. Le frêle warrak était très inquiet par la présumée présence de Xioltys. Si ce que Simcha disait était vrai, la suite des événements pourrait devenir rapidement hors de contrôle.

Fork empoigna solidement le pirate et l'entraîna derrière une montagne de foin, assez haute pour dissimuler le bosotoss s'il s'accroupissait un peu. Soulagé d'avoir en partie convaincu ses accusateurs, Simcha put enfin leur expliquer ce qui était arrivé à Skeip.

Le soir précédent, peu après qu'Ithan'ak eut accepté d'aller à la rencontre du roi Filistant, le pirate avait senti le besoin d'explorer les environs. Il se rappelait avoir déjà traversé une rivière peu profonde dans ce secteur, qu'il avait estimé à moins d'une quinzaine de minutes de marche vers l'ouest. Désireux de se rafraîchir un peu, il s'y était aventuré. Alors qu'il se laissait paisiblement flotter sur le dos, il avait entendu des voix en provenance de la berge. Deux d'entre elles lui étaient particulièrement familières. Il s'agissait de Xioltys et de Karst. Les deux hommes étaient accompagnés par une dizaine de soldats. Ils n'avaient pas remarqué la présence de Simcha, qui se trouvait au bon endroit au bon moment.

Sans faire de bruit, le pirate s'était approché pour mieux entendre ce dont discutaient les deux hommes. À sa grande surprise, il avait découvert que Skeip était avec eux. Les petites pattes du keenox étaient liées et il affichait un air mélancolique, comme s'il était résolu à son malheur.

— Nos empreintes sont invisibles, dit Ithan'ak. De quelle manière ont-ils réussi à nous retrouver ? Comment se sont-ils emparés de Skeip ?

— J'ignore pour quelle raison il a agi ainsi, commenta Vonth'ak, mais je crois que Skeip a quitté le campement de son propre chef. Il ne s'attendait certainement pas à rencontrer Xioltys et le général Karst.

Fork écoutait attentivement ce que disaient ses compagnons, mais il n'arrivait pas à s'expliquer la présence de Xioltys et de Karst.

— Simcha, dit le bosotoss, lorsque nous nous sommes rencontrés à Chrysmale, tu m'as raconté de quelle manière tu avais essayé d'assassiner le roi Limius et de quelle façon tu avais fui. Rien ne me prouve que tu disais la vérité. Peut-être n'était-ce pas une coïncidence et que tu comptais sur moi pour te mener jusqu'aux kourofs. Après tout ce que tu as fait dans le passé, je ne serais pas surpris que ce soit toi qui aies permis à Xioltys et à Karst d'arriver jusqu'à nous.

— Ils n'avaient pas besoin de moi, répliqua le pirate. D'après ce que j'ai compris, Xioltys est parfaitement capable de détecter les empreintes d'Ithan'ak et les siens. Il ne faut absolument pas sous-estimer ce magicien.

— Est-ce possible qu'ils aient pu suivre nos traces, alors que nous-mêmes ne pouvons les voir ? demanda le jeune chef à Vonth'ak.

— Je n'en sais rien, avoua le magicien. La magie n'a pratiquement aucune limite. Elle sert celui qui la maîtrise le mieux.

Sans égard pour les deux warraks, le pirate continua son exposé.

— Sans moi, dit-il, vous ne seriez jamais arrivés jusqu'ici. Les assaillants de Skeip l'ont emmené dans une longue embarcation et ne se sont arrêtés que peu avant votre arrivée. Voilà pourquoi je n'ai pas pu vous alerter. La rivière qu'ils ont empruntée comporte plusieurs embranchements et je ne pouvais pas risquer de perdre le contact visuel avec eux. J'étais certain qu'en laissant des empreintes suffisamment profondes vous n'auriez aucun mal à me rattraper. Lorsque Kamélia m'a interpelé, j'essayais de distinguer ce qui se passait dans la maison où ils sont entrés. Je crois que Xioltys est sorti, mais je ne peux en être certain.

Comme toujours, les explications de Simcha étaient étonnamment convaincantes. Chaque détail concordait parfaitement l'un avec l'autre. Il n'y avait aucun autre choix que de lui laisser le bénéfice du doute. Pour l'instant, l'important était de secourir Skeip. La question était de savoir comment s'y prendre.

— Le voici ! s'exclama Kamélia, alors que les deux warraks, l'homme et le bosotoss essayaient d'adopter un plan d'action.

D'un seul coup, ils arrêtèrent de parler, inquiets d'avoir été repérés.

— Qui avez-vous vu ? chuchota Ithan'ak, adossé à la montagne de foin.

— Skeip, répondit l'ambassadrice. Il est sorti de la maison au pas de course.

L'hyliann jeta un rapide coup d'œil pour avoir une meilleure idée de la situation.

— Il est seul, ajouta-t-elle. Je crois qu'il essaie de fuir, mais il ne vient pas vers nous. En fait, il se dirige dans la direction opposée.

— C'est peut-être un piège, se méfia Vonth'ak. Peut-être veulent-ils vérifier s'ils ont été suivis.

— Nous n'aurons pas une autre occasion aussi belle que celle-ci, déclara Ithan'ak.

Il se leva et mit deux doigts dans sa bouche, puis émit un sifflement suffisamment fort pour attirer l'attention de Skeip. La petite créature s'arrêta brusquement, cherchant à repérer d'où venait le bruit. Il ne lui fallut que quelques secondes pour apercevoir le jeune chef. Aussitôt, le keenox se précipita vers lui. Des larmes coulaient le long de ses joues et il tendait les bras comme un enfant égaré qui viendrait de retrouver ses parents. Cette vision bouleversa Ithan'ak, qui n'avait pourtant pas l'habitude de cultiver ce genre de sentiments.

Alors que le keenox semblait tiré d'affaire, il fut projeté violemment sur le sol, comme si une force invisible l'avait frappé. Presque au même moment, une boule de feu atterrit dans le foin qui dissimulait les compagnons de Skeip. Il s'agissait de l'œuvre de Xioltys, qui avançait fermement vers les intrus. Son regard était à la fois vide et rempli de colère. Le jeune homme blond n'avait pas l'intention de laisser filer une seconde fois son précieux traducteur.

— Cette créature est à moi ! rugit-il. Vous n'auriez jamais dû vous imposer dans cette affaire.

Une seconde boule de feu jaillit de sa paume et se dirigea directement vers Ithan'ak. Le jeune chef eut pour réflexe de se protéger avec ses bras, mais cela ne serait pas suffisant. Heureusement pour lui, le projectile fut dévié au dernier moment par une spirale verdâtre qu'avait créée Vonth'ak.

— Je constate que vous m'avez apporté un peu de défi, ricana Xioltys. Nous verrons si ce warrak est à la hauteur de mes pouvoirs.

Cette fois, ce fut Vonth'ak qui attaqua le premier. À maintes reprises, le warrak avait imaginé ce duel et calculé quel sortilège il lancerait plutôt qu'un autre. Son premier choix s'était porté sur ce qu'il appelait « le cercle de feu ».

Plutôt que de lever les bras, il s'agenouilla rapidement et mit l'une de ses paumes contre le sol. L'un des avantages du sortilège qu'il s'apprêtait à utiliser était sa rapidité d'exécution. Le warrak prononça une courte formule, qui fit apparaître un cercle rouge dans le sol, autour de sa main. Au même moment, un anneau de feu jaillit autour de Xioltys. Les flammes surnaturelles faisaient deux fois la hauteur du magicien d'Ymirion.

Les compagnons de Vonth'ak étaient ébahis par le sort que venait d'utiliser le warrak. Grâce à lui, Xioltys était prisonnier des flammes. Ithan'ak ne s'était jamais douté que le frêle warrak possédait une telle maîtrise de la magie. Toutefois, il ne pouvait s'offrir le luxe de contempler le résultat. Skeip ne s'était pas encore relevé de sa chute et le jeune chef craignait que le keenox soit blessé. Il jeta d'abord un coup d'œil à la maison de campagne, afin de s'assurer que toute cette agitation n'avait pas fait sortir Karst et ses soldats. Curieusement, il n'y avait aucune activité de ce côté. Quelque peu rassuré, Ithan'ak se rendit jusqu'à Skeip et constata que le rongeur avait perdu connaissance.

Entre-temps, Vonth'ak s'était relevé et contemplait son œuvre avec satisfaction. Derrière la barrière de flammes, il pouvait à peine apercevoir le magicien d'Ymirion qui essayait de protéger son visage de la chaleur.

— Est-ce que ce mur de feu tiendra très longtemps ? demanda Fork, qui avait peine à croire ce qu'il voyait.

— Je n'ai aucun goût pour la souffrance, répondit simplement Vonth'ak. J'ai l'intention d'en terminer rapidement avec cet être abject.

Le warrak leva la main droite, la paume face à l'anneau de feu qu'il avait créé.

— Kalahimash, prononça-t-il, en refermant sa main pour former un point.

Le dernier geste de Vonth'ak ne semblait avoir aucun effet perceptible, mais il n'en était rien. Lentement, la circonférence du cercle de feu diminuait et se refermait sur Xioltys, comme un serpent qui étouffe sa proie jusqu'à la mort.

Skeip, porté par Ithan'ak, reprenait mollement connaissance.

— Que s'est-il passé ? demanda le rongeur, dépassé par les événements.

Ithan'ak ne l'écoutait pas. Sa seule préoccupation était de rejoindre les autres et de s'assurer que Vonth'ak en finisse définitivement avec le magicien d'Ymirion. Tout s'était passé si vite que le chef des kourofs avait l'impression d'avoir perdu le contrôle de la situation. Dès qu'il fut de retour, il confia Skeip à Fork, qui n'aurait aucune difficulté à transporter le keenox.

— Fork ! s'étonna le rongeur. Je crois que j'ai été un peu trop secoué cette fois-ci. Je croyais que tu étais reparti dans le désert depuis des mois.

— J'y étais, confirma le bosotoss. D'ailleurs, je suis revenu juste à temps pour te tirer d'un mauvais pas.

Skeip ne l'écoutait plus. Son regard était fixé sur Simcha, dont la présence l'étonnait autant qu'elle l'inquiétait.

— Ne t'en fais pas pour lui, le rassura Fork. Je t'expliquerai tout ce que tu as manqué aussitôt que nous serons en lieu sûr.

Un peu plus loin, Xioltys considérait les flammes qui se resserraient graduellement sur lui. Il était certes impressionné par le talent dont avait fait preuve Vonth'ak, mais il n'était pas effrayé. Au contraire, il se délectait de la démonstration. Pour la première fois, il voyait un autre que lui utiliser la magie. À quelques reprises, il avait observé certains individus capables de créer des choses surnaturelles, mais ces ignorants avaient peur de leur don et craignaient les lois de Kalamdir, qui proscrivaient leur utilisation.

La chaleur s'intensifiait et le moment était venu pour Xioltys de riposter. Pour lutter contre les warraks, il avait justement développé une nouvelle technique qui seyait parfaitement à la situation. Sans qu'il ait à prononcer un mot, l'aura argentée qui l'entourait devint bleue. Une sphère d'énergie de la même couleur en émergea, bloquant ainsi le chemin aux flammes.

Vonth'ak ne comprenait pas ce qui se passait. En général, une lueur verte émanait des enchantements de protection comme celui que venait de mettre en œuvre Xioltys. En fouillant sa mémoire, le warrak se rappela qu'Antos lui avait un jour affirmé que la magie n'était régie par aucune règle et qu'il était possible de la modeler pour la plier à nos besoins. Le vieux précepteur de

Vonth'ak utilisait rarement ses pouvoirs devant son disciple et l'empêchait même de progresser rapidement. Cette relation stérile avait eu pour effet de créer des manques flagrants dans l'apprentissage de Vonth'ak, que les livres n'avaient jamais pu combler.

— Que se passe-t-il ? demanda Ithan'ak, qui devait s'en remettre à son compagnon.

— Je n'en suis pas certain, avoua Vonth'ak, mais il n'y a pas un instant à perdre. Vous devez partir et emmener Skeip loin d'ici, avant que la situation empire. Je vais faire de mon mieux pour neutraliser Xioltys.

Le jeune chef désirait lui aussi mettre Skeip en sûreté, mais il n'était pas question pour lui de fuir et de laisser Vonth'ak en arrière. Il recommanda à Fork d'emmener Skeip, Kamélia et Simcha et de rejoindre le campement aussi rapidement que possible. Le bosotoss, qui tenait le rongeur entre ses énormes mains, s'en remettait à la décision de son vieil ami. Ce n'était pas le cas pour l'hyliann et l'homme borgne. Selon eux, Karst et ses soldats arriveraient d'un instant à l'autre et le puissant glaive d'Ithan'ak ne suffirait pas à les combattre tous.

— Cessez de discuter et partez tous immédiatement ! se fâcha Vonth'ak. Cela vaut aussi pour toi, dit-il à Ithan'ak. Je ne pourrai pas combattre Xioltys et assurer votre protection en même temps.

Depuis qu'il avait fait sa rencontre dans les monts Himlash, Ithan'ak n'avait jamais vu le magicien faire preuve d'une si grande détermination. Le jeune chef dut admettre que ce combat n'était pas le sien et que sa présence nuirait probablement à Vonth'ak.

— Qu'arrivera-t-il s'il échoue ? s'alarma Kamélia. Nous serons traqués par le magicien d'Ymirion contre qui nos armes sont impuissantes. Je crois que notre meilleure chance d'en finir avec lui est d'unir nos forces dès maintenant.

— Votre courage vous honore, dit Simcha, mais Ithan'ak a raison. Nous devons laisser Vonth'ak s'occuper de cette tâche. La magie doit être combattue par la magie.

L'ambassadrice savait que l'homme borgne tentait de la calmer par des paroles en lesquelles il ne croyait pas. Pour une raison ou une autre, elle écouta tout de même son avis. Pendant que Vonth'ak préparait sa prochaine attaque, ceux à qui il avait ordonné de s'enfuir obéissaient à ses directives. Guidés par Ithan'ak, ils repartirent par où ils étaient arrivés.

Entre-temps, l'enchantement de Xioltys était devenu plus tangible. Il était clair qu'il manipulait l'élément de l'eau et comptait l'opposer au feu créé par Vonth'ak. La sphère d'eau qui entourait le jeune homme blond prenait de l'expansion et éteignait peu à peu les flammes qui n'avaient plus rien de menaçant.

Vonth'ak n'avait pas dit son dernier mot et il préparait son prochain sortilège, qu'il lancerait dès que son adversaire en aurait terminé avec le premier. Le warrak sortit d'une de ses poches un insecte mort, qu'il conservait pour une occasion spéciale. Il s'agissait d'une petite fourmi rouge, à l'air inoffensif. Vonth'ak l'approcha de sa bouche et, d'un souffle argenté, il lui offrit de nouveau la vie. L'insecte remua d'abord ses pattes, puis ses antennes se mirent à tourner dans tous les sens. Alors qu'elle reprenait sa place parmi les vivants, la fourmi grossissait rapidement dans la main du warrak. Ce dernier, dégoûté par sa propre création, la lança sur le sol devant lui. L'enchantement n'avait pas encore fini d'agir. Lorsque l'insecte atteint sa taille finale, environ la longueur d'une main, il avait adopté la couleur argentée propre à la magie.

— À présent, multiplie-toi, dit Vonth'ak, impatient d'observer le résultat de son œuvre.

Bien qu'il eût l'intention d'utiliser l'insecte comme arme offensive, il ne s'agissait pas d'un sortilège. En effet, redonner la vie était un acte bénéfique qui appartenait à la classe des enchantements. Il n'était d'ailleurs pas facile d'accomplir une chose pareille. C'est pourquoi Vonth'ak avait choisi une créature minuscule. Sa magie n'aurait pas suffi pour arracher à la mort une forme vivante plus imposante. Le warrak avait contourné le problème en opérant une modification de taille significative chez la fourmi. Cette dernière, de façon inusitée, se séparait maintenant en deux pour créer une doublure identique d'elle-même. Les deux jumelles répétaient le processus, créant une réaction en chaîne impressionnante.

Tout cela n'avait pris que quelques secondes, le temps que Xioltys vienne à bout de l'anneau de feu, qui n'était déjà plus qu'un souvenir. Lorsqu'il vit l'armée de fourmis argentées qu'avait créées Vonth'ak, le jeune homme blond comprit que sa victoire ne serait pas aussi aisée qu'il l'avait cru. Il ne s'était pas préparé à ce genre d'offensive, ce qui l'obligeait à trouver sans délai une solution. Dans sa hâte, il lança des boules de feu pour éliminer les insectes qui se dirigeaient sur lui. Cette intervention, qui aurait mis en pièces une horde de fourmis ordinaires, n'eut aucun effet sur les guerrières de Vonth'ak. Xioltys s'y attendait, mais il n'avait rien trouvé de mieux pour l'instant. La panique commençait à le gagner, mais il refusait de reculer.

Face à lui, Vonth'ak dirigeait son armée d'une main de maître. Les êtres qu'il avait créés n'avaient aucune volonté propre, ce qui obligeait le warrak à diriger leurs mouvements, comme un général ordonnant à ses troupes d'attaquer un endroit précis.

Malheureusement, cette contrainte accaparait toute l'attention du magicien, qui ne pouvait préparer son prochain assaut. Grâce à l'action de ses fourmis, le warrak espérait que le duel prendrait fin promptement.

En observant son ennemi, Xioltys comprit où était son point faible. Comme il l'avait fait lors de l'assaut des warraks contre Ymirion, il joignit ses deux mains pour utiliser la technique qu'il avait créée spécialement pour combattre les warraks. Lorsqu'il sépara ses doigts, une nuée bleue s'en échappa. Celle-ci n'avait aucune forme précise, hormis celle d'un petit nuage diffus.

Les fourmis se rapprochaient dangereusement du magicien d'Ymirion et il n'y avait aucune seconde à perdre. Comme une pelote de laine qu'on laisse rouler en retenant un bout du fil, le nuage bleu fonça vers Vonth'ak, laissant derrière lui un mince filet dont l'origine demeurait les doigts de Xioltys. Ce dernier n'avait pas eu le temps de créer une manifestation aussi puissante que lors de l'attaque de la cité, mais il n'avait qu'un seul warrak à combattre et il espérait que cela suffirait.

— Quel est ce nouveau maléfice ? murmura Vonth'ak, dont l'esprit était presque entièrement occupé à gérer son armée de fourmis.

Au moment même où les insectes atteignaient Xioltys, le sortilège de ce dernier enveloppait Vonth'ak. Le warrak sentit immédiatement sa gorge se nouer, comme si l'air refusait d'y pénétrer. Du sang s'échappait de son nez et ses os menaçaient d'éclater. La concentration du warrak s'en trouvait grandement diminuée, ce qui l'empêchait de diriger ses créatures magiques adéquatement.

Xioltys avait toujours cru que les armes étaient inutiles pour quelqu'un comme lui, mais il était sur le point de changer d'avis. Parmi les fourmis désorganisées, certaines arrivaient jusqu'à lui et le magicien avait du mal à toutes les anéantir avec ses pieds. Leurs mandibules étaient extrêmement efficaces et le jeune homme blond avait reçu plusieurs morsures aux jambes. Il saignait abondamment et cela avait pour effet d'attirer davantage de fourmis. Comme Vonth'ak, son esprit était axé sur son attaque et il ne pouvait accorder l'attention qu'il aurait dû aux insectes, qui menaçaient de le dépouiller de sa chair.

D'un côté comme de l'autre, la situation était désespérée. Vonth'ak était maintenant à genoux. Le manque d'oxygène lui causait des étourdissements et il sentait que son esprit commençait à divaguer. Sa vue était floue et il concentrait tout ce qu'il lui restait de lucidité sur les insectes qu'il commandait avec difficulté. Quant à lui, Xioltys devenait plus paniqué à chaque seconde qui s'écoulait. Les fourmis, qu'il avait d'abord chassées à coups de botte, revenaient sans cesse à l'assaut. Il avait espéré que son sortilège fut suffisamment efficace pour que Vonth'ak perde ses moyens et que les insectes s'estompent en un clin d'œil. Ce scénario n'avait pas encore eu lieu et le jeune homme blond avait toutes les raisons d'être alarmé par le sang qui coulait en abondance de ses jambes. À certains endroits, les mandibules des fourmis avaient arraché suffisamment de chair pour mettre l'os en contact avec l'air. Xioltys éprouvait une douleur plus intense que tout ce qu'il avait connu auparavant. Sa détermination restait toutefois la même et il refusait d'abdiquer. Il devait à tout prix venir à bout du warrak, avant d'être submergé par les bestioles qui le dévoraient littéralement.

La cruauté et la ténacité dont faisaient preuve les deux magiciens étaient hors du commun. Ils étaient engagés dans un duel qui mènerait inéluctablement l'un d'eux à la mort, peut-être même les deux.

Vonth'ak savait que tout serait bientôt terminé. Il lui suffisait de persévérer encore quelques instants et il emporterait la victoire. Sa vision se brouillait, mais cela n'avait plus d'importance. Le vide se faisait dans ses poumons, ses os enflaient sous sa peau, mais il ne devait pas s'en inquiéter. Peu importait le sang qui coulait de son nez et de ses oreilles, il devait continuer.

Lorsque le warrak perdit finalement connaissance, cela ne faisait que quelques minutes que ses compagnons l'avaient quitté. Ithan'ak, qui n'avait jamais eu l'intention de l'abandonner, était déjà de retour. Le jeune chef voulait simplement s'assurer que Fork emmènerait les autres en sécurité, avant de revenir combattre aux côtés de Vonth'ak. Jamais il ne s'était imaginé retrouver le magicien dans une telle position. Heureusement, Xioltys était lui aussi en mauvaise posture. Le jeune blond tenait à peine debout, trop secoué pour se rendre compte de l'état pitoyable de ses jambes. Les fourmis qui l'assaillaient quelques secondes plus tôt s'étaient volatilisées, mais il continuait à les chasser de sa main gauche, comme si elles étaient toujours là. Lorsqu'il vit Ithan'ak penché sur le corps de Vonth'ak, il comprit qu'il avait gagné. Pour lui, Ithan'ak n'était qu'un pion et serait facile à éliminer.

De la même façon qu'il venait de procéder pour Vonth'ak, le magicien d'Ymirion créa un nouveau nuage bleu qu'il dirigea vers le jeune chef. Ithan'ak perçut aussitôt une étrange sensation traverser l'ensemble de son corps. Bien que cela lui causât un certain inconfort, il ne s'en portait pas plus mal. Rapidement, il comprit que cette manifestation provenait de la nuée bleue que manipulait Xioltys.

— Tu sembles avoir perdu tes moyens, railla le jeune chef, se relevant pour faire face au magicien. Tu devras faire mieux que cela pour venir à bout de moi.

Le regard de Xioltys était stupéfié. Il avait expérimenté ce sortilège sur des dizaines de warraks et aucun d'eux n'avait pu lui tenir tête. Pourquoi Ithan'ak n'avait-il pas les mêmes symptômes que ses semblables ? L'eau était pourtant le point faible de sa race.

Le chef des kourofs ne comprenait pas où voulait en venir le magicien blond. Il était clair que celui-ci lui avait lancé un sort, mais le warrak n'en ressentait pas les effets, quels qu'ils soient.

« Le sortilège qu'il m'a jeté a échoué, conclut le jeune chef. Je dois réagir rapidement avant que ce malfrat tente autre chose. »

La distance qui séparait l'homme du warrak était considérable et Ithan'ak ne voulait laisser aucune chance à Xioltys de pratiquer un nouveau maléfice. Plutôt que de tirer son glaive pour combattre au corps à corps, il sortit une dague de sa botte et la lança en direction du magicien. La lame rouillée vint se planter dans la poitrine du jeune homme blond, sans endommager ses organes vitaux. Xioltys fut d'abord surpris, puis son regard s'obscurcit et sombra dans les ténèbres. Ses jambes déchiquetées cessèrent de le supporter et il tomba de plein fouet sur le sol.

Ithan'ak observa la chute du magicien, étonné de constater à quel point sa victoire avait été facile. Il demeura figé un moment, comme s'il s'attendait à voir Xioltys se relever indemne ; ce ne fut pas le cas. Vonth'ak, étendu aux pieds du jeune chef, eut un toussotement creux et sec. Il était mal en point, mais toujours en vie.

— Voilà de l'eau, lui dit Ithan'ak, en lui tendant une gourde de cuir brun qu'il avait acquise récemment ; cela te fera du bien.

Vonth'ak essaya de boire une gorgée, qu'il rendit immédiatement.

— Doucement, lui conseilla le jeune chef, qui reprit la gourde entre ses mains pour en restreindre le débit.

Cette fois, Vonth'ak put se désaltérer, bien que le liquide lui brûlât la gorge. Il se sentait aussi sec et aride qu'un désert. Paradoxalement, de nombreuses larmes s'échappaient de ses yeux, glissant sur sa fourrure avant d'atteindre le sol.

— Où est Xioltys ? demanda péniblement le warrak, à demi conscient.

— Je crois l'avoir blessé à mort, répondit Ithan'ak, qui regardait en direction du corps inerte du magicien d'Ymirion. Je vais aller m'en assurer.

— Attends un instant, l'arrêta Vonth'ak. J'ignore de quelle façon tu as réussi à l'affronter sans connaître le même sort que moi, mais je sais en revanche qu'il n'est pas prudent de l'approcher ainsi. Aide-moi à me relever, je dois vérifier quelque chose.

Ithan'ak ne connaissait que quelques notions de magie et il s'en remettait entièrement à son compagnon. Il était certain d'avoir mis Xioltys hors d'état de nuire, mais il était enclin à laisser Vonth'ak s'assurer que le jeune homme blond ne représentait plus un danger.

Avec le peu de forces qu'il lui restait, Vonth'ak lança une poignée de sable qu'il avait ramassée et prononça quelques mots dans une langue qu'Ithan'ak ne connaissait pas. Les minuscules grains devinrent argentés et voletèrent légèrement en direction de Xioltys, dont le corps était toujours inanimé.

— C'est ce que je pensais, toussota Vonth'ak.

Ithan'ak ne comprenait pas où voulait en venir son compagnon. Les grains de sable avaient tourbillonné un moment autour du magicien d'Ymirion, puis étaient retombés sur le sol.

— Il ne s'est rien passé, s'étonna le jeune chef. Tu es peut-être trop affaibli pour utiliser tes facultés.

— Je suis en effet très faible et je viens à l'instant d'utiliser mes dernières ressources. Contrairement à ce que tu penses, ce que je viens de faire n'était pas en vain. Tu n'es tout simplement pas aussi habitué que moi à reconnaître les manifestations surnaturelles.

— Cesse de déblatérer et dis-moi ce que tu as vu, s'impatienta Ithan'ak. Selon Simcha, le général Karst et une dizaine de soldats occupent la maison de campagne. J'ignore pourquoi ils ne sont pas encore intervenus, mais cela ne saurait tarder. Nous devons rapidement vérifier si Xioltys est mort et nous éloigner d'ici.

— Il n'est pas mort, trancha Vonth'ak. Il est seulement blessé et inconscient.

— Dans ce cas, décida Ithan'ak, je vais l'achever sur-le-champ.

Il voulut tirer son glaive, mais Vonth'ak retint son bras. Le regard du jeune chef était maintenant rouge. Il désirait éliminer définitivement le magicien d'Ymirion et il ne comprenait pas pourquoi son compagnon l'en empêchait.

— Cet homme est plus puissant et surtout plus intelligent que je le croyais, dit Vonth'ak. Il avait prévu qu'il pourrait éventuellement se retrouver dans une telle situation. Lorsque les grains de sable sont retombés sur lui, j'ai pu voir le puissant enchantement dont il s'est muni. La blessure que tu lui as infligée est devenue son arme. Le sang qu'il perd se répand dans l'air et devient aussi poison que le venin du serpent le plus mortel. Nous ne pouvons l'approcher sans y laisser notre vie. Je crois même que nous devrions prendre immédiatement nos distances.

Ithan'ak bouillonnait intérieurement. Récemment, il avait appris que Xioltys avait tué des centaines de warraks à lui seul. Ces guerriers méritaient d'être vengés, ce qui était à la portée du jeune chef. Le problème était que ces représailles lui coûteraient la vie. Refusant de payer un prix aussi cher, il essayait de trouver un moyen de contourner le problème.

— Ne peux-tu pas user de ta magie pour endiguer ces effets nocifs durant quelques secondes ? demanda finalement Ithan'ak.

— En temps normal, répondit Vonth'ak, j'y serais arrivé sans problème. Malheureusement, j'ai épuisé toutes mes ressources durant le duel et il me faudra un temps considérable pour récupérer mes forces. De plus, l'enchantement qui entoure Xioltys possède peut-être d'autres propriétés qui me sont impossibles à percevoir. Quoi qu'il en soit, nous ne pouvons rien faire de plus.

Vonth'ak essaya d'entraîner le chef des kourofs avec lui, ce qui n'était pas chose facile. Ithan'ak n'avait jamais accepté la défaite et il ne pouvait se résigner à abandonner, alors qu'il tenait presque la vie de Xioltys entre ses mains. Son compagnon lui suggéra de faire appel à sa raison, plutôt que de se laisser guider par les émotions. Cette remarque réussit à faire bouger le jeune chef, sans que ses yeux redeviennent verts pour autant.

— Skeip est sain et sauf, l'encouragea Vonth'ak, sans compter que tu as mis Xioltys hors d'état de nuire pour un bon moment. Je considère que notre bilan n'est pas si mal. Par contre, je suis impatient de savoir si notre ami keenox a été forcé d'utiliser ses talents de traducteur. Si Xioltys trouvait le moyen d'invoquer un dragon céleste, il n'y aurait plus d'espoir pour les warraks ou pour tout autre peuple qui refuserait de se soumettre au roi Limius.

Ithan'ak finit par admettre qu'il avait fait de son mieux et que seule la sécurité de Skeip comptait pour l'instant. Maintenant qu'il avait retrouvé son calme, il désirait lui aussi s'assurer que le rongeur n'avait rien déchiffré d'important dans un livre que lui aurait fait traduire le magicien d'Ymirion. Les deux warraks pressèrent donc le pas, brûlant d'envie d'entendre raconter le récit du Pourfendeur de dragons.

Lorsqu'ils furent de retour au campement, Fork, Simcha et Kamélia vinrent les rejoindre, accompagnés de Skeip. La priorité était de savoir comment Xioltys et Karst étaient arrivés à capturer le rongeur. Celui-ci déclara qu'il avait quitté le campement de sa propre volonté, bien décidé à prendre son destin en main. Son désir était de partir à la recherche d'autres individus de sa race et d'assurer la survie des keenox. À son grand regret, son périple s'était achevé avant même d'avoir commencé. Guidés par les sens magiques de Xioltys, le général Karst et ses hommes suivaient depuis un bon moment la progression des kourofs. Leur but était de capturer le keenox qui était sous la protection d'Ithan'ak.

Skeip avoua qu'il leur avait grandement simplifié la tâche. Moins d'une heure après son départ, il s'était retrouvé captif des hommes. Cela lui avait d'abord été égal, jusqu'à ce que Xioltys lui tende un livre de magie dont il désirait connaître le contenu. Le rongeur avait alors compris qu'il devrait choisir entre la trahison et la torture. Son premier réflexe avait été de résister, mais il n'avait pas la force de caractère qui caractérisait Ithan'ak et Simcha. Il avait suffi de quelques douloureux sortilèges pour obtenir sa coopération.

Lorsqu'elle entendit ces propos, Kamélia se lança immédiatement dans un plaidoyer en faveur du rongeur, en rappelant que les keenox n'étaient pas des guerriers et que Skeip n'aurait jamais dû être mêlé à de si funestes desseins. L'intervention de l'ambassadrice de Lelmüd ne sut pas réconforter le rongeur, qui culpabilisait d'avoir cédé au supplice. Il disait avoir docilement déchiffré chacune des pages que Xioltys lui avait désignées.

D'après ce qu'il avait retenu, il n'avait rien lu portant sur l'invocation d'un dragon céleste, ce qui aurait constitué une importante source d'inquiétude. Le magicien d'Ymirion semblait avoir un nouvel objectif, qui demeurait un mystère.

Le récit de Skeip concernant sa capture prouvait l'innocence de Simcha dans cette affaire. Toutefois, le pirate ne reçut aucune excuse de la part de Fork, de Vonth'ak ou de Kamélia, et encore moins d'Ithan'ak. Leurs pensées étaient entièrement tournées vers le keenox. En effet, Skeip n'avait pas encore dévoilé de quelle façon il avait pu quitter la maison de campagne et pourquoi le général Karst n'était pas intervenu.

Tout d'abord, le rongeur mentionna la raison de leur halte inattendue sur la propriété d'un fermier. Karst et ses hommes n'avaient pas dormi depuis deux jours et ils étaient totalement épuisés. Xioltys, grâce à une potion de sa confection, avait pu repousser la fatigue, mais les cernes sous ses yeux avaient permis au rongeur de constater que même la magie ne pouvait remplacer quelques heures de repos. Comme le général et ses hommes désiraient tous faire la sieste, le jeune homme blond s'était proposé pour monter la garde. Il avait profité de cette occasion pour obliger Skeip à traduire quelques passages d'un vieux bouquin. Une page avait attiré particulièrement l'attention du magicien. Il avait exigé que le rongeur la lui traduise à trois reprises, puis s'était levé subitement. Anxieux, il avait confié la garde du prisonnier au docteur Claymore, qui n'arrivait pas à trouver le sommeil. Le petit homme aux cheveux gris avait accepté la tâche sans rechigner, comme s'il n'avait plus aucune volonté propre. Sans se soucier davantage de Skeip, Xioltys était sorti à toute vitesse de la maison, probablement pour expérimenter ce qu'il venait d'apprendre. Dès que la porte s'était refermée, l'attitude du docteur avait changé de façon surprenante.

— Nous n'avons pas beaucoup de temps, avait-il chuchoté à l'oreille de Skeip.

Le docteur avait versé précédemment un somnifère dans l'eau et s'était assuré que le keenox n'y toucherait pas. Le stratagème avait bien fonctionné à un détail près : Xioltys n'avait rien bu. Le départ soudain du magicien s'était avéré un coup de chance inespéré et Claymore en avait profité pour laisser filer le prisonnier. Skeip avait d'abord refusé, car il craignait que le docteur fût sévèrement puni.

— J'ai voué ma vie au bien-être d'autrui, avait plaidé le petit homme. En t'aidant à fuir, je sauverai probablement davantage de vies que durant toute ma carrière. Par ailleurs, je suis sûr que Karst ne laissera pas Xioltys me faire du mal. Depuis que le général a été défiguré par Ithan'ak, mes soins lui sont indispensables.

Skeip, dont le moral était chancelant, n'avait pas argumenté davantage et avait pris la fuite. C'est à ce moment qu'il avait entendu le sifflement d'Ithan'ak.

— Vous connaissez la suite des événements, dit le rongeur, qui n'avait aucune envie de continuer son récit. J'aimerais aller me reposer un peu.

Ithan'ak était abasourdi par l'étrange comportement du keenox. Il ne l'avait jamais vu dans cet état. Pour cette raison, il n'essaya pas d'obtenir davantage de détails et permit au rongeur d'aller prendre un peu de repos. Avant de quitter son auditoire, Skeip sortit une lettre de sa sacoche, qu'il remit à Ithan'ak.

— Le docteur Claymore m'a demandé de te remettre ceci, dit-il, d'un ton désintéressé. Il a mentionné que c'était d'une extrême importance.

— Skeip pourrait nous en faire la lecture, suggéra Fork, espérant faire plaisir au rongeur.

De plus, il savait qu'Ithan'ak ne savait pas lire et désirait éviter l'humiliation au jeune chef.

— Je suis fatigué, répondit le keenox. Je n'ai aucune envie de lire un message qui est probablement porteur de mauvaises nouvelles. Cela pourrait m'empêcher de dormir, ce qui serait pour moi une calamité en ce moment.

Sans se préoccuper des regards incrédules portés sur lui, le keenox partit à la recherche d'un endroit tranquille où il pourrait se blottir et peut-être rêver qu'il n'était plus le dernier de sa race.

Vonth'ak voulut se lancer aux trousses de son protégé, mais Kamélia l'obligea à se rasseoir. D'une nature plus sensible, elle avait compris la détresse du rongeur. Fork et Simcha demeurèrent silencieux, partagés entre leur inquiétude pour Skeip et la curiosité qu'avait suscité en eux le message du docteur. Pendant un moment, Ithan'ak fixa la lettre qui lui était destinée. Après une courte hésitation, il supprima son malaise et utilisa la magie qui habitait son bras droit pour déchiffrer le contenu de la mystérieuse missive.

Chapitre 12

Depuis cinq jours, Ithan'ak faisait route vers le palais du roi Filistant. Il était accompagné par Fork, Skeip, Simcha et l'ambassadrice de Lelmüd. À la suite d'une sévère dispute avec le jeune chef, Vonth'ak avait accepté de demeurer au campement pour veiller sur les kourofs. En effet, Ithan'ak était inquiet pour la sécurité de son clan, car les armes de ses guerriers étaient inutiles contre un personnage comme Xioltys. Vonth'ak avait bien sûr plaidé que le magicien d'Ymirion était gravement blessé et qu'il lui faudrait un temps considérable avant d'être de nouveau en état de nuire. Le jeune chef n'avait rien voulu entendre et Vonth'ak avait été contraint de se séparer de Skeip. Le magicien n'avait pas l'habitude de se plier à la volonté du chef des kourofs, mais son duel avec Xioltys l'avait grandement affaibli et il craignait de ne pas avoir la force d'effectuer le voyage qu'entreprenaient ses compagnons.

À la suite de sa mésaventure, Skeip était de nouveau le centre d'attention, ce qui l'aurait réjoui en temps normal. Pourtant, le keenox n'avait pas retrouvé sa bonne humeur usuelle. La fierté qu'il avait eue d'être le dernier représentant de sa race s'était transformée en une irréprimable mélancolie. Ithan'ak s'inquiétait du changement radical dans le comportement du rongeur. Skeip n'affichait aucune émotion, sinon une lassitude marquée. À plusieurs reprises, le jeune chef avait essayé de discuter avec lui, mais le keenox évitait de répondre aux questions et recherchait la solitude.

Simcha, qui avait apprécié le dynamisme du keenox dès leur première rencontre, essayait de comprendre la source de la mélancolie qui rongeait son compagnon. Ses multiples tentatives pour dérider le rongeur s'étaient toutes soldées par un échec.

Fork et Kamélia étaient aussi très inquiets à propos de Skeip, mais ils ne croyaient pas pouvoir faire mieux que l'homme borgne.

— Lorsqu'il sera prêt à se confier à nous, disait le bosotoss, nous lui prêterons l'oreille. D'ici là, nous ne pouvons que lui faire part de notre sollicitude.

Le trajet menant au palais du roi de Küran ne représentait pas une longue route, mais il était impératif pour les voyageurs d'y être le plus rapidement possible. Lorsqu'ils arrêtaient pour la nuit, le soleil avait quitté le ciel depuis un bon moment et la fraîcheur nocturne s'était déjà installée. En général, Fork veillait à allumer un feu, en grande partie pour réconforter Skeip, qui aimait plonger son regard dans les flammes. Aussitôt ce travail terminé, le géant s'allongeait et s'accordait un repos bien mérité. C'était ensuite à Simcha et à Kamélia de veiller sur le keenox. Ils s'installaient près du rongeur à tour de rôle, en jouant d'ingéniosité pour tirer leur compagnon de l'ennui. Même si Skeip esquissait parfois un sourire, ce rituel s'avérait rarement un succès. Cela n'empêchait pas le pirate et l'ambassadrice de recommencer chaque soir. Quelquefois, après que le rongeur eut sombré dans le monde des rêves, ils demeuraient près du feu à échanger leurs opinions sur la politique, la guerre et parfois la philosophie. Ces débats étaient toujours très vigoureux et se soldaient invariablement par une querelle. Dans ces moments, Ithan'ak devait intervenir pour éviter la bagarre.

— Ne voyez-vous pas que Fork et Skeip essaient de dormir ? disait-il. Vous devriez d'ailleurs les imiter. Cela calmerait peut-être votre mauvais caractère.

Chaque fois qu'ils entendaient ces mots, Simcha et Kamélia éclataient d'un rire sonore. Ithan'ak, dont le caractère était au moins dix fois plus irritable que celui de ses compagnons, ne mesurait pas l'ironie de son propos. Exaspéré, il retournait s'asseoir et s'appliquait à relire sans cesse la lettre qu'avait écrite pour lui le docteur Claymore.

Ithan'ak,

Comme je ne peux communiquer avec vous directement, je transmets à Skeip cet important message. Il est inutile de vous rappeler le risque que je prends, car j'ignore si le keenox arrivera à s'échapper, même avec mon aide.

La dernière tentative d'invasion des warraks fut plus brillante que les précédentes, ce qui a poussé le roi Limius à modifier ses priorités. J'aurais cru qu'il exigerait que ses deux meilleurs éléments, Xioltys et le général Karst, demeurent auprès de lui pour protéger sa cité ; ce ne fut pas le cas. Au contraire, le monarque a immédiatement ordonné leur départ, afin qu'ils unissent leurs talents pour lui ramener le keenox. Toutefois, cette mesure n'est rien en comparaison avec l'autre disposition prise par le suzerain de Kalamdir. En effet, il a envoyé un diplomate parlementer avec les nains, dans le but de signer un traité de paix avec eux. Si cette trêve fonctionne, le roi Limius aura tout le loisir de rappeler ses troupes campées dans le nord. Si tel est le cas, rien ne pourra repousser cette incroyable armée dont les effectifs sont au moins dix fois supérieurs à ceux des warraks.

Cette information est selon moi capitale et j'espère que vous saurez prendre les dispositions adéquates pour vous préparer au pire. La plupart des Kalamdiens sont des gens honnêtes et ils ne devraient pas être gouvernés par un homme dont la morale et les méthodes n'ont plus rien à voir avec la doctrine de ses ancêtres.

Claymore

Chaque fois qu'Ithan'ak posait sa main droite sur la lettre pour en comprendre le contenu, il analysait chaque mot dans l'espoir de leur trouver une signification moins alarmante. Il était conscient qu'il ne pouvait rien changer à la dure réalité que révélait le docteur Claymore, mais il essayait malgré tout de trouver une lueur d'espoir dans le message. La conclusion du jeune chef était toujours la même : il fallait se croiser les doigts et espérer que les nains refusent de signer la trêve.

Il était maintenant trop tard pour incendier les cultures du royaume de Küran. Cette stratégie reposait sur le long terme, car elle aurait graduellement affamé les soldats de Kalamdir. Dans l'optique où les troupes du roi Limius revenaient dès maintenant dans le sud, leur couper les vivres n'aurait aucun impact significatif. Leurs provisions étaient sans aucun doute suffisantes pour pallier ce manque, du moins jusqu'à ce qu'ils aient anéanti les warraks. La seule solution était la voie que suggérait Simcha et l'ambassadrice de Lelmüd : la politique. Si Ithan'ak pouvait convaincre les Küraniens et les hylianns de se joindre aux warraks, les trois peuples réunis auraient une chance de remporter la victoire. Même si la diplomatie n'était pas le point fort du jeune chef, il était prêt à tenter sa chance. Curieusement, sa réussite l'effrayait davantage que l'échec. Si les Küraniens et les hylianns refusaient d'embrasser sa cause, il aurait le mérite d'avoir essayé quelque chose. Par contre, s'ils acceptaient, le jeune chef se retrouverait avec un problème beaucoup plus grand sur les bras : convaincre Kran'ak et tous les clans d'accepter l'aide des autres peuples. À présent que les kourofs étaient en disgrâce, cela relèverait presque du miracle.

Lorsque cette idée faisait son chemin jusqu'aux pensées d'Ithan'ak, le warrak émettait un grognement sourd et repliait maladroitement la lettre qu'il tenait. Afin d'échapper à ce désastreux scénario qui martelait son esprit, il s'étendait dans l'espoir de trouver rapidement le sommeil.

Un matin, alors que le vent d'ouest soufflait de puissantes bourrasques soulevant le sable, Simcha affirma que le palais du roi Filistant était à moins de une demi-journée de marche. Le climat venteux était caractéristique de cette région, qui se distinguait par ses nombreux moulins à vent. Le pirate se plaisait à expliquer le fonctionnement de ces bâtiments aux multiples usages. Leur principale fonction était de moudre le grain, mais il était fréquent que les paysans les adaptent pour effectuer des tâches plus spécialisées, comme broyer le raisin.

— Nous sommes dans la région offrant le meilleur vin de tout le continent d'Anosios, assurait l'homme borgne. Le fromage est aussi délicieux, mais ne peut se comparer à celui qu'on sert dans le sud-ouest.

La narration de Simcha était si colorée et si constante que ses compagnons eurent l'impression d'arriver à la demeure du suzerain de Küran en un rien de temps.

Le palais du roi Filistant n'avait rien à voir avec celui d'Ymirion. La différence la plus marquante était l'absence d'une ville entourant le palais. Il y avait quelques habitations dispersées ici et là, mais cela ne pouvait même pas être comparé à un village.

Malgré sa stature moins imposante, la demeure du roi Filistant rivalisait avec la beauté de celle du roi Limius. Le château, d'une élégance exceptionnelle, était presque en symbiose avec la nature. Plutôt que d'être assombri par le matériel de guerre, il était couvert de végétation. Loin d'être à l'abandon, cette couverture végétale était soigneusement disposée et finement taillée. On avait du mal à distinguer les pierres grises dissimulées sous l'exubérance de la nature.

— Voici le château d'Estragot, dit Simcha. Les ancêtres du roi Filistant ne l'ont pas fait construire à des fins militaires. Leur désir était que leur demeure soit à l'image de leur peuple. À cette époque, les Küraniens n'avaient aucune raison de craindre leurs voisins. Vivre en paix et cultiver la terre était ce qu'ils souhaitaient pour leurs sujets.

Kamélia, qui avait déjà vu maintes fois la demeure du roi Filistant, s'intéressait plutôt à la réaction de ses compagnons. Fork, malgré tout son vécu, n'y était jamais venu. La bouche grande ouverte, l'étonnement était facile à lire sur le visage du bosotoss. Quant à lui, Skeip avait momentanément mis de côté sa mélancolie pour faire place à l'enthousiasme que lui apportait cette nouvelle découverte. Ses grands yeux globuleux ne pouvaient se détacher du château verdoyant, que le keenox était impatient d'explorer.

Le regard de l'ambassadrice passa ensuite en revue la réaction d'Ithan'ak. Le warrak avait un esprit particulier, que Kamélia n'arrivait pas à s'expliquer. Il était pratiquement impossible de deviner ses pensées, hormis lorsqu'il était en colère. Apparemment, le château d'Estragot n'impressionnait pas le jeune chef. Pour lui, il était incohérent de construire une forteresse impossible à défendre. Sans rien dire, Ithan'ak observait la demeure du roi Filistant, qui lui rappelait l'arbre de Nicadème.

— Que pensez-vous de cette construction ? lui demanda Kamélia. Je présume que vous n'avez jamais rien vu de semblable.

— Vous pourriez être surprise, répliqua le jeune chef. Pour répondre à votre question, je dois admettre que ce château a un certain charme. D'un autre point de vue, je trouve ridicule de construire une forteresse impossible à défendre. Cela relève de la stupidité ou de l'inconscience.

— Les warraks n'ont jamais su édifier un bâtiment plus solide que de vulgaires palissades, s'offusqua Simcha. Il est prétentieux de ta part de critiquer ce château, qui dépasse de loin vos constructions les plus brillantes.

— Les warraks sont des nomades, tonna Ithan'ak. Nous ne cultivons pas l'amour de la pierre comme les hommes. Nous n'avons nul besoin de nous dissimuler derrière d'épaisses murailles en espérant ainsi nous soustraire au combat.

Simcha était hors de lui. Sa main était crispée sur son épée et il usait de tout son contrôle pour ne pas déverser sa rage sur le warrak. À sa grande surprise, ce fut Kamélia qui engagea les hostilités. L'hyliann n'utilisait aucune arme, mais ses paroles étaient aussi aiguisées qu'une lame.

— Comment osez-vous tenir de tels propos, s'emporta l'ambassadrice. Qui êtes-vous pour dicter à autrui la manière dont il doit vivre ? Il est vrai que le roi Limius ne mérite pas notre respect, mais prenez bien garde de ne pas condamner tous les hommes avec lui. Les warraks tireraient avantage à ouvrir leurs esprits et à accorder de l'importance à autre chose que la guerre.

— Du calme, intervint Fork, de sa voix grave et imposante. Un cavalier vient vers nous. Tâchons de lui montrer que nous sommes civilisés.

Flanqué de Skeip, le colosse partit à la rencontre de l'homme qui arrivait du château. D'abord surpris par le curieux tandem que formaient le bosotoss et le keenox, le cavalier reprit sa contenance et leur présenta ses salutations. Son attention se porta ensuite sur le trio qui était resté derrière. Il reconnut immédiatement l'ambassadrice de Lelmüd.

— Je vous souhaite la bienvenue, Kamélia de la maison dorée. Nous attendions votre retour depuis plusieurs semaines.

— Je ne manquerai pas d'excuser mon retard auprès de votre roi, répondit l'hyliann.

Kamélia échangea avec le Küranien quelques formules de politesse, avant que ce dernier encourage le groupe de voyageurs à le suivre. Ithan'ak, Fork et Simcha n'étaient pas certains de comprendre ce qui venait d'arriver. Tout portait à croire que l'hyliann les avait manipulés pour les mener jusqu'au château d'Estragot, particulièrement le jeune chef. Quant à lui, Skeip se contentait de suivre, indifférent aux événements auxquels il participait. La splendeur de la demeure du roi Filistant n'avait su retenir son attention que quelques instants. Le keenox, qui avait jadis irrité ses compagnons par ses incessants commentaires et ses nombreuses questions, était devenu aussi muet qu'une pierre.

Le ventre du château était un délice pour les yeux. Même Ithan'ak reconnut que les architectes avaient usé d'une grande ingéniosité. Au sommet du palais, une immense fontaine distribuait l'eau, qui s'écoulait dans des canaux qui arpentaient les murs. Ces installations servaient à abreuver les milliers de plantes qui occupaient chaque pièce et chaque couloir. Une telle abondance aurait pu paraître envahissante, mais la végétation était disposée d'une façon si élégante qu'elle était en harmonie avec les lieux.

— Comment faites-vous pour apporter l'eau jusqu'au sommet du palais ? demanda Ithan'ak au Küranien qui ouvrait la marche. J'imagine que ce doit être une tâche ardue de transporter une quantité d'eau aussi grande.

Encore une fois, la curiosité de Skeip prit le dessus et le rongeur tendit l'oreille pour ne rien manquer de la conversation. La morosité du keenox était bien réelle, mais sa véritable nature combattait pour reprendre le dessus.

— Transporter l'eau à la main serait en effet un supplice, sourit l'homme à qui s'était adressé le jeune chef. Heureusement, ceux qui ont bâti ce château ont su user de leur génie. Les cinq tourelles principales, équipées de quatre ailes, sont fixées à un axe horizontal. La toile de leurs ailes capte le vent, faisant ainsi tourner cet axe, qui actionne les pompes situées dans les soubassements. Malheureusement, je ne saurais vous expliquer plus en détail ce mécanisme complexe.

L'homme s'arrêta au détour d'un corridor, puis pivota pour faire face aux individus qui accompagnaient l'ambassadrice de Lelmüd.

— Les chambres de ce pavillon sont destinées aux invités, annonça-t-il. Je vous invite à vous les partager et à vous y installer à votre aise. Je vais informer le roi Filistant de votre arrivée. Il est actuellement en rencontre diplomatique, mais je suis certain qu'il vous recevra dès qu'il aura terminé. Notre suzerain veille personnellement à l'hospitalité de sa demeure. Si vous avez besoin de quoi que ce soit, un garde sera posté dans ce corridor pour répondre à toutes vos demandes.

— Nous vous sommes reconnaissants de cet accueil chaleureux, dit Kamélia. Nous n'espérions pas une telle obligeance de votre part.

L'homme accepta les remerciements de l'hyliann et retourna à ses occupations. Ithan'ak attendait impatiemment ce moment pour invectiver l'ambassadrice.

— J'exige que vous m'expliquiez vos manigances, tonna le jeune chef.

— Il y a un temps pour chaque chose, répondit Kamélia, et notre besoin actuel est de prendre un peu de repos.

L'ambassadrice, sentant que la culpabilité pouvait se lire sur son visage, s'empressa d'ouvrir la porte derrière elle et de s'engouffrer dans une chambre. Cela ne fit qu'empirer la colère d'Ithan'ak, obligeant Fork et Simcha à le retenir pour l'empêcher de suivre l'hyliann.

— Elle s'est jouée de nous, rugit le jeune chef. Kamélia nous a manipulés afin de nous entraîner jusqu'ici.

— Tu as probablement raison, dit Fork, qui essayait d'immobiliser le warrak à l'aide de ses énormes mains. Toutefois, je suis certain qu'elle avait une bonne raison d'agir ainsi. Je suggère que nous allions tous prendre un peu de repos. Nous y verrons certainement plus clair à notre réveil.

Les paroles du bosotoss arrivèrent à calmer Ithan'ak, qui cessa de se débattre. Bourru, il pénétra dans une chambre et referma violemment la porte.

Toute cette agitation avait bouleversé Skeip. De petites larmes coulaient le long de ses joues. L'humeur du keenox était de plus en plus lugubre et il laissait sortir les émotions tristes qui l'habitaient.

Fork était très inquiet de voir le rongeur dans cet état. Il ne reconnaissait plus le keenox, qui était jadis débordant d'énergie. Afin de veiller sur lui, le colosse proposa à Skeip de partager une chambre avec lui, prétextant qu'il n'avait pas envie d'être seul. D'un ton monotone, le rongeur accepta l'invitation du bosotoss. Cela semblait n'avoir aucune importance pour lui.

Plutôt que d'imiter ses compagnons, Simcha traversa le corridor et disparut dans un large escalier. Il y avait si longtemps qu'il n'avait pas mis les pieds en ce château qu'il ne pouvait s'empêcher d'explorer à nouveau ce lieu qu'il avait si bien connu autrefois.

La chaleur de l'après-midi était suffocante. L'air chargé d'humidité avait gagné toutes les pièces du palais. Étendu pardessus les draps du lit, Ithan'ak était en sueur. À demi éveillé, il essuyait pour la quatrième fois son front avec son avant-bras. Incapable de trouver une position confortable, il ne cessait de se retourner dans son lit. À quelques reprises, il avait plongé dans le monde des rêves, ce qui n'avait jamais duré plus d'une dizaine de minutes. Cette fois-ci, des voix s'étaient introduites dans ses songes. Le jeune chef ne pouvait entendre distinctement les mots qui venaient à ses oreilles sous forme d'écho. Il essayait de se concentrer davantage, mais ses sens refusaient d'obéir. « Je suis dans un rêve », comprit-il. Dès que cette pensée traversa son esprit, il ouvrit les yeux et reconnut le décor verdoyant de la chambre d'invité dans laquelle il se trouvait. À son grand étonnement, les voix de son rêve n'avaient pas disparu. En fait, elles provenaient de l'autre côté de la porte. Le warrak en déduisit qu'elles s'étaient glissées dans son sommeil léger.

Curieux, Ithan'ak s'approcha de l'entrée de sa chambre pour mieux entendre. Il colla son oreille sur le bois et reconnut à l'instant la voix de Kamélia.

— Est-ce que cela ne peut pas attendre quelques heures de plus ? demandait l'ambassadrice. Je sais à quel point c'est important, mais nous venons à peine d'arriver. Notre conduite doit être exemplaire si nous désirons obtenir l'aide du roi Filistant.

— Vous savez combien j'aimerais vous faire plaisir, dit son interlocuteur, mais je dois les y conduire dès aujourd'hui.

Cette dernière voix était familière aux oreilles d'Ithan'ak. Maintenant que sa curiosité était piquée, il se concentra pour entendre chaque mot.

— L'île ne se trouve qu'à quelques heures d'ici, continua la voix masculine. Je vous promets que nous serons de retour dès demain.

Il y eut une pause dans la conversation, comme si Kamélia était à bout d'arguments.

— Dans ce cas, dit-elle d'un ton résolu, je vais avec vous. Peu importe que je sois invitée ou non.

— Je ne peux vous emmener, balbutia son interlocuteur, incapable de tenir tête à l'ambassadrice.

— Elwym ! s'écria Ithan'ak en ouvrant la porte à toute volée. Je savais que je connaissais cette voix.

Le jeune chef était excessivement heureux de revoir l'hyliann. Lui-même avait du mal à comprendre sa réaction. Celle-ci pouvait en partie s'expliquer par le fait qu'avec Elwym le cercle des amis intimes d'Ithan'ak était maintenant complet. Il ne manquait que Vonth'ak, que le jeune chef regrettait presque d'avoir laissé au campement. Jusque-là, Ithan'ak ne s'était pas rendu compte à quel point il était devenu proche de ces individus, pourtant si différents les uns des autres. La relation qu'il entretenait avec eux était radicalement différente de celle qu'il avait avec Yrus'ak, Horl'ak ou tout autre kourof sous son commandement. Le jeune chef ne pouvait fonder une amitié concrète avec les warraks qu'il devait diriger, sans risquer de voir diminuer son autorité. Pour cette raison, il avait développé un profond attachement pour Elwym et les autres membres de son cercle intime, avec qui il pouvait être lui-même.

— Que fais-tu ici ? demanda Ithan'ak, qui ne s'expliquait toujours pas la présence de l'hyliann. Je croyais que tu effectuais une importante mission pour Kamélia.

— C'est vrai, s'empressa de répondre l'ambassadrice, mais il semblerait que tout cela ne me regarde plus à présent.

À ces mots, le visage d'Elwym se crispa, comme s'il venait d'entrer dans une eau glaciale. Ithan'ak comprit que les deux hylianns étaient en désaccord, ce qui rendait Elwym particulièrement vulnérable. Celui-ci l'avait toujours été en présence de

Kamélia, ce qui était d'autant plus vrai maintenant qu'elle était en colère contre lui.

— Je suis désolé de m'immiscer dans vos affaires, reprit le warrak, j'ai pourtant l'impression que votre discussion me concerne.

Le jeune chef avait vu juste. Il pouvait le lire sur le visage des hylianns. Ceux-ci s'observèrent un moment, comme s'ils se demandaient si le temps était bien choisi pour tout révéler au jeune chef.

— Vous aurez deviné que notre présence ici n'est pas le fruit du hasard, céda finalement l'ambassadrice. Lorsque je vous ai rejoint à l'est de Kalamdir, Elwym avait déjà rempli son devoir et nous avions convenu de nous retrouver au château d'Estragot. Durant tout le temps que j'ai accompagné les kourofs, mon seul et unique but était de vous attirer où nous sommes en ce moment.

Ithan'ak, dès son arrivée au palais du roi Filistant, s'était figuré la machination de l'ambassadrice. Heureusement, quelques heures de repos et la présence d'Elwym avaient adouci son tempérament. La curiosité du jeune chef l'emportait maintenant sur la colère.

— Je suis consciente du dédain profond que vous avez pour ce genre d'intrigue, expliqua Kamélia. J'étais toutefois certaine que vous n'accepteriez pas de venir de votre plein gré.

— J'aimerais qu'on m'explique de quoi il retourne, s'impatienta le warrak. Je sais pertinemment que vous avez tout fait pour me voir parlementer avec le roi Filistant. De toute évidence, il y a autre chose que je devrais savoir.

— Nous désirons en effet éviter que tu détruises les cultures du royaume de Küran, expliqua Elwym, mais cela n'est que la seconde raison pour laquelle Kamélia t'a mené jusqu'ici. Avant tout, Skeip et toi devez m'accompagner sur une île qui se trouve à quelques heures d'ici.

En entendant parler d'une île, Ithan'ak sentit son cœur s'accélérer. Elwym était fou de penser que le jeune chef accepterait de le suivre sur une embarcation. La dernière fois qu'il avait eu le malheur de voyager sur l'eau, le warrak avait presque goûté à la mort.

— Je connais le malaise que les warraks éprouvent sur l'eau, ajouta Elwym. Je peux t'assurer que je ne t'infligerais pas ce supplice s'il y avait un autre moyen.

— Tu devras te montrer très convaincant, si tu espères me voir t'accompagner, souligna Ithan'ak. Non seulement je n'ai aucune envie de m'aventurer une nouvelle fois sur un bateau, mais je dois également utiliser chaque minute à ma disposition. On m'a informé que le roi Limius espérait signer une trêve avec les nains et rappeler son armée campée dans le nord. J'ignore si son projet se réalisera et à quelle vitesse ses troupes se déplacent, je sais toutefois que je veux être préparé à toute éventualité.

— D'après ce que m'a raconté Kamélia, dit Elwym, ton clan n'est plus le bienvenu parmi les vôtres. Comment espères-tu vaincre les Kalamdiens sans armée ? Tu sais comme moi que notre seul espoir est d'unir les warraks, les Küraniens et les hylianns.

— Kran'ak n'acceptera jamais de s'unir aux autres peuples, objecta Ithan'ak.

— Voilà pourquoi tu dois m'accompagner, renchérit Elwym. Il m'est impossible de te révéler le but de cette expédition, sinon qu'elle te permettra de changer le destin de ton clan, peut-être même de tous les warraks. Je t'exhorte de me faire confiance.

Nous devons nous rendre sur cette île avant que tu rencontres le roi Filistant.

— Il a raison, approuva Kamélia. Les Küraniens n'accepteront pas d'entrer en guerre, à moins que le chef suprême des armées warraks s'engage à combattre à leurs côtés.

— Je ne suis pas le priman'ak, s'emporta le jeune chef. Allez-vous enfin me révéler quel est le but de l'expédition dans laquelle vous désirez que je m'engage ?

Les deux hyliann aurait aimé pouvoir informer davantage Ithan'ak. Connaître toute la vérité aurait peut-être permis au jeune chef de s'incliner devant leur requête. Pour une raison qui demeurait secrète, cela n'était malheureusement pas possible. À bout d'arguments, Elwym et Kamélia demeuraient muets.

Un peu plus loin dans le corridor, les pentures d'une porte grincèrent, brisant ainsi le court silence qui s'était imposé. Skeip sortit d'abord de la chambre, suivit de près par Fork.

— Elwym ! s'écria le keenox, qui avait momentanément retrouvé sa bonne humeur.

Le rongeur courut jusqu'à l'hyliann et entoura ce dernier de ses petites pattes rachitiques. Comme pour Ithan'ak, la présence d'Elwym le rendait particulièrement heureux. Skeip avait l'impression que tous les membres de son étrange famille étaient réunis.

— Il est dommage que Vonth'ak ne soit pas présent, dit le rongeur. Notre groupe aurait été complet.

— Je suis moi aussi content de te revoir, dit Fork, en enveloppant la main d'Elwym avec ses trois énormes doigts. Pardonnez notre intrusion, mais il était difficile de ne pas entendre votre discussion. Vous serez probablement d'accord avec moi pour dire qu'un corridor n'est pas un endroit propice à une discussion privée.

Le warrak et les deux hylianns admirent aussitôt leur erreur et s'excusèrent auprès du bosotoss et du keenox. À la grande surprise d'Elwym, Skeip ne profita pas de ce moment pour prendre la parole. Contrairement à son habitude, le rongeur écoutait passivement la discussion, à laquelle il ne semblait pas vouloir prendre part.

— As-tu entendu ce qu'ils me demandent de faire ? demanda Ithan'ak au bosotoss.

— Oui, répondit timidement Fork. Je suis vraiment désolé pour ce manque de politesse. Je crois pourtant que tu devrais accepter l'aide que t'offrent Elwym et Kamélia. Durant ma longue existence, j'ai appris qu'il fallait parfois faire confiance et accepter de ne pas connaître tous les détails. C'est d'ailleurs ce que tu demandes à tes guerriers chaque fois qu'ils accomplissent pour toi une mission.

Encore une fois, le colosse avait semé le doute dans l'esprit du jeune chef. Lorsque Fork donnait son opinion, ce n'était jamais à la légère. Ses commentaires étaient indubitablement réfléchis et reposaient sur une grande expérience de la vie. Ithan'ak ne se souvenait pas d'avoir déjà regretté de s'être fié à son vieil ami. Pourtant, deux arguments l'empêchaient d'accéder à la requête des hylianns. Tout d'abord, le warrak avait l'habitude de commander et exigeait d'être toujours parfaitement informé, ce qui n'était pas le cas cette fois-ci. Ensuite, l'idée de monter sur une embarcation le répugnait au plus haut point. Même si le trajet ne durait que quelques heures, se retrouver sur l'eau le rendrait inévitablement mal en point. Aussi curieux que cela puisse paraître, ce fut cette pensée qui convainquit Ithan'ak d'accompagner Elwym. En effet, il avait momentanément éprouvé une certaine peur, ce qui était inacceptable pour un warrak.

— Je suis d'accord pour accompagner Elwym sur cette île, décida subitement Ithan'ak, à condition que nous soyons de retour dans moins d'une journée.

— Excellent ! s'exclama l'hyliann, cherchant à partager sa joie avec l'ambassadrice de Lelmüd.

Celle-ci esquissa un faux sourire, qu'Elwym perçut comme une récompense. Il cherchait tant à impressionner Kamélia qu'il n'avait pas remarqué qu'elle était profondément en colère contre lui parce qu'il l'excluait du voyage.

— Skeip viendra avec nous, continua-t-il, ravi de la manière dont les choses se présentaient.

— Je préfère rester ici, dit le keenox, d'un ton s'apparentant à l'indifférence. Je crois que je vais profiter de ce château pour prendre un peu de repos.

D'un seul coup, la panique avait gagné Elwym. Il venait de convaincre Ithan'ak de l'accompagner, ce qui relevait presque du miracle. Voilà maintenant que Skeip, qui aurait dû supplier de participer à l'expédition, refusait de venir.

— Tu dois venir avec nous, s'alarma l'hyliann. Je t'en serais éternellement reconnaissant.

Elwym chercha un appui du côté de Kamélia, mais l'ambassadrice resta muette. Ce fut Ithan'ak qui se porta finalement au secours du malheureux.

— Notre récente rencontre avec Xioltys aurait pu mal tourner, dit-il au keenox. J'ai négligé ta sécurité et je n'ai pas l'intention de refaire la même erreur. Je n'en connais pas la raison, mais je sais que tu traverses une période difficile en ce moment. J'aimerais pouvoir te rendre la vie plus facile, ce qui n'est pas le cas. Tu es malgré toi au cœur d'une guerre dont tu n'as pas voulu. Je pourrais t'obliger à nous accompagner, mais je préférerais l'éviter.

— Je suis le dernier des keenox, s'attrista le rongeur. Mon devoir est de demeurer en vie le plus longtemps possible, car ma mort signifiera la fin de ma race. Si vous accompagner est le meilleur moyen pour moi d'être à l'abri du danger, j'accepte d'aller sur cette île.

— Est-ce que je suis aussi invité ? s'écria Simcha, qui revenait de son vagabondage.

Aussitôt qu'il entendit la voix du pirate, Elwym se crispa et dégaina sa courte épée. Paniqué, il ne comprenait pas pourquoi ses compagnons ne réagissaient pas à l'apparition de l'homme borgne.

— Du calme, lui recommanda Ithan'ak. Il ne représente aucune menace.

— Comment pouvez-vous ne rien faire ? s'agita l'hyliann. Avez-vous oublié tout ce que ce malfrat nous a fait subir ?

— C'est une vérité difficile à accepter, dit le jeune chef, mais Simcha est de notre côté. J'ai moi-même eu de sérieux doutes au départ, qui se sont avérés non fondés.

— Ce pirate vous a tous envoûtés, rageait Elwym. C'est un traître et je peux vous assurer qu'il n'est pas digne de confiance. Nous devons le mettre hors d'état de nuire pendant que nous en avons l'occasion.

— Voilà une façon bien étrange d'accueillir un ami, s'amusa l'homme borgne. Je ne me souvenais pas que tu étais d'une nature si agressive. Est-ce la présence de la jolie Kamélia qui te rend si tendu ?

Simcha, qui tenait ces propos pour détendre l'atmosphère surchargée de tension, ne s'attendait pas à déclencher une tempête dans le cœur d'Elwym. L'embarras avait coupé la parole de l'hyliann, qui était incapable de répondre. Depuis longtemps, il convoitait la délicieuse ambassadrice, ce qu'il avait toujours gardé pour lui-même. Il était conscient que ses actes avaient depuis longtemps trahi son secret, mais l'entendre prononcer à haute voix lui avait foudroyé l'estomac.

— Quand veux-tu que Skeip et moi soyons prêts à partir ? demanda Ithan'ak, qui avait senti la détresse de l'hyliann.

— Immédiatement, répondit Elwym, autrement il nous sera impossible d'être de retour demain.

Le malheureux n'osait plus regarder le jeune chef en face. Il craignait qu'on puisse lire dans ses yeux l'amour qu'il avait pour Kamélia. De plus, il savait que celle-ci était derrière lui et qu'elle avait entendu ce qu'avait dit Simcha. Incapable de bouger, l'hyliann comptait sur Ithan'ak pour le sortir de ce malaise ; ce que le warrak s'empressa de faire. Il déclara avoir perdu assez de temps et poussa Elwym et Skeip devant lui.

— Nous serons de retour dès demain, lança Ithan'ak, avant de disparaître au coin du corridor. D'ici là, essayez de faire patienter le roi Filistant. Je tiens à éviter de le contrarier et je compte sur vous pour lui faire part de mes excuses.

— Nous ferons de notre mieux, répondit Fork, mais le jeune chef n'écoutait déjà plus.

En quelques minutes, Ithan'ak, Skeip et Elwym furent hors du palais et prirent le chemin qui menait à la mer Mysianne. Chacun d'entre eux était plongé dans ses propres réflexions, remuant d'austères pensées. Alors qu'Elwym essayait de digérer les récents événements, Ithan'ak anticipait le malaise qu'il éprouverait une fois sur l'eau. Derrière eux, Skeip traînait d'un pas lent, tourmenté par une tristesse qui ne le quittait plus.

En silence, le trio s'éloignait peu à peu d'Estragot. Deux d'entre eux ignoraient que ce voyage modifierait sensiblement leur destin.

CHAPITRE 13

La mer Mysianne était d'un calme apaisant. La surface de l'eau était si lisse qu'elle reflétait la pleine lune presque à la perfection. La nuit était claire, ce qui permettait de distinguer les quelques oiseaux qui se laissaient porter par le vent chaud du sud-ouest. La quiétude qui régnait était appuyée d'un silence presque complet. Seul le bruit des pagaies qui fendaient l'eau provoquait un léger clapotis.

Sans le soutien du vent, la voile inerte de la pirogue à balancier ne pouvait être utilisée. Ithan'ak et Elwym devaient donc manier les pagaies, ce qui était beaucoup moins rapide. Entre l'hyliann et le warrak, Skeip regardait l'eau se briser sur sa petite patte qu'il laissait tremper.

Curieusement, il y avait déjà plusieurs heures que le trio avait quitté la rive et Ithan'ak ne montrait encore aucun signe de malaise. En vérité, le jeune chef se sentait en pleine forme, ce qui était particulièrement étrange. En embarquant dans la pirogue, il n'avait pas senti l'emprise douloureuse qui se manifestait généralement en de telles circonstances. Il avait d'abord cru qu'il ne s'agissait que d'un sursis et que son corps se rappellerait bientôt l'aversion qu'il avait pour l'eau ; cela n'était pas arrivé.

— L'eau de la mer Mysianne a peut-être des propriétés différentes, avait suggéré Elwym.

Ithan'ak n'en était pas convaincu. Durant toute son existence, il n'avait jamais entendu quelqu'un faire mention d'une eau si pure qu'elle n'aurait aucun effet néfaste sur les warraks. Il n'y avait aucune raison de croire que la mer Mysianne faisait exception à cette règle.

Quoi qu'il en soit, le jeune chef était soulagé de ne pas avoir à endurer les symptômes habituels. Pour la première fois, il pouvait savourer l'expérience de la navigation. Il avait fait le vide dans son esprit et prenait soin d'imprégner dans sa mémoire ce souvenir qu'il désirait conserver à jamais. Il se demandait si un warrak avait déjà eu la chance de vivre une expérience semblable avant lui.

— Voici l'île, dit soudain Elwym, obligeant le jeune chef à s'extirper de sa rêverie.

Il faisait trop sombre pour distinguer nettement la terre qui se dessinait à l'horizon, mais il n'y avait aucun doute qu'il s'agissait bien d'une île.

— Quel est le nom de cet endroit ? demanda Skeip, d'un ton vaguement intéressé.

— Les Küraniens nomment cette île Midjin, répondit l'hyliann. Elle est pour eux sans importance, car l'agriculture y est impraticable et elle ne comporte aucune importance stratégique. Elle est complètement inhabitée, si ce n'est des adolescents qui viennent parfois profiter des plages.

— La description que tu en fais m'étonne, commenta Ithan'ak. D'après ce que tu dis, cette île est sans aucune importance. J'aimerais donc savoir pour quelle raison tu souhaites nous y emmener.

— Cela vous sera révélé en temps voulu, répondit l'hyliann, agacé. Les warraks n'ont vraiment aucune patience.

La pirogue se rapprochait de plus en plus de l'île et le trio put bientôt mettre les pieds dans le sable fin. Même si Ithan'ak n'avait ressenti aucun malaise durant le trajet, il était soulagé de retrouver la terre ferme. Il aida d'abord Elwym à tirer l'embarcation loin de l'eau, puis porta son attention sur ce qui l'entourait.

Hormis la plage, l'île paraissait être entièrement couverte par la forêt. Au nord, un pic rocheux surplombait le paysage. Plusieurs oiseaux, qui y avaient sans doute élu domicile, survolaient sans cesse le sommet.

— Quel intérêt a pour nous cet endroit ? demanda Ithan'ak, qui estimait avoir maintenant droit à des explications.

— J'aimerais moi aussi savoir pourquoi je dois vous accompagner, l'appuya Skeip. Je ne suis pas très enclin à m'aventurer dans cette forêt. Je préférerais vous attendre tranquillement sur la plage et surveiller la pirogue.

L'attitude du warrak et du keenox était déconcertante. L'un voulait connaître sans délai ce qui l'attendait, alors que l'autre était déprimé et se moquait éperdument de la suite des événements. Elwym ne savait plus quoi faire pour les motiver à avancer.

— Je ne peux vous dire ce qui vous attend, car moi-même je l'ignore, échappa-t-il.

Dès qu'il eut révélé ce secret, l'hyliann colla une main devant sa bouche. Jusque-là, il avait minutieusement évité de divulguer ce détail. Il savait qu'Ithan'ak n'accepterait jamais de le suivre dans une expédition aussi vague. Pourtant, Elwym avait de très bonnes raisons d'avoir entraîné avec lui le jeune chef et le keenox.

— Quelle est cette plaisanterie ? se fâcha Ithan'ak. Tu n'es pas sans savoir qu'une grande armée adverse marche peut-être vers le sud et que nous devons utiliser à bon escient le temps qu'il nous reste.

Contrairement à Skeip qui s'était paisiblement étendu sur le sable, le warrak était hors de lui. Toutefois, Elwym en avait assez de ce comportement rageur. Sans se laisser impressionner par la furie du kourof, il monta à l'assaut, ce qui n'était pas dans ses habitudes.

— Crois-tu réellement que je t'aurais demandé de venir ici sans une bonne raison ? demanda l'hyliann d'un ton colérique. Si tu n'as pas confiance en moi, alors tu peux partir. Autrement, cesse de te lamenter et suis-moi.

Elwym tourna les talons et se dirigea directement vers Skeip. Sans ménagement, il agrippa le keenox par le cou, le remit debout et l'entraîna avec lui.

— Comme Ithan'ak l'a brillamment rappelé, nous n'avons pas de temps à perdre. J'ai l'intention de vous ramener à Estragot demain, comme prévu. Pour cela, nous ne pouvons attendre le jour pour pénétrer dans la forêt. La soirée est encore jeune et la lune nous fait profiter de sa clarté.

Décidé, Elwym s'enfonça dans la végétation dense, tout en poussant Skeip devant lui. Surpris par la réaction inattendue de l'hyliann, Ithan'ak demeura sur place un moment, puis s'activa à son tour.

La progression du trio n'avait rien d'aisé, mais Elwym semblait savoir exactement où il se rendait. Sans prendre le temps de vérifier s'il était sur la bonne voie, il avançait droit devant lui. Ithan'ak se demandait si l'itinéraire emprunté était un raccourci, car il ne s'agissait assurément pas d'un chemin, ou même d'un sentier. Au contraire, les branches d'arbres bloquaient constamment le passage et la fourrure d'Ithan'ak s'y agrippait sans arrêt. Le warrak maugréait des jurons pour lui-même, se demandant pour quelle raison il s'était aventuré dans cet endroit.

Grâce à sa petite taille, Skeip n'éprouvait pas les mêmes difficultés que le jeune chef. Sans dire un mot, il se contentait de suivre Elwym, perdu dans ses sombres pensées. Alors que la forêt devenait de moins en moins dense, l'hyliann s'arrêta subitement et se retourna vers ses compagnons.

— Les arbres sont un peu moins encombrants ici et nous sommes sur un terrain plat, déclara-t-il. Cet endroit est parfait pour passer la nuit.

Le ton qu'avait pris l'hyliann n'offrait aucune place à la discussion. Ithan'ak avait enfin cerné qu'il était inutile de chercher à comprendre le but de l'expédition à laquelle il participait. Sans échanger un seul mot, les trois aventuriers s'installèrent aussi bien qu'ils le pouvaient sur le sol et s'endormirent sous les branches qui filtraient les rayons de la lune.

Lorsqu'Ithan'ak ouvrit les yeux, il lui fallut un instant pour se rappeler où il était. Le vent soufflait dans les arbres et venait caresser la fourrure grise du warrak. Un hibou, perché sur une branche, poussa un hululement avant de prendre son envol. L'ambiance qui régnait avait quelque chose de surnaturel.

Le jeune chef souleva un sourcil, alors que son regard épiait les environs. La vie nocturne, en silence, évoluait autour de lui. Un écureuil sautait d'un arbre à un autre, manifestement inquiet par la présence d'un oiseau de proie. Ithan'ak sourit en voyant le sciuridé, qui avait certains points en commun avec Skeip. Cette pensée rappela au warrak qu'il n'était pas seul. Il tourna la tête et constata que le keenox et l'hyliann étaient toujours profondément endormis.

À première vue, le jeune chef ne décelait rien d'inhabituel autour de lui. Pourtant, son instinct lui dictait d'examiner davantage les lieux. Conscient qu'il ne pourrait se rendormir tant qu'il ne se serait pas assuré qu'il n'y avait aucune menace, il se leva sans faire de bruit. Par précaution, il tira son glaive, bien qu'il ne pressentît aucun danger. Lentement, il se dirigea sur sa droite, où les arbres étaient moins compacts. Le warrak avait une curieuse impression de déjà vu. Sans regarder derrière lui, il faisait son chemin dans les branches, qui étaient de moins en moins agressives. Sans savoir pourquoi, il avançait de plus en plus rapidement, comme s'il était attiré par une force invisible.

Au bout d'un moment, les arbres se firent moins encombrants et un semblant de chemin apparut devant le jeune chef. Ce paysage lui était vaguement familier, comme un souvenir d'enfance qui se déforme avec le temps. Tout cela était extrêmement étrange et rassurant à la fois. Même s'il avait voulu lutter, Ithan'ak n'aurait pu rebrousser chemin. Toutes les fibres de son corps aspiraient à continuer d'avancer pour découvrir ce que recelait cet endroit. Ce désir n'avait rien de naturel et l'emportait sur la volonté propre du warrak. Dominé par ses pulsions, il progressait prudemment entre les arbres qui formaient un arc au-dessus de lui. Sa respiration était lente et profonde. Il éprouvait un sentiment hors du commun, comme s'il était en symbiose avec la nature. Sa démarche, de plus en plus rapide, le menait inexorablement vers un lieu qu'il commençait à entrevoir dans son esprit.

Ithan'ak fut à peine surpris d'apercevoir l'escalier de pierre qui menait au large plateau circulaire. Avec raison, il se demanda s'il était en train de rêver, ce qui était difficile à déterminer. L'étrangeté des lieux concordait parfaitement à l'atmosphère particulière du monde des songes. Qu'il s'agisse d'un rêve ou non, le jeune chef était fermement décidé à résoudre le mystère qui entourait cet endroit. D'un pas résolu, il monta les marches de pierre. Devant lui, au centre du plateau, se dressait une stèle sur laquelle était gravée une inscription. Lorsqu'il s'en approcha, le jeune chef comprit qu'il ne rêvait pas. Les symboles finement taillés étaient clairs et tangibles, ce qui n'avait rien à voir avec ce qu'il avait rêvé antérieurement. Confiant en l'enseignement qu'il avait reçu de Nicadème et de Vonth'ak, il s'agenouilla et posa sa main droite sur la pierre polie. Habilement, il fit appel à la magie que renfermait son bras. Aussitôt, une lumière argentée traversa son membre et illumina l'inscription, qui devint claire dans l'esprit du warrak.

Alors que j'avance vers le chemin de la mort ;

Du sang de mon ennemi, je me couvre de gloire ;

Du sang de mon ennemi, je nourris la bravoure de mon âme ;

Du sang de mon ennemi, je trace mon destin et mon propre salut ;

Entendez mon puissant rugissement et faites qu'il résonne à jamais sur les champs de bataille éternels.

Instinctivement, Ithan'ak avait prononcé ces mots à haute voix. Son pouls s'était accéléré, ce qui résultait de la poussée d'adrénaline que lui avait procurée la lecture des inscriptions sur la stèle. Ses yeux s'étaient enflammés et il sentait l'appel du combat comme jamais auparavant. Ses sens étaient exacerbés, comme si ses facultés avaient soudainement triplé. Le warrak se sentait plus fort qu'il ne l'avait jamais été.

Toujours agenouillé, le jeune chef sentit une présence derrière lui. Il était convaincu qu'il ne s'agissait pas d'Elwym ou de Skeip. D'un mouvement rapide et précis, il tira son glaive et pivota sur lui-même, tout en fendant l'air avec sa lame.

L'hyliann, d'un bond en arrière, eut tout juste le temps d'éviter le coup.

— Je constate que l'Ominiak a toujours un effet remarquable sur les warraks, commenta l'importun.

Même si aucune ombre meurtrière ne le menaçait, Ithan'ak conservait sa position de combat. Il avait devant lui un hyliann, qui n'était pas Elwym. Au contraire, l'inconnu était très différent de ce dernier. Comme tous ceux de sa race, il était habillé d'une seule et unique pièce de tissu, avait de longs cheveux soyeux et des pupilles en forme de croissant de lune. Toutefois, un aspect le distinguait de tous les hylianns qu'Ithan'ak avait rencontrés jusque-là : sa peau était dorée.

— Qui êtes-vous ? demanda spontanément le jeune chef.

— Je crois que vous connaissez déjà la réponse à cette question, répondit l'hyliann. D'après ce qu'Elwym m'a raconté, vous êtes quelqu'un de plutôt perspicace. Que diriez-vous de rengainer votre arme et de recommencer cette conversation sur de meilleures bases ?

Le warrak était encore sous l'effet de l'adrénaline et ignorait comment et pourquoi il était entré dans un tel état. Il faisait de son mieux pour contrôler ses pulsions, ce qui n'était pas chose facile. Troublé, il observait l'inconnu tout en essayant de mettre de l'ordre dans ses pensées.

— Vous êtes Ackémios, l'hyliann d'or, dit-il d'un ton à la fois ferme et surpris.

L'hyliann approuva d'un signe de la tête, puis fronça les sourcils.

— J'imagine que des dizaines de questions envahissent actuellement votre esprit, estima-t-il. La première d'entre elles concerne sans aucun doute ma présence sur cette île.

— Je connais déjà la réponse, répliqua Ithan'ak, dont les yeux se teintaient à nouveau de vert. C'est vous qui avez demandé à Elwym de m'emmener en ce lieu. Vous aviez prévu notre rencontre ici, sur ce cercle de pierre.

— Je l'espérais, avoua Ackémios. En vérité, je cherche ce monument depuis un bon moment. J'étais certain qu'il était sur cette île, à portée de la main, mais il refusait de se révéler à moi. J'aurais aimé ne pas avoir à vous duper pour le trouver, ce qui ne fut malheureusement pas le cas.

— Je ne comprends rien à ce que vous racontez, râla le jeune chef. Pourquoi n'êtes-vous pas parmi les vôtres, au haut conseil des hylianns ? Quel est ce monument qui semble si précieux à vos yeux ? Quel rôle désirez-vous me voir jouer dans cette histoire ?

— Du calme, l'interrompit Ackémios. Je reconnais bien en vous l'impatience caractéristique des warraks. Si vous le permettez, je vais commencer par vous révéler la signification du lieu de culte sur lequel nous nous tenons. Autrefois, bien avant ma naissance, les warraks ont construit ce monument représentant un cercle de combat, en l'honneur de Kumlaïd. En son centre, ils y apposèrent l'Ominiak, une prière de combat, dont les origines remontaient à Akum, le tout premier warrak. Certains disaient même que le dieu de la guerre s'était matérialisé devant le légendaire guerrier et lui avait fait don de cette prière. Quoi qu'il en soit, durant des millénaires, les jeunes warraks y vinrent en pèlerinage avant de passer le chemin du guerrier.

— Je n'ai jamais entendu parler de tout cela, s'étonna Ithan'ak. De plus, il est peu probable qu'un warrak ait déjà mis les pieds sur cette île avant moi. Notre constitution physique nous empêche de naviguer, et encore plus de nager.

Ackémios, d'un calme déconcertant, continua son exposé.

— Vous aurez deviné que l'Ominiak n'est pas une prière ordinaire. Je ne doute pas que vous ayez ressenti ses effets en la prononçant.

En effet, Ithan'ak avait senti ses forces doubler d'un seul coup. Il ne pouvait nier que les mots qu'il avait prononcés avaient provoqué en lui une réaction extraordinaire.

— Si ce que vous dites est vrai, dit le jeune chef, j'aimerais savoir pour quelle raison les warraks ont oublié cet endroit. Si chacun d'entre nous y avait accès, nous deviendrions invincibles.

— Personne n'est invincible, rectifia l'hyliann, pas même les dieux. Il est vrai que l'Ominiak stimule les sens des warraks, en leur procurant une poussée d'adrénaline qui leur permet d'être plus efficaces au combat. Toutefois, il s'agit avant tout d'un symbole unificateur de tout un peuple. Jadis, lors d'un terrible tremblement de terre, ce symbole fut perdu et faillit n'être jamais retrouvé.

— L'île sur laquelle nous sommes faisait autrefois partie du continent, comprit Ithan'ak. Lorsqu'elle s'est détachée de la côte, l'eau en bloqua l'accès aux warraks.

— C'est exact, confirma Ackémios. D'après mes recherches, l'Ominiak fut transmise par voix orale de génération en génération, jusqu'à ce qu'elle finisse par disparaître au bout de quelques siècles. Même son existence fut oubliée des warraks.

— Quelle offense pour le dieu de la guerre ! se fâcha Ithan'ak. Il n'est pas étonnant que notre peuple soit au bord de l'extinction.

— Ne soyez pas si négatif, dit Ackémios. Je crois savoir que vous avez eu l'extrême honneur de parler à Kumlaïd. N'est-ce pas là un signe que les warraks n'ont pas été oubliés des dieux ?

Ithan'ak était dérouté. Il venait d'assimiler une grande quantité d'informations en très peu de temps et essayait de comprendre à quoi lui serviraient ces nouvelles connaissances.

— Pourquoi avez-vous délaissé votre peuple pour retrouver le lieu de culte des warraks ? demanda-t-il à l'hyliann d'or. Notre cause est-elle si importante à vos yeux ?

— Tous les êtres vivants méritent d'être aidés, répondit Ackémios, mais ce n'est pas ce qui a motivé mes recherches. En vérité, il s'agissait d'une requête qu'on ne peut refuser ; une requête d'Hélisha.

— La déesse de la sagesse et de la connaissance s'est adressée à vous ! dit le jeune chef, stupéfié.

— Pensiez-vous être la seule personne à avoir un jour été en contact avec un dieu ? se moqua l'hyliann d'or. Il est vrai que la grande Nürma leur accorde rarement le droit de converser avec les vivants et qu'il s'agit d'un immense privilège. Je crois qu'il n'était pas permis à Kumlaïd d'entrer de nouveau en contact avec vous et qu'il a fait appel à sa sœur. Quoi qu'il en soit, pour qu'une déesse me demande expressément de vous venir en aide, par tous les moyens, votre rôle en ce monde est plus important qu'il n'y paraît. Je ferai donc ce que je peux pour vous appuyer.

— Dans ce cas, se réjouit Ithan'ak, cessez de perdre votre temps ici et retournez ordonner aux hylianns de combattre à nos côtés.

— C'est ce que j'aurais fait, se défendit Ackémios, mais c'est la seule restriction que j'ai reçue de la part de la déesse. Je ne dois en aucun cas ordonner à mon peuple d'entrer en guerre contre les hommes. Puisque cet ordre ne s'adressait qu'à moi, j'ai quitté la forêt de Lelmüd et laissé le commandement du haut conseil des hylianns. J'espérais qu'ils décideraient d'entrer en guerre de leur propre chef, ce qui n'était pas en contradiction avec les ordres divins que j'avais reçus.

— Il semble que votre plan n'a pas fonctionné, lui fit remarquer Ithan'ak.

— J'avoue que je ne suis surpris qu'à moitié, se désola l'hyliann d'or. Le haut conseil n'est pas réputé pour la bravoure de ses membres. La plupart du temps, ils ne font que parler et agissent rarement. C'est pourquoi vous devez unifier les warraks et mettre fin au règne du tyran de Kalamdir.

— Les warraks sont déjà unis, corrigea le jeune chef. Ignorez-vous qu'un chef de clan du nom de Kran'ak a été élevé à la fonction de priman'ak ?

— Cela ne change rien, répliqua Ackémios. Les kourofs ne se sont pas pliés à la volonté de ce warrak. Il est donc logique de dire qu'il n'a pas réussi à unifier votre peuple. Il n'est pas celui que les dieux ont choisi. Vous seul avez le pouvoir de commander tous les clans.

— J'ai déjà essayé, dit le jeune chef. Mon échec et mon entêtement ont conduit mon clan à la traîtrise et à l'exil.

— Il est peut-être temps d'essayer de nouveau, l'encouragea l'hyliann d'or. Je suis certain que cette fois-ci vous arriverez à vaincre votre rival.

— Ce que vous proposez est impossible, désespéra Ithan'ak. Notre coutume ne permet pas de défier le priman'ak avant dix longues années. Même s'il acceptait de me combattre et qu'il m'était donné de le vaincre, les autres chefs n'accepteraient jamais que je devienne priman'ak. Nos coutumes, du moins ce qu'il en reste, sont très strictes.

— Voilà pourquoi vous avez besoin de l'Ominiak. Ce n'est pas un hasard que vous soyez ici aujourd'hui. Comme je vous l'ai déjà dit, il m'était impossible de localiser le cercle de pierre auparavant. Curieusement, alors que je désespérais de le trouver un jour, Elwym est arrivé sur l'île. Ce jeune hyliann disait avoir été mandaté par Kamélia, mon unique descendante, pour me retrouver. Il me raconta les détails de son périple, ce qui incluait votre rencontre. Dès lors, je compris que vous étiez le seul à pouvoir trouver l'Ominiak, à condition que quelqu'un daigne vous mettre sur la voie.

— Votre histoire est cohérente, admit Ithan'ak, mais n'oubliez pas que je suis en disgrâce auprès des autres clans. Sans compter que vous suggérez que je déshonore nos coutumes en défiant le priman'ak. Lorsque je ferai face à des dizaines de chefs en colère, je doute qu'une prière de guerre me soit d'une grande utilité.

— Alors c'est que vous n'avez rien compris, soupira Ackémios. N'avez-vous pas ressenti en vous un bouleversement lorsque vous avez lu les inscriptions gravées sur la stèle ? Les chefs de clan se plieront à la volonté du warrak porteur de la parole divine. L'Ominiak sera pour eux la preuve que le dieu de la guerre vous a choisi pour les guider dans l'adversité. Elle est la preuve que Kumlaïd s'est un jour adressé à vous. Je suis sidéré de vous voir si peu enclin à vous fier aux signes des dieux.

Ce que disait Ackémios était vrai. Ithan'ak n'arrivait pas à se résoudre à emprunter le chemin que le dieu de la guerre avait tracé pour lui. Il avait du mal à croire que Kumlaïd exigeait de lui qu'il transgresse les traditions des warraks.

— Qui suis-je pour remettre en question le jugement des dieux ? céda enfin le jeune chef. De toute manière, je ne vois aucune autre solution. Si Kran'ak demeure le chef suprême des armées warrak, je doute que notre peuple survive aux événements qui se préparent.

— J'entends enfin des paroles raisonnables, se réjouit Ackémios. Il est dommage que les hylianns ne puissent combattre avec vous l'armée de Kalamdir. Ce n'est pas le souhait de notre déesse. Comme vous l'avez si bien fait remarquer, qui sommes-nous pour douter des dieux ? Toutefois, rien ne vous empêche de demander l'aide du roi Filistant. Cet homme sait pertinemment que l'indépendance de son royaume ne sera pas éternelle. Si rien ne change, dans un avenir rapproché, les Küraniens tomberont sous la juridiction de Kalamdir. Le seigneur de Küran serait fou de ne rien faire pour vous aider.

— Dans ce cas, décida Ithan'ak, je quitterai cette île dès l'aube.

Le jeune chef jeta un dernier coup d'œil aux inscriptions sur la stèle, puis se dirigea vers les marches de pierre, invitant Ackémios à l'accompagner.

— J'aimerais vous poser encore une ou deux questions, dit le warrak d'un ton neutre.

— Je ferai de mon mieux pour y répondre, répondit l'hyliann d'or.

— Pour quelle raison Skeip devait-il nous accompagner, Elwym et moi ?

— Je craignais que si trop de gens vous accompagnent, expliqua Ackémios, le secret du cercle de pierre ne vous soit pas révélé. Même Kamélia, grâce à qui Elwym a pu me retrouver, ne pouvait venir jusqu'ici. D'ailleurs, je redoute de revoir cette jeune hyliann entêtée. Je sais qu'elle compte sur moi pour influencer le haut conseil des hylianns, ce que je ne peux faire. Voyez-vous, même pour une personne aussi vieille que moi, il est impossible de se préparer à ce genre de choses.

— Je comprends, dit le jeune chef, mais cela n'explique pas la présence de Skeip.

— C'est pourtant très simple, dit Ackémios. J'ignorais que les capacités magiques de votre bras vous permettraient de déchiffrer l'écriture ancienne qui figure sur la stèle, ce qui m'était aussi inaccessible qu'à vous. Comme par hasard, un keenox vous accompagnait. Vous n'êtes pas sans savoir que ces créatures sont capables de comprendre ou de lire n'importe quel langage. C'était la solution idéale. De plus, je désirais m'entretenir d'un important sujet avec votre compagnon.

Le warrak et l'hyliann d'or venaient de rejoindre l'emplacement où Skeip et Elwym dormaient profondément. Ackémios suggéra à Ithan'ak de dormir un peu et de terminer leur conversation le lendemain. Le jeune chef était mort de fatigue et accepta aussitôt la proposition.

— Je connais un magicien du nom de Vonth'ak, dit-il, alors qu'il cherchait une position confortable sur le sol dur et rocailleux. Plus d'une fois, grâce à une potion de sa confection, j'ai vu en rêve le cercle de pierre abritant l'Ominiak. Je suis impatient de voir sa réaction lorsque je lui apprendrai que ma vision s'est réalisée.

— Vous possédez vous-même des pouvoirs considérables, souligna Ackémios. J'ai aussi remarqué que vous portiez au cou une émyantine. Quel effet cette pierre a-t-elle sur vous ?

— Que voulez-vous dire ? demanda le jeune chef en bâillant.

— Les émyantines sont des pierres extrêmement rares et elles affectent, d'une manière ou d'une autre, l'individu qui la porte. Je me demandais de quelle façon elle agissait sur vous.

— Vous devez faire erreur, répliqua Ithan'ak, dont les yeux s'étaient fermés.

Ackémios voulut répondre, mais son interlocuteur s'était endormi presque instantanément.

Lorsqu'il fut réveillé par un rayon de soleil qui avait trouvé son chemin entre les feuilles des arbres, Ithan'ak eut l'impression de ne s'être reposé que quelques minutes. Il se redressa sur ses coudes, puis vit Elwym et Ackémios discuter à voix basse. Quant à lui, Skeip n'avait pas bougé et un timide ronflement s'échappait de ses lèvres.

Le jeune chef se frotta les yeux pour se réveiller et se leva tranquillement. Il constata aussitôt à quel point il était affamé. Sans réserve, il poussa Skeip à l'aide de son pied.

— La sieste est terminée, dit-il au keenox, qui se réveilla en sursaut.

— Je suis surpris de vous voir si matinal, dit Ackémios. Il est vrai qu'un guerrier tel que vous a l'habitude des nuits de sommeil incomplètes.

— N'en soyez pas si certain, bâilla Ithan'ak. Si je continue à ce rythme, je devrai bientôt apprendre à dormir debout. Je ne serais pas surpris de commencer à rêver tout éveillé.

— Skeip ! dit Elwym, qui était impatient de présenter Ackémios au keenox. Lève-toi et viens nous rejoindre, j'aimerais te présenter quelqu'un.

— Je n'ai aucune envie de faire de nouvelles connaissances aujourd'hui, répondit le rongeur à moitié endormi.

— Même s'il s'agit d'Ackémios, l'hyliann d'or ? le tenta son compagnon.

Cette fois, les petites oreilles du keenox se dressèrent sur sa tête. Il se retourna et fixa l'hyliann d'or de ses gros yeux globuleux, soudainement plus alerte. Malgré sa déprime, Skeip ne pouvait réfréner l'envie de rencontrer une légende vivante.

— Êtes-vous vraiment Ackémios, l'hyliann d'or ? demanda le rongeur, comme s'il n'était pas certain d'être bien éveillé.

— Je crois que la couleur de ma peau devrait suffire à te convaincre, répondit Ackémios. Que dirais-tu de te joindre à nous pour déjeuner ? J'ai pris la liberté d'apporter quelques délicieux fruits pour vous trois.

— Nous vous en sommes reconnaissants, le remercia Ithan'ak, dont les cris de son estomac sa faisaient plus insistants.

Sans prendre le temps d'inspecter l'éventail de fruits qu'avait apportés l'hyliann d'or, le jeune chef s'empara d'une pomme et en arracha la moitié en une seule bouchée. Elwym, plus réservé, prenait le temps de savourer sa poire juteuse.

— Êtes-vous le plus vieux des hylianns ? demanda Skeip, qui n'avait pas quitté Ackémios des yeux. J'ai entendu dire que vous aviez plus de cinq mille ans.

Ithan'ak voulut réprimander le keenox pour son manque de politesse, mais il n'en fit rien. Il était même heureux de voir le rongeur délaisser sa déprime et retrouver son entrain et sa curiosité naturelle.

— Je ne peux prétendre connaître tous les êtres qui peuplent la grande Nürma, admit Ackémios, mais je suis certainement l'hyliann le plus âgé du continent d'Anosios. Il y a longtemps que j'ai arrêté de compter, je peux toutefois affirmer avoir plus de deux mille ans.

— Vraiment ! s'étonna Skeip. Je croyais que vous étiez beaucoup plus vieux. J'ai entendu quelque part que les hylianns vivaient des milliers d'années.

— Il s'agit là d'une vérité un peu exagérée, expliqua l'hyliann d'or. Nous avons en effet une considérable longévité, quoi qu'elle puisse grandement varier d'un hyliann à un autre. Il est extrêmement rare que l'un de nous dépasse les mille cinq cents ans.

— Vous n'êtes pas très ridé pour quelqu'un de votre âge, souligna Skeip, en approchant pour mieux voir. Je n'ai d'ailleurs jamais vu un hyliann ayant l'air vieux.

— Tu es quelqu'un de très perspicace, le félicita Ackémios. Il est vrai que notre enveloppe physique n'est pas affectée par l'âge. Pourtant, comme toutes les autres races, nous sommes aussi sujets à une mort naturelle. Si notre corps ne vieillit pas, il en va autrement de notre âme. Cette étincelle, qui habite chaque être vivant, n'est pas éternelle. Sa force décroît avec le temps, jusqu'à ce qu'elle soit insuffisante pour maintenir la vie. Hormis pour les hylianns, cela n'arrive jamais, car la chair meurt généralement bien avant que l'âme dépérisse.

— Vous m'avez expliqué pourquoi les hylianns vivent si longtemps, souligna Skeip, j'aimerais maintenant savoir pourquoi ceux de votre race n'atteignent pas tous votre âge.

— Je médite depuis longtemps sur cette question, dit sérieusement Ackémios. La seule conclusion logique que j'ai pu trouver est qu'il n'y a aucune âme qui se ressemble. Il est probable que certaines soient beaucoup plus robustes que d'autres, ce qui pourrait être lié directement au caractère et à la personnalité des individus. J'aimerais mieux comprendre ce phénomène, qui me hante depuis des siècles. Il n'est pas très gai de survivre à tous les gens qu'on a un jour connus et aimés.

La dernière réflexion d'Ackémios vint rappeler à Skeip qu'il était lui-même le dernier de sa race. Jamais plus il ne rencontrerait un de ses semblables. Après sa mort, les keenox ne seraient plus qu'un souvenir, qui tomberait rapidement dans l'oubli.

— Je comprends ta solitude, le consola l'hyliann d'or, qui avait remarqué le changement d'humeur du keenox. Être l'unique survivant de son peuple n'a rien de réjouissant.

— Qui vous a révélé la raison de ma tristesse ? pleurnicha Skeip.

— Cela te paraîtra peut-être incroyable, mais la déesse Hélisha m'a fait part de tes tourments.

— Vraiment ! dirent Ithan'ak et Elwym à l'unisson.

Il leur paraissait improbable que la divinité s'intéresse au sort du rongeur.

— Pourquoi mentirai-je ? continua Ackémios. Il semblerait que la déesse, malgré son penchant pour les hommes et les hylianns, ait cette fois-ci à cœur l'intérêt des warraks et des keenox.

— Il ne reste qu'un seul keenox, rappela Skeip, au bord des larmes.

— En es-tu vraiment certain ? demanda l'hyliann d'or. Crois-tu vraiment que le monde se limite au continent d'Anosios ?

— Insinuez-vous que les autres continents sont peuplés de keenox ? s'intéressa Ithan'ak.

Une lueur d'espoir était apparue dans les yeux de Skeip. À présent, il croisait ses maigres doigts pour que la réponse d'Ackémios soit positive.

— Je n'ai rien dit de tel, rectifia l'hyliann d'or. Je sais toutefois que le moment venu Skeip devra entreprendre un long voyage pour le découvrir.

— Vous ignorez s'il existe d'autres keenox que moi, se désola Skeip. Vous ne devriez pas créer ainsi la confusion dans mon esprit.

— Je sais que la déesse Hélisha désire que tu entreprennes ce voyage, signala Ackémios. Comme je l'ai déjà expliqué à Ithan'ak, il est extrêmement rare que les dieux entrent en contact avec les mortels. Pour qu'une divinité se soit intéressée à toi, cela doit être d'une extrême importance.

— Les paroles d'Ackémios sont remplies de sagesse, intervint Ithan'ak. Tout porte à croire que tu dois effectuer ce périple pour assurer l'avenir des keenox.

Cette révélation déstabilisa Skeip comme jamais auparavant. De nouvelles perspectives s'ouvraient à lui, sans qu'il ait aucune certitude. Ébranlé, il n'arrivait pas à choisir entre les émotions fondamentalement opposées qui se disputaient en lui. Le keenox demeura un instant immobile, comme s'il cherchait à savoir quelle attitude adopter.

Ce fut finalement l'éternel enthousiasme du rongeur qui emporta la partie. Il ne fallait pas davantage qu'une lueur d'espoir pour lui redonner son aplomb.

— Je deviendrai le sauveur des keenox, dit-il d'un ton jovial. Je suis certain que le nom de Skeip deviendra aussi important chez les keenox qu'Akum l'est pour les warraks.

En entendant l'élucubration de Skeip, Ithan'ak se surprit à éclater de rire. Il n'aurait jamais cru être aussi heureux d'entendre de nouveau les extravagances du rongeur, qui lui avait si souvent donné des maux de tête dans le passé.

— Mes descendants chanteront et prieront en mon honneur, continua Skeip, faisant fi de la réaction du jeune chef. Je suis certain que l'histoire retiendra mon nom.

— J'espère qu'ils réserveront une petite place pour tes amis dans les livres d'histoire, suggéra Elwym, heureux de revoir enfin le véritable Skeip.

Skeip se sentait de nouveau débordant d'énergie. Il engouffra quelques fruits à une vitesse fulgurante, s'arrêtant seulement pour respirer et glorifier sa renommée future. Lorsqu'ils eurent terminé leur repas, Ithan'ak annonça qu'il était temps de partir, car il désirait être de retour au palais d'Estragot en milieu d'après-midi.

Ackémios proposa d'accompagner les trois compagnons jusqu'à la plage, ce qui lui donnerait l'occasion de bavarder avec eux encore un peu. De jour, le trajet dans la forêt était beaucoup moins long et la plage apparut vraiment trop rapidement ; selon le désir de Skeip.

— J'ai encore des centaines de questions, dit-il à Ackémios. Accompagnez-nous sur le continent. Je suis convaincu que je pourrais moi-même vous apprendre une foule de choses.

— Je n'en doute pas, dit gentiment l'hyliann d'or. Malheureusement, une autre destination m'attend, où j'espère trouver des réponses concernant les ombres meurtrières dont les ravages deviennent de plus en plus fréquents.

— Dans ce cas, trancha Skeip, j'aimerais que vous répondiez à une dernière question. Pourquoi avez-vous la peau dorée, alors que celle de tous les hylianns est argentée ?

— Je suis surpris que tu ne me l'aies pas demandé avant, dit Ackémios en souriant. Peut-être sais-tu déjà que chaque hyliann est constitué d'une part de magie. Ironiquement, il nous est impossible de devenir magicien, mais cela est une autre histoire. Lorsque j'étais encore jeune, tous les hylianns avaient une peau dorée comme la mienne. À cette époque, la magie était beaucoup plus présente qu'aujourd'hui dans notre monde. Pour différentes raisons, elle a progressivement diminué, devenant par le fait même moins puissante, jusqu'à ce qu'elle disparaisse presque entièrement. Sur le continent d'Anosios, l'Érodium fut le point culminant de ce déclin. Au même moment, des événements aussi destructeurs avaient lieu ailleurs sur Nürma. Dès les premiers signes avant-coureurs de l'effondrement de la magie, les hylianns furent directement affectés par ce bouleversement. Le premier changement fut chez les nouveau-nés, dont la peau était argentée. Par la suite, le phénomène se répandit à la plupart des enfants et même des adultes. Progressivement, la couleur de leur peau passa de la teinte dorée à l'argenté. Curieusement, certains furent épargnés par cette transformation, mais aucun n'a survécu jusqu'à nos jours ; excepté moi.

— Voilà pourquoi certaines étoiles sont dorées, déduisit Skeip, heureux de sa découverte. Elles sont en quelque sorte le témoignage laissé par les hylianns morts avant le déclin de la magie.

— On ne peut rien te cacher, commenta Ackémios. À présent, lorsqu'un hyliann meurt, une nouvelle étoile argentée apparaît. Un jour, une dernière étoile dorée ira rejoindre ses semblables. Ma mort marquera la fin d'une époque pour les hylianns.

— Si je comprends bien, intervint Ithan'ak, l'aura qui entoure continuellement les magiciens n'était pas argentée autrefois. Ils bénéficiaient d'une source magique plus puissante.

— En effet, confirma l'hyliann d'or, mais cela ne faisait pas nécessairement d'eux des magiciens plus habiles. Une plus grande force exige un plus grand contrôle.

— Nous vous remercions pour ces précisions, dit Ithan'ak. Le moment est venu pour nous de partir.

Il jeta un coup d'œil à la mer, inquiet de s'y aventurer de nouveau. Le warrak se demandait s'il aurait autant de chance qu'à la dernière traversée, durant laquelle il n'avait eu aucun malaise ; ce qui tenait du miracle. Soudain, il se rappela la conversation qu'il avait eue avec Ackémios la nuit précédente, juste avant de s'endormir.

— L'émyantine me préserve des effets néfastes que l'eau exerce sur les warraks ! s'exclama le jeune chef, en présentant la pierre à l'hyliann d'or. Vous aviez raison de dire que ces pierres affectent ceux qui les portent. Tout devient clair à présent.

Le jeune chef ne pouvait contenir son enthousiasme. Il tira Skeip par le bras et l'obligea à plonger dans l'eau avec lui. Ithan'ak découvrait avec joie une nouvelle sensation, celle de son corps enveloppé par l'eau, sans pour autant ressentir la douleur. Skeip l'accompagnait volontiers dans cette découverte, l'éclaboussant de toutes ses forces en agitant ses pieds et ses bras.

— Ithan'ak a énormément changé depuis ma première rencontre avec lui, intima Elwym à Ackémios.

— Ce n'est pas un warrak ordinaire, répliqua l'hyliann d'or. Pour accomplir son destin, il doit s'élever au-dessus de ses semblables. Je n'ai aucun doute qu'il deviendra une légende et un modèle pour les générations futures.

Ithan'ak et Skeip continuèrent à barboter quelques instants, jusqu'à ce qu'Elwym rappelle au jeune chef que le roi Filistant attendait probablement son retour. À contrecœur, le warrak dut interrompre la première baignade de toute sa vie.

Les trois voyageurs dirent au revoir à Ackémios et s'embarquèrent sur leur pirogue à balancier. L'hyliann d'or, plongé dans ses réflexions, observa la petite embarcation s'éloigner sur la mer Mysianne. Si les négociations des hommes avec les nains étaient un succès, l'armée du roi Limius serait bientôt de retour de sa campagne dans le nord. Les warraks, même en faisant des Küraniens leurs alliés, avaient peu de chance de remporter la victoire. Ackémios regrettait de ne pouvoir intervenir auprès des hylianns et de les inciter à épouser la cause des warraks. La déesse Hélisha le lui avait interdit et il avait suffisamment d'expérience pour savoir qu'il était mal avisé de défier la volonté des dieux. Il était sûr qu'en temps voulu les hylianns auraient leur rôle à jouer dans les bouleversements que connaissaient les différents peuples d'Anosios.

Chapitre 14

Comme toujours, dans la salle verdoyante où reposait le trône royal du château d'Estragot, une foule de curieux étaient venus assister aux audiences de la journée. Confortablement installé dans son trône de bois, le roi Filistant écoutait le plaidoyer de l'ambassadrice de Lelmüd. Le monarque était de taille moyenne et plutôt mince, sans pour autant être frêle. Ses cheveux étaient longs et gris, de même que sa barbe. Les traits de son visage trahissaient à peine ses soixante-cinq ans, ce dont il était très fier. Les habits qu'il portait reflétaient la sobriété caractéristique du suzerain de Küran. Il était vêtu d'une chemise rouge et jaune et d'un pantalon en cuir brun, et seule la couronne qu'il portait témoignait de la royauté de l'homme à qui s'adressait Kamélia.

— Il est impératif pour l'avenir de votre peuple, plaidait l'ambassadrice, que les Küraniens acceptent de se joindre aux warraks. Bien que le royaume de Küran n'ait encore subi aucun préjudice de la part du roi Limius, cela ne saurait tarder. Rappelez-vous que son père a autrefois annexé les divers royaumes de ses alliés pour former Kalamdir. Le tyran qui y règne aujourd'hui n'est pas différent. Dès qu'il en aura l'occasion, il envahira vos terres, et le palais d'Estragot ne sera plus qu'un souvenir.

— J'entends ce que vous me dites, la coupa Filistant, mais je ne vois aucune preuve tangible. Je vous concède que le roi Limius est un homme très puissant, c'est pourquoi j'ai toujours évité d'attiser sa colère. Tant que je lui fournirai des hommes pour alimenter son armée, il laissera nos terres en paix. Il en est ainsi depuis des années et je ne vois aucune raison pour laquelle cela changerait.

Le monarque tourna la tête afin d'observer la réaction de ses conseillers. Il s'agissait d'une dizaine d'hommes à l'air austère, qui semblaient ravis de la position adoptée par leur roi. Ce dernier, dès le début de son règne, avait eu du mal à prendre seul des décisions importantes. Il s'était donc entouré d'individus dont le jugement était éclairé, afin d'éviter de commettre un jour une bêtise. Alors qu'il vieillissait, le monarque s'appuyait de façon récurrente sur l'opinion de ces personnages, qui lui dictaient parfois même sa conduite.

Lorsque ces conseillers avaient entendu dire qu'un warrak demandait audience auprès du roi de Küran, ils avaient immédiatement anticipé la raison de sa venue : recruter un nouvel allié pour combattre le roi Limius. La cohorte d'hommes qui conseillaient le monarque était bien entendu contre cette idée, qui risquait selon eux d'attiser la colère de leur puissant voisin. Ils étaient surtout anxieux de perdre leur vie paisible et confortable, ce qu'ils dissimulaient avec aisance. À présent, ils profitaient de la désertion du warrak pour convoquer et discréditer ses alliés.

— Êtes-vous véritablement insensible au sort qui guette les warraks ? s'entêtait Kamélia.

— Les warraks auraient dû demeurer à l'abri sur la pointe d'Antos, intervint un conseiller. Notre roi n'est aucunement responsable de leur sort.

Le monarque, en signe d'approbation, hocha la tête vers l'homme qui avait pris sa défense, puis se concentra de nouveau sur l'ambassadrice. Celle-ci était accompagnée d'un bosotoss, ce qui était hors du commun. Kamélia aurait aimé que Simcha vienne appuyer sa cause, mais le pirate avait catégoriquement refusé.

— Je constate que les hylianns sont en relation avec toutes les races, dit le souverain, même avec les solitaires bosotoss. Pourquoi n'aident-ils pas eux-mêmes les warraks, si la cause de ce peuple leur tient tant à cœur ? Pourquoi devrais-je sacrifier la paix de mon royaume, alors que les vôtres se terrent dans leur forêt ?

Cette fois-ci, l'ambassadrice de Lelmüd n'avait rien à répondre. Elle ouvrit la bouche pour répliquer, mais rien ne sortit. Fork s'apprêtait à venir au secours de Kamélia quand les yeux du monarque et de ses conseillers se détachèrent de leur proie pour fixer le fond de la salle.

Ithan'ak, flanqué de Skeip et d'Elwym, venait de faire son entrée dans la salle du trône. À son arrivée au palais, on lui avait appris que Kamélia avait été convoquée devant le roi Filistant, ce qui ne l'avait guère réjoui. Il était évident que sans la présence du jeune chef l'ambassadrice n'avait aucune chance de gagner le roi de Küran à la cause des warraks.

— Je suis Ithan'ak, chef du clan des kourofs. Je souhaite m'entretenir avec le seigneur du royaume de Küran.

— Vous n'avez pas été convoqué, s'opposa l'un des conseillers. Je vous prierais de vous retirer et nous évaluerons votre requête.

— L'ambassadrice de Lelmüd, répliqua le jeune chef, plaide en ce moment même la cause de mon peuple. J'estime qu'il est naturel que je sois présent lors de cet entretien.

— Il a raison, trancha le roi Filistant. Laissons le warrak nous faire part de son point de vue. Cela ne nous engage à rien.

— Voilà des paroles emplies de sagesse, le flatta Ithan'ak. Je vous remercie de m'accorder une audience.

La tête haute, Ithan'ak avança au centre de la salle, se plaçant un peu devant Kamélia et Fork. Skeip et Elwym le suivirent, se contentant de rester derrière lui. Ithan'ak était en pleine possession de ses moyens. D'une manière ou d'une autre, il devait plier le monarque à sa volonté.

— Les warraks assiègent depuis plusieurs mois la cité d'Ymirion, commença-t-il. De plus, nous opérons des raids dispersés sur le royaume de Kalamdir. Nul ne peut douter de notre bravoure et de la justesse de notre cause. Il faudrait être stupide pour refuser de reconnaître la menace grandissante que représente le roi Limius. Nous devons gagner notre liberté en combattant, ou mourir en essayant. Les miens se sont déjà engagés dans cette voie et je suis ici pour savoir si les Küraniens oseront prendre les armes à nos côtés, ou s'ils resteront paisiblement à l'écart jusqu'au jour où ils deviendront eux-mêmes la cible de leur voisin de l'ouest.

— Ce sont là les paroles d'un grand guerrier, remarqua le roi. Toutefois, je me demande pourquoi elles ne me sont pas adressées directement par votre priman'ak. D'après mes informateurs, ce dernier ne souhaite pas voir mon royaume joindre ses forces aux siennes. De plus, il semblerait que votre clan ait été banni dans le déshonneur. Je ne doute pas que vos intentions soient louables, mais vous n'êtes pas en position de demander mon aide.

— Vous êtes bien renseigné, le complimenta Ithan'ak, ce qui prouve que vous êtes quelqu'un de prudent. J'ai peine à comprendre pourquoi vous ne pressentez pas la fin imminente de votre royaume. Il est vrai que je ne suis pas priman'ak et que les warraks sous mon commandement ne sont plus les bienvenus parmi les autres clans. Toutefois, je peux vous assurer que tout cela est sur le point de changer. Bientôt, je retournerai au sein des miens et prendrai la tête de tous les warraks. Je vous demande de me faire confiance et de montrer au roi Limius que vous n'êtes pas le pantin qu'il a toujours vu en vous.

— Vous me demandez surtout d'appuyer la mutinerie que vous fomentez, tonna le suzerain de Küran. Je reconnais en vous un traître et un manipulateur. Le haut conseil des hylianns et le chef suprême des armées warraks n'ont pas demandé mon aide. Tout ce que j'ai devant moi est un chef de clan déchu et ses marionnettes ; rien qui puisse me convaincre d'entraîner mes sujets dans une guerre que je souhaite éviter. Sachez que mes trois fils sont morts au combat et que je n'ai pas l'intention de faire subir le même sort à mon peuple.

— Seulement deux d'entre eux ont quitté le monde des vivants, intervint un homme dissimulé dans l'assistance. Le fait que le troisième est mort dans votre esprit ne signifie pas qu'il ne foule plus la même terre que vous.

Enveloppé d'un large manteau gris à capuchon, l'homme cachait délibérément son visage. Tout en conservant l'anonymat, il avança tranquillement vers le trône. Le suzerain Filistant, contrairement au roi Limius, n'était pas constamment entouré de gardes.

— Reculez, manant ! somma l'un des conseillers du roi. Vous devriez être châtié pour avoir pris la parole sans y être invité.

— Est-ce ainsi que sont traités les fidèles sujets du roi Filistant ? demanda l'inconnu. Il semblerait que les viles manières des Kalamdiens aient empoisonné le royaume de Küran.

L'homme n'avait toujours pas montré son visage. Cela n'avait pas empêché Ithan'ak de reconnaître le pirate qui dissimulait son apparence. Il ignorait où l'homme borgne voulait en venir et était impatient de le découvrir.

— Qu'on appelle la garde, ordonna le conseiller situé immédiatement à la droite du roi.

— Allez-y, l'encouragea l'homme au capuchon, qui s'était placé devant Ithan'ak, à moins d'une dizaine de pas du trône royal. Je vous offre ma vie, si cela peut ouvrir les yeux de mon roi. Contempler mourir le fils qu'il croyait perdu à jamais rendra peut-être un peu de jugement à mon père.

Debout devant le roi Filistant, Simcha releva la tête haute et souleva le capuchon qui couvrait son visage, révélant ainsi sa longue chevelure noire. Ses traits carrés reflétaient sa détermination, de même que la vivacité de son œil valide.

Depuis son trône, le roi épiait chaque caractéristique physique de l'homme qui se tenait devant lui. Il cherchait désespérément une preuve qui confirmerait l'identité de ce dernier. Ce ne fut que lorsque le monarque plongea son regard dans celui de Simcha qu'il reconnut enfin le fils qu'il croyait mort depuis tant d'années. Le choc était trop grand pour que le souverain puisse contenir ses émotions. De nombreuses larmes coulaient le long de ses joues, ce qui lui était parfaitement égal. Incapable de détacher son regard de celui de son fils, il se moquait éperdument de tous ceux qui l'observaient.

— Si mes yeux me trompent, déclara-t-il, plus jamais je ne veux voir. Je ne puis supporter de me fier entièrement à eux, alors que mon fils revient d'entre les morts et se présente devant moi en tant qu'homme.

Le suzerain de Küran se leva et avança très lentement vers Simcha, comme s'il tenait à prendre la mesure de ce moment.

Lorsqu'il fut suffisamment près, il leva le bras et posa une main sur la joue de son fils.

— Silius, dit tout bas le monarque. Que le dieu de la végétation, qui veille sans relâche sur mon peuple, soit glorifié d'avoir ramené mon fils d'entre les morts.

— En effet, dit Simcha, le jeune Silius que vous avez élevé est mort. Aujourd'hui, c'est un homme qui vient vers vous et qui demande d'être de nouveau le bienvenu dans votre palais.

— Cette vieille querelle qui nous a autrefois séparés n'a plus sa raison d'être. Tu es de retour et je n'ai aucun doute qu'il s'agit là d'un signe des dieux. Je crois qu'il est temps pour moi d'écouter la volonté de mon fils.

— Tout d'abord, dit le pirate, je vous saurais gré de m'appeler Simcha. Je sais que ce nom vous est étranger, mais c'est sous cette identité que je suis devenu un homme.

Ithan'ak, ainsi que Fork, Skeip, Kamélia et Elwym, avaient du mal à croire à la scène qui se déroulait devant eux. Il leur apparaissait que le pirate, le malfrat qu'ils connaissaient, était en vérité prince et héritier du royaume de Küran. Une telle improbabilité tenait presque du miracle. Le jeune chef était incapable d'attendre plus longtemps qu'on lui explique l'étrange relation qu'entretenaient Simcha et celui qu'il appelait maintenant père.

— Veuillez m'excuser d'interrompre vos retrouvailles, commença Ithan'ak. J'aimerais comprendre ce qui vient d'arriver.

— Pardonne-moi d'avoir mis fin à tes négociations, dit Simcha, en se tournant vers le warrak. Je suis conscient que je vous dois à tous des explications. Comme vous l'aurez compris, je suis l'unique survivant des trois fils du roi Filistant.

— Imposteur ! clamèrent les conseillers du roi, qui n'avaient pas réagi jusque-là. Les fils du seigneur de Küran ont depuis longtemps rejoint les dieux et nous sommes les seuls habilités à reconnaître la succession du royaume.

— Votre autorité s'arrête où ma volonté commence, répondit durement le roi Filistant. Qui êtes-vous pour insinuer que je suis incapable de reconnaître mon propre enfant ? Disparaissez de ma vue et restez à l'écart tant que je ne vous aurai pas conviés.

Retrouver son fils était comme une renaissance pour le monarque. Il se sentait plus vivant qu'il ne l'avait jamais été. Il se découvrait une vitalité et une volonté d'agir qu'il n'avait jamais eues. Il désirait entendre de nouveau les exhortations des amis de son fils.

— Que diriez-vous de continuer notre discussion devant un bon repas ? demanda-t-il à Ithan'ak.

— Mes compagnons et moi-même n'attendions pas autant de largesses de votre part, répondit le jeune chef. Nous acceptons avec plaisir votre invitation.

Simcha affichait un sourire plus sincère et plus prononcé qu'il ne l'avait jamais fait. Le pirate semblait s'être libéré d'un poids invisible qui lui pesait depuis trop d'années. Il ne s'était jamais rendu compte à quel point dissimuler sa véritable identité lui avait été pénible. Le jeune Silius avait toujours occupé une place en lui, bien que le nom de Simcha fût celui auquel il s'identifiait maintenant davantage.

— Vous devrez nous donner quelques explications, mentionna l'ambassadrice de Lelmüd, alors qu'elle passait à côté de l'homme borgne.

Jusqu'à récemment, elle ne connaissait Simcha que par sa fâcheuse réputation. Cet homme, qu'elle haïssait avant même de le connaître, s'avérait très différent de ce à quoi elle s'attendait. En effet, il était entouré de mystères et sa personnalité était beaucoup plus complexe qu'il n'y paraissait.

— Suivez-moi, dit le pirate. Si cela n'a pas changé, les festins offerts par mon père sont les meilleurs de tout le continent d'Anosios.

— Pourvu que tu ne nous serves pas de nouveaux mensonges, le railla Elwym, mécontent de la situation.

La nouvelle identité de Simcha n'avait pas changé l'opinion que l'hyliann avait de lui. Aux yeux d'Elwym, rien ne pourrait effacer la traîtrise de l'homme borgne. Sans pouvoir justifier la raison, il le tenait responsable de toutes les barbaries qu'avaient un jour commises les hommes.

— Nous sommes dans le château de son père, rappela Ithan'ak à Elwym. Tu as droit à ton opinion, mais j'estime que tu devrais te montrer cordial durant notre visite. À moins que tu aies oublié la raison de notre présence.

— Continuez à vous quereller si vous le voulez, intervint Fork. Pour ma part, je suis affamé et j'ai l'intention d'abuser de l'hospitalité de notre hôte.

— Après tout, ajouta Skeip, nous sommes des invités de marque. Ma destinée est de redonner vie à mon peuple. Je fais un grand honneur à ce palais en acceptant d'y résider.

L'affirmation du rongeur n'avait rien de plus sérieux, ce qui amusa Simcha au plus haut point. Il avait été idiot de penser que Skeip ne retrouverait jamais sa bonne humeur et son excessive estime de soi.

— Je vais m'assurer qu'on te donne le meilleur siège, décida le pirate. J'ai entendu dire qu'on t'appelait maintenant le

Pourfendeur de dragons. Il ne faudrait pas minimiser une visite aussi importante.

Le commentaire de Simcha fit grandement plaisir au keenox, qui avait toujours entretenu de bonnes relations avec le pirate. Du moins avant que ce dernier le livre au roi Limius. Fier, Skeip suivit l'homme borgne jusqu'à une immense salle réservée aux banquets.

Tout en dévorant les plats qu'avaient mis à leur disposition les cuisiniers du palais, les convives discutaient de la suite des événements. Le roi Filistant détenait des informations qu'il avait gardées pour lui jusque-là. D'après ses sources, les nains avaient accepté la trêve avec Kalamdir et l'armée du nord du roi Limius avançait à vive allure vers Ymirion. Cela inquiétait beaucoup Ithan'ak, qui jugeait le priman'ak incapable de prendre les dispositions nécessaires pour préparer les warraks à cet affrontement inévitable.

— Cette fois, affirma fièrement Simcha, les Küraniens combattront à vos côtés. Je sais que cela ne suffira pas à égaler le nombre de nos ennemis, mais notre volonté emportera la victoire.

Le roi Filistant leva sa coupe au-dessus de la grande table rectangulaire, signe qu'il approuvait les propos de son fils. Tous les invités les imitèrent, ravis par l'initiative de Simcha. Seul Elwym, qui avait adopté un air renfrogné depuis le début du repas, s'abstint de lever sa coupe.

— Je serais prêt à parier que tu n'as même pas pensé que des centaines de Küraniens faisaient partie de l'armée de Kalamdir, dit-il à l'intention du pirate. Je suis curieux de savoir si tu as prévu les massacrer eux aussi.

Simcha fixa l'hyliann de son œil valide. Il aurait aimé lui faire ravaler ses paroles, mais il ne voulait pas gâcher l'ambiance festive qui régnait. Ce fut finalement Kamélia qui vint à son secours.

— Il y a une solution pour chaque problème, affirma l'ambassadrice. Je suis certaine que nous trouverons un moyen de retourner cette situation à notre avantage.

— Ne vous inquiétez pas pour les Küraniens que j'ai condamnés à servir le roi Limius, les rassura le roi Filistant. Silius, devrais-je plutôt dire Simcha, m'a de nombreuses fois reproché cette infamie avant de s'exiler de mes terres. Il croyait que je ne l'écoutais pas, ce qui était une demi-vérité. En effet, je n'osais pas défier directement le tyran de Kalamdir. Toutefois, cela ne m'empêchait pas de donner des directives aux soldats que je lui fournissais. Le moment venu, nous pourrons compter sur leurs épées.

Elwym était hors de lui. Toutes ses tentatives pour discréditer Simcha s'étaient retournées contre lui. À présent, il avait l'impression que Kamélia soupirait chaque fois qu'il ouvrait la bouche. Cela lui était plus qu'insupportable. Sans s'excuser, il se leva et quitta la table pour regagner sa chambre. Ce départ précipité mit tout le monde mal à l'aise, à l'exception de Skeip qui comprenait la réaction de l'hyliann.

— Le pauvre, dit-il, je crois qu'il était furieux qu'on m'ait donné un meilleur siège que le sien. Je lui proposerai ma place si jamais il revient.

Comme toujours, l'intervention inusitée du keenox détendit l'atmosphère.

— Il y a longtemps que je n'avais pas invité un bosotoss à ma table, souligna le roi Filistant. J'avais oublié à quel point vous êtes peu loquace.

Le commentaire du monarque gêna au plus haut point le colosse, qui laissa tomber dans son plat la pièce de viande qu'il tenait de ses trois gros doigts. Occupé à dévorer tout ce qu'on lui apportait, il n'avait rien dit depuis le début du repas.

— Je ne me rappelle pas avoir déjà vu autant de nourriture, expliqua-t-il. Il est rare que ceux de ma race mangent à leur faim.

Un court moment, le suzerain de Küran écouta le géant se fondre en excuses. Il était comique d'entendre ce monstre demander pardon comme un enfant.

— Je suis impatient de voir combien de services vous pourrez engloutir, dit le monarque. Qu'on apporte à ce goinfre tout ce qu'il pourra manger. Il est rarissime de pouvoir assister à un spectacle aussi unique.

— Vous mettez votre fortune en jeu, signala Ithan'ak. Je ne suis pas certain que Fork possède un estomac comme le nôtre.

— Il faudrait donc considérer cette dépense comme une expérience, rigola Simcha, qui arriva à décrocher un sourire à l'ambassadrice de Lelmüd.

— Je prendrai la route dès demain, dit Ithan'ak d'un ton plus sérieux. Je dois parler aux différents chefs de clans le plus rapidement possible.

— Es-tu certain que ce soit une bonne idée ? demanda Fork. Tu sais comme moi que tu seras reçu et traité comme un traître.

— Je dois tenter ma chance, dit fermement le jeune chef. Il est primordial que les warraks unissent leurs forces à celles des Küraniens.

— Dans ce cas, trancha le bosotoss, je traverserai cette épreuve avec toi.

— Impossible, le contredit Ithan'ak. Ta présence ne ferait que nuire à mon dessein. J'ignore où me mènera le chemin que je m'apprête à emprunter, mais je dois m'y aventurer seul.

Tous les convives observaient le jeune chef, impressionnés par sa force de caractère et son dévouement. Même Simcha, qui l'avait souvent considéré comme un rival, ne pouvait s'empêcher de l'admirer. Quant à Kamélia, elle cherchait un moyen d'appuyer l'initiative du warrak. Quelques mois plus tôt, elle avait confié à Elwym une ambitieuse mission : retrouver Ackémios, l'hyliann d'or. Elle avait cru qu'en informant son ancêtre de la situation celui-ci interviendrait et ordonnerait aux hylianns de prendre les armes. Elwym s'était rapidement montré à la hauteur de la tâche qui lui avait été confiée. Il avait retrouvé l'hyliann d'or sur une île située en mer Mysianne et avait fait parvenir un message à l'ambassadrice. Malheureusement, la missive n'était pas ce à quoi s'était attendue Kamélia. Plutôt que de réintégrer la communauté des hylianns, Ackémios désirait que l'ambassadrice mène jusqu'à lui un warrak dénommé Ithan'ak. Cette requête avait surpris Kamélia, qui s'était bien entendu pliée au désir de l'hyliann d'or.

— Est-ce qu'Ackémios vous a dit s'il comptait intervenir auprès du haut conseil des hylianns ? demanda-t-elle à Ithan'ak.

Tous les regards se tournèrent vers elle. Fork, Simcha et le roi Filistant ignoraient que l'hyliann d'or s'était. En effet, les hylianns avaient soigneusement gardé cette information secrète. Kamélia n'éprouvait aucun remords d'avoir divulgué le secret.

D'après elle, il était temps que son peuple cesse de se cacher et participe plus activement aux affaires du continent.

— Pour des raisons que je n'évoquerai pas, répondit Ithan'ak, Ackémios n'interviendra pas dans le conflit qui ronge Anosios. Bien qu'il ne s'oppose pas à l'implication des hylianns, j'ai l'intime conviction que les dieux ont d'autres projets pour eux.

— C'est absurde, s'emporta l'ambassadrice. Notre peuple ne peut détourner le regard, alors que les warraks et les Küraniens sont prêts à donner leur vie pour notre sécurité. L'armée du roi Limius vous surpasse plusieurs fois en nombre et notre appui ne sera pas de trop.

— J'ai choisi de faire confiance à Ackémios, trancha le jeune chef. À vous de décider si vous avez foi en la sagesse de votre ancêtre. Demain, Fork retournera auprès des bosotoss et des kourofs, dans le but de les guider jusqu'au lieu où j'espère affronter les troupes de Kalamdir. Skeip l'accompagnera, afin d'être de nouveau sous la protection de Vonth'ak, qui est le seul à pouvoir lutter contre le magicien d'Ymirion. Si vous désirez participer à la guerre qui se prépare, je suggère que vous les accompagniez. Je suis certain qu'Elwym en fera de même. De cette façon, vous représenterez les hylianns qui seront absents.

Kamélia savait qu'Ithan'ak tentait de l'amadouer, mais elle accepta tout de même de suivre Fork. En tant qu'ambassadrice, elle se devait d'être présente au combat, à titre symbolique.

— Pour ma part, je représenterai les keenox, décida Skeip, qui avait placé une patte sur sa poitrine. Mes descendants seront fiers que leur peuple ait participé à ce combat historique.

Encore une fois, Skeip suscita des rires à moitié couverts autour de lui. Le repas était terminé depuis un bon moment, même pour Fork, et la fatigue gagnait peu à peu les invités du roi

Filistant. Particulièrement Ithan'ak, dont la nuit précédente n'avait pas été d'un grand repos. De concert, le jeune chef et ses compagnons se levèrent pour regagner leurs chambres. Seul Simcha demeura à sa place, avide d'entretenir une discussion en tête à tête avec son père. Skeip, dont la déprime était définitivement passée, voulut rester avec eux, ce qu'Ithan'ak lui interdit. Le jeune chef savait que les deux hommes étaient impatients de se retrouver seuls, ce que le keenox était incapable de saisir.

Les deux derniers jours avaient été bénéfiques à Ithan'ak. Avec l'aide de Simcha, il avait gagné le royaume de Küran à sa cause. De plus, il avait rencontré Ackémios, l'hyliann d'or, grâce à qui il avait découvert l'Ominiak. Armé de l'ancestrale prière de guerre des warraks, le jeune chef comptait défier de nouveau Kran'ak et rallier tous les chefs de clans. Il était conscient des risques que cela représentait. Vaincre le priman'ak en combat singulier, ce qui n'était pas gagné d'avance, n'était pas un gage de succès. Les coutumes des warraks interdisaient de défier le priman'ak avant la fin de son mandat. Ithan'ak s'apprêtait à malmener une nouvelle fois son honneur, auquel il tenait plus que tout au monde. Il faisait de son mieux pour étouffer le doute qui le rongeait, en essayant d'oublier tous ses écarts de conduite. Dans quelques jours, lorsqu'il marcherait sur le mince fil séparant le héros du traître, son destin et celui des warraks seraient scellés.

Chapitre 15

Une fois de plus, Kran'ak s'était réveillé d'une humeur noire. La récente attaque de la cité d'Ymirion avait été un cuisant échec. Le priman'ak se sentait critiqué de toutes parts et il n'avait pas hésité à faire tomber quelques têtes pour asseoir son autorité. Heureusement, Ithan'ak n'était plus qu'un souvenir et les chefs de clans avaient totalement perdu le respect qu'ils avaient entretenu pour le jeune chef des kourofs. Ce détail était comme un baume sur l'orgueil du priman'ak, qui avait du mal à gérer la situation actuelle. En effet, Kran'ak était à court d'idées. Jusque-là, son seul et unique objectif avait été de prendre par la force la cité d'Ymirion et ainsi éliminer la tête dirigeante de Kalamdir. En redonnant aux warraks la place qu'ils avaient perdue sur le continent d'Anosios, cela aurait fait de lui un héros historique.

Incapable d'innover et d'élaborer une nouvelle stratégie, le priman'ak avait opté pour le statu quo. Les warraks, qui avaient récemment perdu près de la moitié de leurs guerriers, assiégeaient donc toujours la capitale de Kalamdir. La plupart des chefs s'accordaient pour dire qu'un repli était nécessaire, mais la décision revenait à Kran'ak. Défier l'autorité que ce dernier avait acquise à la pointe de son glaive se résumait à déshonorer les traditions warraks.

La chaleur de l'après-midi était étouffante et des perles de sueur coulaient sur la fourrure du priman'ak. Agacé par les innombrables questions des chefs de clans concernant l'avenir des warraks, il s'était retiré sous sa tente. Alors qu'il vociférait des insultes à l'encontre des incapables qui l'entouraient, son épouse faisait de son mieux pour éviter de le contrarier davantage.

— Je suis le priman'ak et ils me doivent le respect, grognait-il. Je suis las de les entendre se plaindre constamment, essayant de m'inciter à lever le siège d'Ymirion. Je sais que je ne peux pas ordonner une nouvelle attaque contre la cité. Pourtant, me résoudre à quitter cet endroit serait pour moi un déshonneur. Je dois absolument trouver un moyen de me tirer de cette impasse.

— Pourquoi ne pas simplement convoquer tous les chefs de clans et leur expliquer la situation ? suggéra l'épouse de Kran'ak. Je suis certaine que leur estime pour toi n'en serait que plus grande.

Ce commentaire rendit le priman'ak encore plus colérique.

— Qu'ai-je fait pour mériter une épouse comme celle-ci ? demanda-t-il, comme s'il s'adressait directement au dieu de la guerre. Il est clair que je suis puni pour mon impatience. Il m'aurait suffi d'attendre quelques années et j'aurais pu avoir une celfide pour partager ma couche. Mikann, voilà une warrak digne de ma personne.

L'épouse du priman'ak frissonna en entendant des propos aussi choquants. Elle savait que sa mort permettrait à Kran'ak d'accéder à Mikann. L'honneur interdisait au chef de mettre fin aux jours de son épouse, mais celle-ci était certaine que le jour viendrait où la tension serait trop forte et qu'une mort prématurée s'abattrait sur elle.

— Hors de ma vue, rugit Kran'ak, qui avait remarqué le changement d'attitude chez la warrak. Je n'ai nul besoin d'une idiote qui tourne autour de moi pendant que j'essaie de réfléchir.

Affolée, l'épouse du priman'ak sortit de la tente, se retrouvant aussitôt nez à nez avec deux guerriers sciaks. Il s'agissait des principaux capitaines de Kran'ak, les rares individus à qui il accordait presque toute sa confiance.

— Nous devons voir immédiatement le priman'ak, dit l'un d'eux. Il s'agit d'une affaire de la plus haute importance.

— Ce n'est pas moi qui vous empêcherai de le voir, répondit la warrak. J'espère pour vous qu'il sera en de meilleures dispositions envers vous qu'avec moi.

Sans rien ajouter, l'épouse de Kran'ak s'éloigna en pleurant, laissant les deux guerriers pantois devant la tente.

— Qu'attendez-vous pour entrer ? les invectiva le priman'ak de l'intérieur. Je sais que vous êtes là ; je ne suis pas encore sourd.

Hésitant, le duo pénétra dans la demeure de leur chef. Ils savaient que la nouvelle qu'ils apportaient susciterait une vive réaction chez Kran'ak. Ces jours-ci, l'humeur du belliqueux warrak était si instable qu'il était impossible d'anticiper s'il serait ravi ou en colère, bien que la deuxième option était plus probable.

— Ithan'ak est de retour, dit simplement l'un des capitaines. Une patrouille l'a intercepté en périphérie du campement.

Le pouls du priman'ak s'accéléra et un rictus se dessina sur son visage. Les capitaines comprirent que leur chef comptait tirer profit de cette venue inattendue.

— J'avais perdu espoir de mettre la main sur cet imbécile, dit Kran'ak, d'un ton satisfait. J'aurai enfin le plaisir d'assister à sa mort. De plus, cela servira d'avertissement aux warraks qui daigneraient défier mon autorité. Combien de guerriers l'accompagnent ?

— Aucun, répondit l'un des deux subalternes. J'ai envoyé des éclaireurs s'assurer que son clan n'était pas dans notre secteur.

— Je me moque éperdument de son clan, cracha Kran'ak, pourvu qu'il ne soit pas accompagné de son magicien. Je ne veux pas avoir de mauvaises surprises. Menez-moi jusqu'à ce traître et voyons pour quelle raison il a eu la stupidité de revenir.

Comme une bête sauvage, Ithan'ak avait été enfermé dans une cage de bois. Il n'avait opposé aucune résistance aux warraks qui l'avaient appréhendé. Sans la moindre hésitation, il s'était séparé de son glaive. Dans un premier temps, le jeune chef s'était résigné à ne pas employer la force. Pour arriver à ses fins, il devait d'abord utiliser la ruse. Paisiblement assis sur le sol, il attendait la venue de Kran'ak. Il était certain que le priman'ak tiendrait à s'occuper de lui en personne.

La prédiction d'Ithan'ak ne pouvait s'avérer plus juste. Moins d'une heure suivant l'emprisonnement du chef des kourofs, Kran'ak était venu jusqu'à lui. Accompagné d'une dizaine de guerriers, le priman'ak ne voulait prendre aucun risque.

— Je dois avouer ma surprise, dit-il à Ithan'ak, lorsque j'ai appris que tu t'étais rendu docilement. Je suppose qu'on t'a informé de la récente défaite de notre peuple contre Ymirion et que tu comptes utiliser cela contre moi.

— Tu peux croire ce que tu désires, se moqua Ithan'ak. La vérité est que je suis revenu pour avertir le conseil des chefs du danger qui guette notre peuple.

— Les choses ont changé depuis la fuite honteuse de ton clan, l'informa Kran'ak. Les chefs qui plaidaient autrefois en ta faveur ont compris qu'ils avaient eu tort. Comme moi, ils souhaitent à présent ta mort. Tu pourras d'ailleurs le constater par toi-même, car ton exécution sera publique. L'heure est venue pour toi d'embrasser le destin qui attend tous les traîtres de ton espèce.

Silencieux, Ithan'ak ne réagissait pas aux paroles de son rival. La seule chose qui lui importait était d'être amené devant le plus grand nombre de warraks possible, ce que Kran'ak venait de lui accorder sans le savoir.

Lorsque les sbires du priman'ak ouvrirent la cage, aucun d'eux n'osa approcher le prisonnier. Bien que celui-ci fût désarmé, ils connaissaient sa force et son adresse au combat, ce qui incitait à la prudence. Ce comportement épuisa la patience de Kran'ak.

— Ce warrak est désarmé, cracha-t-il. S'il refuse d'obtempérer, usez de vos glaives pour le faire bouger.

— Ce ne sera pas nécessaire, déclara le jeune chef. Je n'ai aucune raison de m'opposer à eux.

De son plein gré, il se leva et sortit de la cage, en prenant soin de ne faire aucun mouvement brusque. Dix glaives étaient pointés sur lui, prêts à mordre sa chair au moindre écart de conduite.

— Je te félicite pour ta prudence, dit Ithan'ak en fixant Kran'ak. Il semblerait que tu aies compris qu'il est risqué pour toi de rester seul avec moi, même lorsque je n'ai pas d'arme.

— Silence ! tonna le priman'ak. Je n'ai peur de personne et encore moins d'un warrak qui profite de la nuit pour s'enfuir. Tes paroles n'ont pour moi aucune importance, car tu seras bientôt mort et oublié de tous.

Bien que Kran'ak fit de son mieux pour le cacher, l'affront d'Ithan'ak avait touché la cible. Malgré les efforts du priman'ak pour supprimer sa rage, ses yeux menaçaient de se teinter de rouge à tout moment.

Avant de se rendre auprès du prisonnier, Kran'ak avait fait annoncer la capture d'Ithan'ak, ainsi que son exécution imminente. Comme il le souhaitait, cette nouvelle s'était répandue rapidement et des centaines de warraks s'étaient réunis pour y assister. Ce serait l'occasion pour le priman'ak d'asseoir une fois pour toutes son autorité.

Alors qu'on le menait vers le lieu de sa mise à mort, Ithan'ak épiait la foule de warraks, qui le regardaient avec dédain. Certains lui jetaient même des pierres en le traitant de lâche et de traître. Le jeune chef, qui s'était attendu à ce genre de réaction, essayait de ne pas y porter attention. Il se concentrait plutôt sur les visages, parmi lesquels il espérait en discerner un en particulier.

L'agressivité des warraks devenait de plus en plus indomptable et la progression du prisonnier devenait hasardeuse. Lorsqu'un solide guerrier fonça dans les sbires de Kran'ak pour s'en prendre au jeune chef, aucun d'entre eux ne put arrêter son glaive. Le coup toucha Ithan'ak et le renversa sur le sol. Heureusement, la lame avait atteint sa hanche, où de solides écailles étaient dissimulées sous sa fourrure. Pendant un court instant, le chef des kourofs ressentit une grande douleur, qui disparut aussitôt. Étendu sur le dos, il sentait le poids des regards accusateurs portés sur lui. Parmi eux, une celfide à la fourrure rousse essayait de se frayer un chemin dans la foule. Ithan'ak la fixa intensément, jusqu'à ce que les yeux de Mikann croisent les siens. Il n'y avait aucune haine dans ceux-ci. On pouvait y distinguer la tristesse, voire la peur, mais la celfide n'éprouvait pas la même aversion que les autres warraks envers Ithan'ak. Au contraire, son regard dénonçait une profonde mélancolie, qui signifia au jeune chef qu'elle l'aimait toujours.

Rapidement, on remit Ithan'ak sur ses pieds et il perdit le contact visuel avec Mikann. Agressé de toute part, il ne pouvait s'y attarder. Toute son attention était portée sur l'estrade où Kran'ak et ses sbires le menaient. Ironiquement, ce sont ceux qui désiraient l'exécuter qui permirent au jeune chef de survivre dans la foule de warraks hostiles.

Le priman'ak monta d'abord sur l'estrade, tira son glaive et demanda à ses guerriers de lui envoyer Ithan'ak. Les deux rivaux pouvaient être vus par tous les warraks présents.

— Reconnaissez-vous celui qui a bafoué notre culture et nos traditions ? commença Kran'ak.

En réponse à l'interrogation du priman'ak, la foule hua sans retenue le chef des kourofs. Cette réaction fit sourire Kran'ak, qui se réjouissait d'observer à quel point était souillée la réputation de son rival.

— Ils ont oublié le héros de Locktar, intima-t-il à Ithan'ak. À leurs yeux, tu ne vaux pas davantage que les Kalamdiens. Je crois même que certains souhaitent autant ta mort que celle du roi Limius.

Ithan'ak utilisait toute sa maîtrise de soi pour fermer son esprit à ce qui l'entourait. Les paroles empoisonnées du priman'ak lui étaient égales, mais entendre huer son nom par l'ensemble de la communauté warrak lui était insupportable.

— Nous avons accepté trop longtemps la conduite scandaleuse du chef des kourofs, continua Kran'ak à l'intention de tous. Selon moi, il mérite sa place dans le gouffre éternel, où vont les pleutres et les corrompus. Néanmoins, puisque je ne désire pas vous imposer ma volonté, je sollicite votre verdict quant au sort de ce traître.

— La mort ! hurla aussitôt un guerrier dans la foule, qui fut rapidement imité par un autre.

Bientôt, des dizaines, puis des centaines de warraks requéraient la mort d'Ithan'ak. Il s'agissait pour Kran'ak d'une double victoire. En plus d'obtenir la condamnation du chef des kourofs, celle-ci était réclamée par l'ensemble des warraks.

Le priman'ak, sans perdre de vue son prisonnier, leva un bras pour faire taire la foule. Son glaive demeurait pointé en direction d'Ithan'ak, qui avait les mains liées.

— Ce félon ne mérite pas une mort digne d'un warrak, déclara Kran'ak. Il ne mérite pas que je tache mon glaive de son sang. Qu'on le jette dans la boue et qu'on le lapide sans pitié ; telle est ma volonté.

La foule acclama le priman'ak, qui fit signe à deux guerriers sciaks d'emmener Ithan'ak pour l'entraîner dans la boue.

— Tu n'as pas le courage de mettre toi-même fin à mes jours, dit le jeune chef en fixant Kran'ak d'un regard provocateur.

— Qui es-tu pour remettre mon courage en question ? se défendit le priman'ak. Les paroles d'un séditieux sont pour moi sans importance. N'as-tu pas entendu ton nom hué par tous tes semblables ? Ton heure de gloire est révolue. Il serait temps que tu acceptes cette idée.

Ithan'ak voulut répondre, mais il reçut un solide coup de poing dans l'estomac, ce qui lui coupa le souffle. Rapidement, on le descendit de l'estrade et il fut projeté dans une mare d'eau boueuse, à la grande satisfaction de la foule. Le jeune chef ne s'était pas blessé en tombant, mais ses yeux étaient couverts de boue. Comme ses mains étaient attachées, il secouait vivement la tête pour expulser la terre de son visage.

— Voyez cet avorton se débattre comme une volaille, hurla Kran'ak par-dessus les rires gras. Un enfant pourrait venir à bout de lui sans difficulté.

Ithan'ak devait réagir, avant qu'il ne soit trop tard. Tout s'était déroulé plus rapidement que ce qu'il avait escompté. D'un instant à l'autre, on lui lancerait des pierres jusqu'à ce qu'il meure, à moins que Kran'ak morde à l'hameçon.

— Un enfant pourrait peut-être me tuer, dit-il, pourtant le priman'ak est trop lâche pour m'affronter.

— N'écoutez pas les paroles désespérées de ce warrak qui s'est déshonoré, répliqua Kran'ak. Nous avons déjà combattu en tournoi et il ne faisait pas le poids contre moi.

— Je suis le seul warrak qui puisse te vaincre, hurla le jeune chef. Voilà pourquoi tu n'oses pas me combattre. Tu camoufles ta peur sous nos traditions, en déclarant que ma mort ne doit pas être celle d'un guerrier. Crois-tu vraiment que tous les warraks sont aveugles à tes manipulations ? Ils se plient à la volonté du priman'ak, bien qu'ils constatent que celui-ci préfère éviter de combattre son principal rival.

Les yeux de Kran'ak étaient rouges de rage, mais le belliqueux warrak demeurait sur sa position. Son glaive était encore dans son fourreau et rien n'indiquait qu'il allait tomber dans le piège que lui tendait Ithan'ak. Ce dernier sentait qu'il n'arriverait pas à irriter ou à ridiculiser suffisamment le priman'ak pour l'obliger à combattre en duel. À court d'idées, il cherchait de l'assistance chez les warraks qui l'entouraient, mais ceux-ci lui étaient hostiles et s'impatientaient de lui lancer des pierres. Alors que ce dénouement semblait inévitable, une voix lointaine vint changer le cours des événements.

— Le priman'ak a parfaitement le droit de refuser un défi, que son adversaire soit menaçant ou non.

— Ithan'ak n'a rien de menaçant pour moi, hurla Kran'ak, qui sentait sa virilité menacée. Qu'il soit bien clair que si ce traître était armé je le mettrais en pièces sans effort !

— Vive le priman'ak ! s'exclamèrent quelques guerriers sciaks. Il n'a jamais refusé d'affronter quiconque s'opposait à lui.

Avant même que Kran'ak puisse réagir, la foule en liesse scandait son nom. Avides de combats, les warraks désiraient le voir affronter et tuer Ithan'ak en combat singulier. Pour le jeune chef, il s'agissait d'un miracle, dont le mérite revenait à l'intervention d'une celfide de sa connaissance. Son instinct, davantage que son ouïe, lui disait que la warrak qui avait déclenché l'enthousiasme de la foule n'était nulle autre que Mikann. À présent, le jeune chef devait se montrer à la hauteur.

Kran'ak, qui ne pouvait éluder le combat sans passer pour un pleutre, rageait en avançant dans la boue. Il devait retenir ses pulsions pour ne pas décharger sa colère sur son adversaire désarmé, sous peine de connaître le déshonneur. Lentement, en prenant de grandes respirations, il contourna Ithan'ak. Ce dernier ne réagit pas lorsque son adversaire passa dans son dos, car il savait l'importance qu'accordait Kran'ak à sa réputation. Même au moment où le priman'ak fendit l'air de son glaive pour couper les liens qui retenaient Ithan'ak, celui-ci demeura immobile.

— Qu'on lui rende son arme ! ordonna Kran'ak.

Aussitôt, un guerrier lança le glaive d'Ithan'ak dans la boue. Le jeune chef s'empressa de s'en emparer, car Kran'ak n'entendait pas retarder le combat plus longtemps. Ithan'ak venait à peine d'empoigner son glaive qu'il dut parer une puissante attaque de la part du priman'ak. Le coup d'envoi d'un duel à mort venait d'être donné.

La foule de warraks était fascinée par l'incroyable spectacle qu'offraient les deux antagonistes. Un grand cercle s'était formé autour du sol glissant sur lequel évoluaient les duellistes. Cet aspect du terrain empêchait ceux-ci de se déplacer rapidement, ce qui modifiait considérablement leur façon de combattre. En plus d'être à l'affût de chaque mouvement de leur rival, ils devaient prendre garde de ne pas glisser. Cela limitait le nombre de coups échangés, obligeant les combattants à miser sur leur adresse plutôt que sur leur force physique.

Ithan'ak, d'une stature moins imposante que son adversaire, estimait être avantagé par l'instabilité du terrain. La seule et unique fois où il avait affronté Kran'ak, la force impressionnante de ce dernier avait rapidement épuisé le jeune chef. Cette fois-ci, il en serait tout autrement. La dextérité d'Ithan'ak serait un facteur déterminant dans l'issue du combat.

— Même si tu arrives à me tuer, dit Kran'ak, ce dont je doute, tu demeureras un paria à leurs yeux. Ils te haïssent autant que je te hais. Ma mort ne ferait que précéder la tienne.

— Nous verrons, répondit Ithan'ak, refusant de se laisser déconcentrer. Tu devrais être attentif au combat, plutôt que de spéculer sur l'avenir.

Le priman'ak accepta le conseil et balança son glaive sur sa droite, portant un coup si dur qu'Ithan'ak faillit perdre pied en le bloquant. Avant même que le jeune chef retrouve son équilibre, il dut éviter de justesse la lame de Kran'ak, qui caressa la fourrure de sa nuque.

Puisque le priman'ak était décidé à faire tomber son rival, celui-ci l'empoigna par la cuirasse pour l'entraîner avec lui. Les deux warraks roulèrent dans la boue, dans laquelle chacun d'eux échappa son arme. Pris d'une frénésie meurtrière, ils s'empêchaient mutuellement de se relever en essayant par tous les moyens d'étrangler l'autre. Incapables de s'assurer une prise adéquate, ils en vinrent aux coups de poing, de coude et de genou. Ce manège aurait pu durer longtemps si Kran'ak n'avait pas réussi à donner un coup de pied directement entre les yeux d'Ithan'ak. Assommé, le jeune chef tomba brutalement sur le dos. Ce répit permit au priman'ak de se relever et de récupérer son glaive.

Ithan'ak n'était pas inconscient, mais il était fortement étourdi. C'est l'instinct de survie qui lui permit de se retourner et de ramper jusqu'à son glaive. Alors qu'il mettait la main dessus, il vit l'ombre de Kran'ak apparaître sur sa droite. Il eut tout juste le temps de lever son arme pour dévier l'attaque du priman'ak, dont la pointe du glaive fit une éraflure sur la jambe de l'adversaire.

Bien qu'il se trouvât dans une fâcheuse position, Ithan'ak n'avait pas dit son dernier mot. Avant que Kran'ak ait le temps de porter une nouvelle attaque, il roula plusieurs fois sur lui-même, puis bondit sur ses pieds.

Les deux combattants se faisaient de nouveau face. Leur fourrure était couverte de boue, qui s'infiltrait jusque dans le creux de leurs oreilles. Imperturbable, chacun d'eux évaluait l'état de son adversaire, profitant de cet instant pour reprendre leur souffle. Kran'ak n'avait pas la moindre blessure et Ithan'ak avait essuyé à peine une égratignure.

Dans la foule, les cris et les exclamations ne tarissaient pas. Les spectateurs ne se souciaient plus de l'enjeu du duel. Tout ce qu'ils voyaient était deux puissants warraks qui se livraient une lutte sans merci. Captivés, ils suivaient chaque mouvement des deux guerriers. Bien entendu, la tradition warrak interdisait à quiconque d'intervenir dans le combat.

— Je ne t'ai pas encore fait la démonstration de toute ma force, annonça Kran'ak, qui se préparait à reprendre les hostilités.

— Je n'en attendais pas moins de toi, rétorqua Ithan'ak. J'ai moi-même encore quelques ressources insoupçonnées.

Cette fois-ci, ce fut le chef des kourofs qui passa le premier à l'assaut. Il avança rapidement en direction du priman'ak et tenta une feinte en effleurant le sol de son glaive, qu'il remonta au dernier instant. Kran'ak, qui avait d'abord prévu bloquer au niveau de ses jambes, eut le réflexe de soulever sa lame, afin d'éviter d'être littéralement tranché en deux. Ithan'ak profita de la mauvaise posture de son ennemi pour porter un second coup, qui fut paré de justesse par le priman'ak. Ce dernier, qui n'arrivait pas à se positionner pour utiliser son arme, décida d'utiliser la force brute et lança son poing à la figure de son rival. Ithan'ak n'eut pas le temps de contrer cette manœuvre inattendue et reçut le coup de plein fouet au visage. Un jet de sang sortit de sa bouche et il faillit basculer de nouveau dans la boue.

Kran'ak n'avait pas l'intention de laisser le jeune chef reprendre sa contenance. De ses deux mains, il brandit son glaive au-dessus de sa tête et l'abattit sur son opposant. Ithan'ak vit la lame arriver du coin de l'œil et essaya de se protéger le mieux possible avec son glaive. Cela fut suffisant pour éviter la mort, mais son arme quitta sa main et fut projetée hors de sa portée.

À son grand désarroi, Ithan'ak se retrouvait impuissant face à son rival. Son arme était trop loin pour être récupérée rapidement et il était évident que Kran'ak n'allait pas accorder un sursis au jeune chef. Au contraire, il s'apprêtait à porter le coup qui serait fatal à Ithan'ak. La situation était désespérée et il n'y avait aucune chance que quelqu'un vienne en aide à Ithan'ak.

S'il ne réagissait pas sur-le-champ, le visage cruel du priman'ak serait la dernière chose qu'il verrait.

Ithan'ak n'entendait pas se laisser terrasser aussi facilement. Puisqu'il n'avait pas le choix, il allait utiliser tous les moyens à sa disposition pour vaincre son adversaire. Sans réfléchir, il leva son bras droit et essaya de concentrer la puissance magique qu'il contenait. Le résultat fut presque instantané. Une sphère rouge plus au moins stable apparut dans la paume du jeune chef. Surpris, Kran'ak fit quelques pas vers l'arrière, en vain. Ithan'ak lança sur lui toute l'énergie qu'il avait réussi à accumuler. La sphère atteint le priman'ak directement à la poitrine, ce qui le paralysa à peine une seconde. Il n'en fallait pas davantage pour que le belliqueux warrak laisse tomber son glaive, lequel Ithan'ak agrippa avant même qu'il touche le sol. Le jeune chef effectua un tour complet sur lui-même en traçant un arc avec l'arme de son ennemi. Celle-ci termina sa course en se plantant dans la gorge de son maître. Les yeux du priman'ak se dilatèrent et redevinrent verts, signe que la vie les avait quittés. Sans un cri ou le moindre son, Kran'ak s'effondra dans la boue. Il était mort comme il avait vécu, en combattant.

Ithan'ak fixait le corps inerte de son rival, comme s'il s'attendait à ce que Kran'ak se relève, mais le priman'ak était indubitablement mort. Cependant, Ithan'ak n'en avait pas encore terminé avec les ennuis. Sa victoire n'avait pas su calmer la foule hostile qui le considérait comme un traître.

— Il n'avait pas le droit d'affronter le priman'ak, cria un guerrier.

— En tuant Kran'ak, dit un autre, Ithan'ak a tourné le dos à nos traditions et s'est déshonoré une fois de plus. Il doit être exécuté par lapidation comme prévu.

— Vous faites erreur, rugit le jeune chef, dont les yeux n'avaient toujours pas repris leur couleur naturelle. Comme vous tous, j'ai donné mon sang à plusieurs reprises pour défendre nos idéaux. Je n'aurais jamais défié Kran'ak si cela n'avait pas été le souhait de Kumlaïd.

— Tu mens, l'accusa un warrak d'un certain âge. Aucun de nous ne peut prétendre connaître la volonté du dieu de la guerre. Tu n'es qu'un blasphémateur et tes paroles viennent souiller notre culture.

— C'est pourtant Kumlaïd qui m'a fait don de la magie qui habite mon bras, souligna Ithan'ak. Je vous en donne ma parole.

— Ta parole n'a aucune valeur, s'écria un guerrier, qui projeta une pierre en direction d'Ithan'ak.

Le jeune chef évita sans difficulté le projectile, mais il était certain que d'autres suivraient bientôt. Il était temps pour le chef des kourofs de jouer sa dernière carte. Il planta le glaive de son rival dans le sol, puis mit un genou en terre, tout en conservant sa main sur le pommeau de l'arme. Il prit une grande respiration et prononça les mots sacrés qu'il avait lus sur la stèle.

Alors que j'avance vers le chemin de la mort ;

Du sang de mon ennemi, je me couvre de gloire ;

Du sang de mon ennemi, je nourris la bravoure de mon âme ;

Du sang de mon ennemi, je trace mon destin et mon propre salut ;

Entendez mon puissant rugissement et faites qu'il résonne à jamais sur les champs de bataille éternels.

Un changement palpable s'était opéré dans la foule. Chaque warrak présent s'était senti interpellé par la prière qu'avait prononcée Ithan'ak. Une poussée d'adrénaline avait augmenté leur pouls et modifié la couleur de leurs yeux. Ils ressentaient en eux l'honneur, la fierté, la force et la soif de combats. Il n'y avait aucun doute que ce bouleversement était directement lié aux paroles d'Ithan'ak. Ce dernier, constatant l'effet qu'il avait eu sur ses semblables, dit de nouveau la prière. Cette fois-ci, plusieurs warraks prononcèrent les premiers mots avec lui. Le mouvement était contagieux et ce fut bientôt l'ensemble de la communauté qui participait à la prière sacrée. Aucun warrak en vie n'avait jamais entendu ces mots, mais l'instinct leur indiquait qu'il s'agissait d'un don du dieu de la guerre.

— Kumlaïd m'a permis de retrouver le lieu de culte que nos ancêtres ont perdu, dit le jeune chef. Je sais que j'ai récemment défié plusieurs de nos traditions, mais notez bien que le dieu de la guerre observait chacun de mes gestes. Si je suis en vie aujourd'hui et que je vous apporte les mots sacrés de notre peuple, c'est selon la volonté de Kumlaïd. En ce moment, les armées du roi Limius marchent vers Ymirion et chacun de nous doit personnellement se préparer au combat. J'ai pu créer une alliance avec le roi de Küran, qui désire combattre à nos côtés. Une seule question demeure : me permettrez-vous de mener cette guerre et d'effacer une fois pour toutes la menace des Kalamdiens ?

Un court silence suivit l'exposé d'Ithan'ak, rapidement suivi d'un puissant rugissement, provenant de l'ensemble de la foule. Couvert de boue, le jeune chef voyait son destin se réaliser. En quelques minutes, il avait retrouvé son statut de héros. Kran'ak était mort et un nouveau priman'ak s'élevait d'entre les warraks. Ithan'ak avait enfin le pouvoir de guider son peuple à la victoire ; s'il n'était pas déjà trop tard.

Chapitre 16

Comme convenu, Fork avait guidé le clan des kourofs au lieu de rendez-vous choisi par Ithan'ak. Skeip et Kamélia les accompagnaient. Le rongeur était redevenu lui-même et il n'avait cessé de parler de la future communauté de keenox qu'il avait l'intention de créer. Selon lui, le Pourfendeur de dragons deviendrait le mythe fondateur d'une toute nouvelle civilisation ; rien de moins. Vonth'ak ne comprenait pas ce qui avait rendu la bonne humeur au rongeur, mais cela l'arrangeait énormément. Plus que jamais, Skeip était ravi de partager sa science des langues avec le magicien.

L'ambassadrice de Lelmüd, isolée parmi tous ces warraks et ces bosotoss, assistait fréquemment aux cours donnés par le keenox. Elle en voulait profondément aux siens, en particulier à Ackémios, de ne pas participer à l'alliance qu'avaient créée les warraks et les Küraniens et à laquelle participaient quelques bosotoss.

À moins d'une journée d'intervalle, Ithan'ak avait rejoint le lieu de rendez-vous, accompagné par tous les clans warraks. À leur grande surprise, les kourofs avaient découvert que leur chef était devenu priman'ak, ce qui avait immédiatement occasionné la plus grande joie. Puisque les troupes de Kalamdir ne seraient certainement pas de retour dans le sud avant plusieurs jours, Ithan'ak avait autorisé qu'on organise une fête en son honneur, qui aurait lieu le soir même. D'ici là, il profitait d'un moment de répit pour discuter avec Fork.

— Tu n'as pas perdu ton temps durant les derniers jours, lui signala le colosse, à moitié étonné par le succès qu'avait remporté son vieil ami auprès des différents clans. J'ai toujours su que tu obtiendrais la place qui te revient.

— Cela n'aurait pu être possible sans l'aide d'Ackémios et l'intervention divine de Kumlaïd, rétorqua le nouveau priman'ak.

— Ils ont cru en vous comme je l'ai fait, s'immisça l'ambassadrice de Lelmüd. Il n'y a aucun mal à utiliser à bon escient les ressources qui sont désormais les vôtres.

— C'est aussi ce que je fais, souligna Skeip, que la petite taille avait dissimulé l'arrivée. J'utilise mon don pour communiquer avec toutes les créatures, ce qui est un avantage certain durant la guerre. D'ailleurs, je ne comprends pas pourquoi les ombres meurtrières n'ont pas répondu à mes questions il y a deux jours.

— Vous avez essuyé une attaque ? s'enquit immédiatement Ithan'ak.

— C'est juste, confirma Fork. Toutefois, nous ne déplorons aucune perte, seulement quelques blessés. L'attaque est survenue juste avant l'aube, moment où ces créatures semblent moins menaçantes. Il n'y a aucun doute dans mon esprit que les ombres meurtrières ne peuvent opérer que la nuit.

— C'est aussi ce que je pense, intervint Skeip, en manque d'attention. Je vais d'ailleurs attendre demain matin avant de partir pour mon périple. De plus, je ne voudrais surtout pas manquer la fête donnée en l'honneur d'Ithan'ak.

— Je t'ai déjà dit que tu n'irais nulle part, le rabroua Vonth'ak, qui venait d'apparaître derrière le rongeur. J'ai besoin de toi pour traduire les livres de magie qui me sont pour l'instant inaccessibles.

— Je suis libre de faire ce que je veux, se défendit le keenox. Ackémios, l'hyliann d'or, m'a dit que mon destin était d'entreprendre un long voyage. Je dois découvrir si d'autres keenox vivent ailleurs sur Nürma. J'apprécie beaucoup votre compagnie, mais je ne vois aucune raison pour laquelle je devrais retarder plus longtemps mon périple. La guerre entre les warraks et les hommes ne me regarde pas.

— Cette guerre inclut plus ou moins directement toutes les races qui peuplent Anosios, le contredit Ithan'ak. Il pourrait même y avoir des répercussions sur les autres continents. Tu sais comme moi que ton appui est primordial à notre cause.

Le jeune chef n'avait pas des projets aussi ambitieux que Vonth'ak concernant l'avenir du keenox. Son principal souci était que le rongeur ne tombe pas une nouvelle fois entre les griffes de Xioltys. Tant que le jeune homme blond était en vie, il était imprudent de laisser Skeip sans protection.

— Je suis conscient que mon départ représente un drame pour vous tous, expliqua le keenox. Sans l'appui du Pourfendeur de dragons, vos chances de réussir sont de beaucoup diminuées. Malheureusement, ma quête est différente de la vôtre. Je n'ai d'autre choix que de vous dire au revoir.

Vonth'ak était sur le point d'exploser. S'il n'avait pas eu autant besoin de Skeip, il l'aurait étranglé sur-le-champ.

— Il n'est pas question de te laisser partir, se fâcha le magicien. Je ne le permettrai pas, même si je dois t'emprisonner.

— Dans ce cas, répliqua le keenox, tu ne vaudras pas mieux que le roi Limius. Tous les warraks sauront que tu n'as pas d'honneur.

— Cela m'est totalement égal, ragea Vonth'ak. Tu ne comprends décidément pas le monde dans lequel tu vis.

— Skeip a raison, le coupa Ithan'ak. Nous ne pouvons le retenir de force. Il est libre de suivre sa propre voie s'il le veut.

— Tais-toi, l'invectiva Vonth'ak. Ne réalises-tu pas que la magie a besoin de ce rongeur ? S'il meurt, les connaissances ancestrales que renferment les livres seront perdues à jamais. À moins que ce soit Xioltys qui en profite, dans le cas où Skeip serait capturé par les Kalamdiens.

— Je connais les risques liés au départ de Skeip, souligna Ithan'ak. C'est pourquoi j'ai une alternative à proposer à notre compagnon.

Le priman'ak s'agenouilla, afin de parler face à face avec Skeip. Comme Vonth'ak, il voulait empêcher que le keenox commette l'erreur de partir, tant que Xioltys représentait une menace. Ithan'ak aurait autrefois employé la force pour retenir le rongeur insouciant, mais il avait beaucoup changé depuis que les warraks avaient quitté la pointe d'Antos. Plus pondéré, il estimait que le keenox devait être le seul maître de son destin.

— Je comprends exactement la raison qui te pousse à vouloir partir, dit le priman'ak en fixant sérieusement le rongeur. J'ai tout mis en œuvre pour assurer la pérennité de mon peuple, comme tu as l'intention de le faire pour le tien. C'est d'ailleurs la raison qui me pousse à te retenir. Peut-être as-tu oublié que le roi Limius et le magicien d'Ymirion ont toujours l'intention de te capturer ? Si cela advenait, tu donnerais malgré toi à notre ennemi la clé de la victoire. Tu sais comme moi que Xioltys n'aurait pas à te torturer très longtemps pour obtenir de toi les traductions qu'il désire tant.

— J'en suis parfaitement conscient, admit le keenox. Le périple qui m'attend sera truffé de dangers. Je devrai affronter chacun d'entre eux avec courage pour accomplir ma destinée.

La sincérité et la détermination de Skeip, de la part d'une si petite créature, avaient quelque chose d'émouvant. Vonth'ak et Fork furent déstabilisés par les propos du rongeur, bien que cela ne changeât guère l'opinion du magicien. Il n'avait pas l'intention de laisser aller le keenox et il espérait qu'Ithan'ak maîtrise la situation, ce qui était généralement le cas.

— La morale et mon engagement envers l'honneur m'interdisent de te retenir, formula le nouveau priman'ak. C'est pourquoi j'ai une proposition à te faire, qui pourrait nous être mutuellement avantageuse.

Aussitôt, les oreilles de Skeip se dressèrent, attisées par la curiosité naturelle du rongeur.

— Si tu acceptes d'attendre la fin de la guerre, continua Ithan'ak, je pourrais t'accompagner au-delà du continent d'Anosios. Ensemble, je suis certain que nous trouverions rapidement d'autres keenox.

— Si je reste, dit fébrilement Skeip, tu promets de m'aider dans ma quête aussitôt que la guerre sera terminée ?

— Lorsque nous aurons vaincu les Kalamdiens et que Xioltys ne sera plus de ce monde, dit solennellement Ithan'ak, je jure sur mon honneur d'être à tes côtés jusqu'à ce que s'achève ton périple.

Le warrak tendit une main au keenox, qui hésita quelques instants. Il désirait peser le pour et le contre avant de prendre sa décision, ce qui ne fut pas très long.

— J'accepte ! s'exclama-t-il enfin, en agrippant la main d'Ithan'ak avec sa petite patte. Nous formerons un duo incomparable et rien ni personne ne pourra faire obstacle à notre cheminement.

Surexcité, le keenox bondissait de joie, alors qu'Ithan'ak essayait de réaliser ce qu'il venait de faire. Incrédules, Vonth'ak et Fork regardaient le priman'ak, en attente d'une explication.

— Il n'y avait aucun autre moyen, murmura Ithan'ak, afin que Skeip n'entende pas.

C'est du moins ce dont le warrak essayait de se convaincre. Il ignorait pourquoi il avait pris un engagement si important sans réfléchir. Certes, la sécurité de Skeip était cruciale, mais autre chose avait motivé le priman'ak. Selon Ackémios, la déesse Hélisha était intervenue en faveur du rongeur. Cela soulevait plusieurs questions et il se pouvait bien que Skeip ait véritablement une grande destinée. Il se pouvait même que le destin de Skeip soit lié à beaucoup plus que l'avenir des keenox. C'est du moins ce que pensait Ithan'ak. Puisqu'un dieu était aussi intervenu dans sa vie, le warrak se sentait étrangement lié à Skeip, comme si leur avenir était associé pour une raison quelconque. Quoi qu'il en soit, Ithan'ak avait donné sa parole et il n'avait pas l'intention de la trahir. À l'heure actuelle, il était plus important de se concentrer sur la bataille à venir.

— Est-ce que Simcha a pris le commandement des forces militaires de Küran ? demanda-t-il à Fork.

— N'oublie pas que ce royaume est avant tout peuplé de paysans, lui rappela le bosotoss. Le roi Filistant a autorisé

Simcha à lever une armée, ce qui n'est pas l'affaire d'une journée. Lorsque ce sera fait, le pirate connaît notre position.

— Espérons qu'il puisse nous rejoindre avant l'arrivée des troupes de Kalamdir, commenta le priman'ak.

— Les Kalamdiens ignorent où nous sommes, intervint Vonth'ak. Il n'y a aucun souci à se faire.

— Je suis surpris par ta naïveté, le dénigra Ithan'ak. Nous sommes dans le royaume de Kalamdir, dont la plupart des villageois sont fidèles à leur suzerain. Il n'y a rien que nous puissions faire pour dissimuler notre présence. Notre ennemi fonce probablement déjà droit sur nous en ce moment. La seule question est de savoir dans combien de temps il sera là.

— Nous serons prêts à les accueillir, dit Fork d'un ton ferme.

— J'imagine leur surprise lorsqu'ils s'apercevront que des bosotoss sont à nos côtés, s'amusa Vonth'ak.

— Sans compter les deux hylianns qui appuient votre cause, s'immisça Elwym, suivi de Kamélia. Je suis déçu de constater que nous ne sommes plus invités à vos petites réunions.

— Cette discussion devait être strictement entre Fork et moi, expliqua Ithan'ak, en lançant un regard accusateur à Skeip. Elle a d'ailleurs duré un peu trop longtemps, car je suis attendu dans ma tente. Plusieurs chefs de clans souhaitent s'entretenir seul à seul avec moi. Nous aurons l'occasion de nous revoir ce soir et durant les prochains jours.

D'un pas lent, suggérant qu'il n'avait aucune envie de partir, Ithan'ak se dirigea vers le regroupement de tentes qu'avaient aménagées les différents clans. Le rôle de priman'ak était constitué de plusieurs facettes, certaines moins agréables que d'autres. Le protocole était ce qu'Ithan'ak aimait le moins. Installé sur un tabouret prévu à cet effet, le priman'ak accueillait un à un les chefs qui désiraient le rencontrer. Certains d'entre eux étaient des amis venus féliciter le nouveau dirigeant, mais il s'agissait d'une minorité.

Avant qu'Ithan'ak revienne d'exil pour tuer Kran'ak et redonner aux warraks leur prière divine, la plupart des clans considéraient les kourofs comme des traîtres sans le moindre honneur. Les récents événements avaient mis un nombre considérable de chefs de clans dans une fâcheuse position. En effet, celui contre qui ils s'étaient unis était devenu priman'ak. Pour cette raison, chaque chef venait se présenter et tenter d'ériger de nouvelles bases avec Ithan'ak. Contrairement aux hommes, il n'y avait aucun roi chez les warraks. Les pouvoirs conférés au priman'ak étaient principalement axés sur la direction des troupes en temps de guerre, à la médiation entre les différents clans, ainsi qu'au maintien des cultes et des traditions. Bien que le priman'ak ne jouisse pas d'une aussi grande liberté qu'un roi, il valait mieux l'avoir de son côté.

Ithan'ak comprenait les raisons qui poussaient les différents chefs à venir lui présenter leur respect. Il jugeait pourtant cette procédure inutile, car il ne retenait aucun grief envers ceux qui avaient injurié son nom et son clan.

— Je comprends parfaitement la rage envers moi qui vous habitait, répétait-il sans cesse. Soyez certain qu'à votre place ma réaction aurait été la même. J'ai le plus grand respect pour nos traditions, que j'ai enfreintes avec la plus grande humilité. Soyons heureux que Kumlaïd m'ait donné les moyens de vous démontrer que j'agissais dans l'intérêt de notre peuple.

Ithan'ak avait tenu ce discours des dizaines de fois durant les derniers jours. Son emploi du temps avait été si occupé qu'il n'avait pas encore pu voir Mikann. Cela lui était extrêmement pénible et il espérait que la celfide ne lui en tiendrait pas rigueur.

Dès qu'il en aurait l'occasion, le priman'ak se rendrait auprès d'elle. En attendant, il devait continuer à s'acquitter de sa tâche.

À la grande surprise d'Ithan'ak, le capitaine Yrus'ak pénétra dans sa tente.

— J'espère qu'il s'agit d'une affaire importante, dit sévèrement le priman'ak, car je suis occupé à rencontrer les chefs de clans.

— C'est précisément ce dont je désire m'entretenir avec vous, précisa le capitaine.

— Je ne suis pas certain de comprendre, admit Ithan'ak. En quoi vous regardent les échanges que j'ai avec les autres chefs ?

— J'aimerais discuter avec vous du clan des sciaks, révéla le capitaine, piquant ainsi la curiosité du priman'ak. À présent que vous avez éliminé Kran'ak, les membres de ce clan craignent d'éventuelles représailles de votre part.

— C'est idiot, le coupa Ithan'ak. Je serais incapable de punir tout un clan pour les agissements de leur chef. D'ailleurs, bien que Kran'ak ait eu des divergences d'opinions avec moi, la survie de notre peuple lui tenait à cœur. Le clan des sciaks n'a commis aucun crime.

— C'est ce que je leur aie expliqué, renchérit Yrus'ak, mais ils n'ont rien voulu entendre. Ils désirent profondément faire table rase du passé en créant une union significative avec le clan des kourofs.

— Exprimez-vous clairement ! s'impatienta le priman'ak. Vous connaissez mon aversion pour ce genre d'intrigues.

— Les guerriers sciaks m'ont demandé de devenir le chef de leur clan, révéla enfin Yrus'ak. Je suis ici pour demander votre bénédiction.

Cette nouvelle sidéra Ithan'ak, qui ne s'était douté de rien. Des liens se tissaient dans son esprit, alors qu'il pesait les avantages et les inconvénients d'un tel arrangement. Le principal point négatif était de perdre un élément aussi compétent et loyal qu'Yrus'ak. En contrepartie, si ce dernier devenait le chef des sciaks, il n'y aurait plus aucun obstacle concernant l'union d'Ithan'ak et de Mikann. Malgré les efforts qu'il faisait pour ne pas prendre en compte ses sentiments personnels, le priman'ak ne pouvait s'empêcher d'y penser.

Puisqu'il ne recevait pas de réponse, le capitaine Yrus'ak en conclut que l'offre du clan sciak offensait son supérieur.

— Je dois confesser que j'aurais apprécié ce commandement, dit-il en essayant de dissimuler sa déception, mais ma loyauté va d'abord et avant tout au chef des kourofs.

— Bon sens ! s'exclama Ithan'ak. Laissez-moi au moins le temps de répondre. Je suis peiné d'avoir à me passer d'un warrak de votre trempe, sans être égoïste au point de refuser l'honneur qu'on vous fait. Au contraire, vous méritez amplement de diriger votre propre clan. Je propose que nous l'annoncions durant la fête de ce soir, qui doit commencer sous peu ; qu'en dites-vous ?

— J'en serais très honoré, répondit humblement le capitaine.

— Dans ce cas, décida Ithan'ak, accompagnez-moi. J'ai reçu suffisamment de chefs pour aujourd'hui. Les autres devront attendre demain.

La bonne humeur d'Ithan'ak transparaissait dans sa démarche. Après les derniers mois d'incertitude, les choses semblaient finalement s'arranger d'elles-mêmes. Le warrak envisageait maintenant l'avenir d'un autre œil, plus que jamais décidé à vaincre les troupes de Kalamdir.

En termes de banquet, les warraks n'avaient certainement pas le raffinement du royaume de Küran. En pleine nature, leurs femmes n'avaient pas de quoi concocter un copieux festin. Elles avaient tout de même su tirer parti des gibiers que les guerriers avaient ramenés de la chasse. On avait allumé plusieurs feux, au-dessus desquels la viande cuisait en dégageant une délicieuse odeur. Puisque les warraks n'emportaient jamais de mobilier avec eux, une table plus ou moins stable avait été construite pour recevoir le priman'ak et quelques chefs de son choix. Hormis ce groupe sélect, tout le monde devrait s'asseoir sur le sol ou manger debout. Cela était chose courante chez les warraks, de même que chez les bosotoss. Les colosses, qui avaient l'habitude de voyager seuls en plein désert, savaient se passer des commodités de la vie sédentaire. Skeip, Elwym et Kamélia s'étaient joints à Fork et ses semblables. Le keenox ne cessait de répéter son mécontentement, car il n'avait pas été invité à la table d'Ithan'ak.

— Il a maintenant de grandes responsabilités, le consolait l'ambassadrice de Lelmüd. Bien que nous soyons acceptés parmi eux, nous ne sommes pas des warraks et nous devons accepter qu'ils nous mettent fréquemment à l'écart. Tu devrais plutôt te réjouir que Vonth'ak ne t'oblige pas une fois de plus à lui inculquer les langues anciennes.

Le magicien, qui avait revendiqué le savoir de Skeip durant toute la journée, avait eu l'honneur d'être invité à la table du priman'ak. Celui-ci espérait que les autres clans s'habitueraient graduellement au magicien et qu'ils comprendraient éventuellement tous les avantages qu'apportait la magie. Quant à Vonth'ak, il essayait de s'habituer à faire partie d'un clan. Depuis toujours, il avait été rejeté par ses semblables, ce qui ne pourrait s'effacer du jour au lendemain. Il avait appris à apprécier la solitude et celle-ci lui manquait couramment. Néanmoins, deux raisons le poussaient à demeurer parmi les warraks. D'abord, avec l'aide d'Ithan'ak, il était en mesure d'assurer la sécurité de Skeip. Ensuite, être accepté par les autres warraks était comme une revanche pour le magicien. Être côte à côte avec de puissants chefs de clans flattait l'orgueil de Vonth'ak, qui essayait d'imprégner cet instant dans sa mémoire. Il était fier d'être un ami proche du nouveau priman'ak, sentiment partagé par le capitaine Yrus'ak.

Les conversations allaient d'un sens, puis de l'autre, traitant de guerre la plupart du temps. À quelques reprises, les chefs s'étaient intéressés aux aptitudes de Vonth'ak et aux différentes façons d'utiliser la magie dans les combats.

— Vous souvenez-vous du mur de feu qu'il a érigé durant la bataille de Locktar ? demanda Ithan'ak, heureux de pouvoir souligner l'importante contribution de Vonth'ak.

— Je crains que plusieurs d'entre nous eussent sous-estimé votre implication dans cette victoire, dit un warrak à l'intention du magicien. Avec votre aide et le génie militaire d'Ithan'ak, je n'ai aucun doute que nous écraserons l'armée du roi Limius.

— Ne soyons pas trop confiants, l'avertit le priman'ak. Nous ignorons encore quel sera exactement leur nombre. Je crois que chacun de nous devrait se préparer au pire, afin de ne pas être déstabilisé le moment crucial.

Alors qu'Ithan'ak tergiversait sur les différentes approches que pourrait effectuer l'armée de Kalamdir, le jeune Ryan vint l'interrompre.

— Qu'y a-t-il ? lui demanda le priman'ak, agacé. N'es-tu pas censé monter la garde avec les autres apprentis ?

— En effet, répondit Ryan, sans broncher. Je suis venu vous informer que Toran et les cavaliers de la plume argentée souhaitent se joindre à nos festivités.

— Vraiment ! s'étonna le priman'ak. Où sont-ils ?

— Ils ont envoyé un émissaire, expliqua le jeune warrak. Celui-ci attend votre réponse pour la transmettre à son chef.

— Ils nous prennent pour des sauvages ! s'emporta Ithan'ak. Nous serions ingrats de ne pas les recevoir, après l'aide qu'ils nous ont apportée à la bataille de Locktar. Fais savoir à Toran que je l'invite personnellement à ma table. Tu retourneras ensuite monter la garde avec tes camarades. Dis-leur qu'ils auront bientôt la chance de mettre leur bras au service de leur peuple, ce qui ne sera peut-être pas ton cas. Demain, je déciderai de ton sort.

Encore une fois, Ithan'ak se montrait très dur avec Ryan. Sans se presser, le jeune kourof partit délivrer le message qu'on lui avait confié. Il s'imaginait accomplir indéfiniment cette tâche, pendant que ceux de son âge passaient le chemin du guerrier et devenaient de véritables combattants.

Toran et ses hommes ne mirent pas longtemps à rejoindre le campement des warraks. Malheureusement, ils étaient beaucoup moins nombreux que dans les souvenirs d'Ithan'ak. Cela n'empêcha pas les warraks d'applaudir l'arrivée de leurs alliés. Ceux-ci répondirent en faisant cabrer leurs chevaux, puis obliquèrent à l'est du campement. L'endroit était parfait pour laisser paître tranquillement leurs montures.

— Serait-il possible que vous soyez moins nombreux que vous l'étiez à la bataille de Locktar ? demanda Ithan'ak, lorsque Toran eut rejoint la table d'honneur.

— Je pourrais vous retourner la question, souligna Toran. Nous avons en effet déploré de nombreuses pertes durant les derniers mois. Il ne fait aucun doute que taquiner les troupes de Kalamdir n'est pas sans comporter des risques. Néanmoins, nous n'avons rien perdu de notre ardeur au combat et nous avons l'intention de prendre part à la bataille qui se prépare.

— Votre appui nous sera salutaire, l'assura Ithan'ak, car nous avons aussi eu notre lot de morts. Unis, nous aurons peut-être une chance de vaincre l'armée qui approche pour nous anéantir. D'ailleurs, j'aimerais savoir depuis combien de temps vous faites route vers le sud et comment vous nous avez trouvés.

— Nous voyageons depuis à peine une semaine, répondit Toran. Nous avons quitté le nord après que toute l'armée de Kalamdir eut évacué le territoire. Nos déplacements sont beaucoup plus rapides que ceux des Kalamdiens, dont la plupart des soldats sont à pied. Le trajet ne fut pas très difficile, car les villageois mal informés croyaient que nous venions pour combattre les warraks. Je dois avouer que nous avons un peu abusé de leur naïveté. Ce sont eux qui nous ont indiqué où vous trouver. Je n'ai aucun doute que les troupes du roi Limius seront aussi bien informées et qu'elles seront ici dans environ deux jours.

— Deux jours ! s'étonna Ithan'ak, qui ne prévoyait pas leur arrivée avant une semaine. J'espère que les Küraniens nous auront rejoints d'ici là.

— Nous ne devrions pas aborder les affaires militaires au beau milieu d'une fête, le dérida Toran. D'autre part, j'aimerais rendre hommage à votre nouvelle position.

Le chef des cavaliers de la plume argentée se leva, imité par tous les chefs qui se trouvaient autour de la table. Voyant qu'on se préparait à trinquer en l'honneur d'Ithan'ak, la foule qui les entourait devint silencieuse.

— Au nouveau priman'ak ! lança Toran, tout en soulevant sa coupe.

Dans la nuit, on put entendre des centaines de voix s'élever vers le ciel.

— Au nouveau priman'ak ! hurla l'assistance, composée de warraks, d'hommes, de bosotoss, de deux hylianns et d'un keenox.

Ithan'ak éprouvait une grande fierté à avoir atteint le sommet de la hiérarchie des warraks, autant que d'avoir réussi à unir différents peuples dans l'espoir de mettre fin aux jours sombres du règne de Kalamdir. Un discours s'imposait pour le priman'ak, qui se sentait inspiré. Décidé, il grimpa sur la table, afin d'être vu du plus grand nombre possible.

— Je suis Ithan'ak, commença-t-il, chef du clan des kourofs et depuis peu priman'ak.

Ces seuls mots récoltèrent de longs applaudissements et des sifflements, qui furent longs à s'arrêter.

— Nous sommes à l'aube d'un événement historique, continua Ithan'ak. Ensemble, nous rétablirons l'équilibre sur le continent d'Anosios, depuis trop longtemps occupé et dirigé par les monarques de Kalamdir. J'aimerais pouvoir me réjouir à l'avance de notre victoire, mais cela m'est hélas impossible. Nous devons prendre en compte notre infériorité numérique et nous préparer à compenser cette lacune par une foi inébranlable en notre adresse au combat. Comme vous l'avez constaté, Toran et ses hommes se sont joints à notre cause, mais ils ne sont pas les seuls. Si le dieu de la guerre nous accorde cette faveur, les Küraniens seront aussi des nôtres pour la bataille.

— Nous pouvons aussi compter sur la force colossale des bosotoss, hurla un guerrier un peu trop enflammé par le discours du priman'ak.

— C'est vrai, confirma Ithan'ak. De toutes parts, nous forgeons de nouvelles alliances avec les différents peuples d'Anosios. Peut-être est-ce le reflet de l'avenir qui nous attend. Pourtant, cela ne suffira pas à notre victoire.

Ce dernier commentaire laissa pantois l'auditoire. De toute évidence, le priman'ak avait une solution inusitée pour accroître leurs chances, ce qui rendait les warraks plutôt inquiets.

— Avez-vous l'intention de laisser votre magicien nous lancer un enchantement ? s'énerva un chef de clan, prêt à s'opposer à une telle suggestion.

— Je sais que la plupart d'entre vous ont une mauvaise opinion de la magie, ce qui était aussi mon cas il n'y a pas si longtemps. Pour cette raison, il ne me serait jamais venu à l'idée de vous imposer un quelconque enchantement. J'ai tout de même l'espoir que vous apprendrez comme moi à reconnaître les bienfaits de la magie, car j'ai l'intuition qu'elle reprendra peu à peu la place qu'elle avait injustement perdue dans notre monde.

— Vous dites que nos effectifs sont insuffisants pour vaincre l'armée de Kalamdir, l'interrompit le même warrak fougueux. J'ose croire que vous n'avez pas l'intention d'en rester là, car il s'agirait d'un piètre discours de la part d'un si jeune priman'ak.

Les yeux d'Ithan'ak devinrent instantanément rouges. On pouvait sentir la colère qui émanait de lui. En temps normal, il aurait immédiatement puni l'inconscient qui osait le défier, mais il jugeait que ce n'était ni le temps ni l'endroit pour ce genre de démonstration.

— Je devrais te tuer pour ton insolence, dit sévèrement le priman'ak. Heureusement pour toi, nous aurons besoin de chaque bras disponible pour mener le combat qui nous attend.

C'est d'ailleurs pour cette raison que je souhaite soumettre une mesure draconienne à tous les clans. Je connais un moyen d'augmenter de façon significative le nombre de guerriers dans nos rangs, ce qui implique une nouvelle entorse à nos traditions.

Ithan'ak marqua une pause, afin de vérifier s'il n'était pas allé trop loin. Comme il ne sentait aucune agressivité dans l'assistance, il décida de continuer.

— Je suggère que pour une seule et unique fois nous dispensions les apprentis d'affronter le chemin du guerrier et leur permettions de combattre fièrement à nos côtés. La bataille à laquelle ils participeront comprendra des risques bien plus élevés que ceux de nos rites de passage. Lorsque tout sera terminé, tous les survivants seront de véritables guerriers.

La solution proposée par Ithan'ak n'avait rien de conventionnel. D'ailleurs, la plupart des warraks mirent du temps à réaliser que cette marche à suivre était tout indiquée.

Bien entendu, ce furent les apprentis qui applaudirent les premiers l'initiative du priman'ak. Chacun d'eux brûlait d'envie de prendre part au combat épique qui se préparait, et le jeune Kalë ne faisait pas exception. Galvanisé, il hurlait de joie en brandissant son arme haut dans les airs. Cette excitation, partagée par ses camarades, s'était rapidement répandue aux warraks plus âgés.

Parmi tous les futurs guerriers, un seul d'entre eux n'était pas emballé par la déclaration du priman'ak. Assis sur le sol, Ryan ne démontrait aucune excitation à l'idée de participer à la bataille. Au contraire, le jeune warrak affichait une mine renfrognée.

— Qu'est-ce qui te tracasse ? lui demanda Kalë, qui avait remarqué l'inertie de son ami.

— J'ai l'intuition que je ne pourrai pas participer au combat, répondit franchement Ryan.

— Le priman'ak vient tout juste d'annoncer que tous les apprentis prendraient les armes contre Kalamdir. Je ne vois pas pourquoi tu ferais exception.

— Je crois qu'Ithan'ak a une dent contre moi, expliqua Ryan. Je suis le meilleur des apprentis et il refuse de le reconnaître.

— Qu'est-ce qui te fait croire que tu vaux mieux que nous ? s'offusqua Kalë. Si tu n'avais pas un ego aussi fort, peut-être qu'Ithan'ak ne te traiterait pas comme il le fait.

— N'essaie pas de nier l'évidence, se fâcha Ryan. Tu es satisfait de ce qui m'arrive, car mes aptitudes éclipsent chaque fois les tiennes.

Ryan s'était levé et faisait face à son compagnon de toujours. Les deux jeunes warraks s'observaient d'une façon qu'ils n'avaient jamais cru possible.

— La colère te fait dire des choses insensées, souligna Kalë. Si tu te calmais, tu comprendrais que je ne suis pas responsable de tes malheurs.

— N'essaie pas de m'amadouer, cracha Ryan. Tu as peur de moi, car j'ai toujours été le plus fort. Tes manigances ne pourront jamais changer cela.

Furieux, Ryan poussa son compagnon, qui faillit tomber sur le dos. En temps normal, Kalë n'aurait jamais laissé passer une telle insulte, mais il ne s'agissait pas de n'importe quel apprenti. Depuis aussi loin qu'il pouvait reculer dans sa mémoire, Ryan avait été pour lui un fidèle compagnon. Kalë ne l'avait jamais vu dans un tel état et il espérait que cette querelle serait temporaire. D'ici là, il avait l'intention de profiter pleinement de la fête.

Cette brève altercation avait empêché Kalë de suivre le discours d'Ithan'ak. Heureusement, ce dernier n'avait pas encore terminé. À la demande du priman'ak, le capitaine Yrus'ak était monté le rejoindre sur la table.

— Chacun d'entre vous connaît les différends qu'entretenions le chef des sciaks et moi-même, déclara Ithan'ak. Je tiens donc à préciser que je respectais le guerrier qu'était Kran'ak et que je ne tiens aucunement rigueur aux membres de son clan. À la demande des sciaks et afin de prouver ma bonne volonté, je confie le commandement de leur clan à mon plus brillant capitaine. Dès maintenant et jusqu'à sa mort, Yrus'ak sera connu comme le chef des sciaks.

Une vague de cris et d'applaudissements vint soutenir la candidature du nouveau chef de clan. Yrus'ak, dont la modestie n'avait d'égale que son extrême compétence, attendit patiemment la fin des acclamations.

— C'est un grand honneur pour moi d'accepter le commandement du clan des sciaks, adressa-t-il à la foule. Je remercie notre priman'ak de m'avoir apporté son soutien et de me permettre de quitter sa tutelle. Toutefois, je tiens à souligner mon arrivée chez les sciaks de façon significative. En tant que chef, il m'est accordé d'unir mon destin à une warrak de mon choix parmi celles de mon clan. Lorsque j'ai appris qu'une celfide était toujours libre chez les sciaks, ma décision ne fut pas très difficile. Vous ne serez donc pas surpris que je demande à Mikann de s'avancer, afin que notre priman'ak soit le témoin de notre union.

Ithan'ak avait le souffle coupé, comme si un immense vide s'était créé en lui. Il se sentait étourdi par le flot de sang qui lui montait à la tête. Ses mains tremblaient, alors que ses jambes menaçaient de le laisser tomber.

En permettant à Yrus'ak de devenir le chef des sciaks, le priman'ak avait cru qu'il lui serait par la suite aisé de se rapprocher de Mikann. S'il avait confié ses intentions à son capitaine, celui-ci aurait sans aucun doute renoncé à la celfide, mais il était trop tard. Comme dans un cauchemar, Ithan'ak voyait une scène terrifiante se dérouler beaucoup trop lentement. Mikann avait traversé la foule et on l'aidait à monter sur la table. Son regard dérouté passait sans cesse d'Ithan'ak à Yrus'ak. Sans mot dire, elle suppliait son amant secret d'intervenir pour mettre fin à ce mauvais rêve qu'elle partageait avec lui.

Lorsqu'Yrus'ak prit la main de la celfide et se retourna vers le priman'ak, celui-ci comprit qu'il était trop tard. Comme si cela n'était pas assez difficile à supporter, on lui confiait la tâche ingrate de sceller l'union qui lui enlèverait à tout jamais celle qu'il aimait.

Avec le peu de calme qu'il arrivait difficilement à maintenir, Ithan'ak prit la main de Mikann et la déposa dans celle d'Yrus'ak. En rompant le contact avec la celfide, il sentit son cœur se briser. Désarçonné, il bégaya le nouveau nom de la warrak : Mikann'ak. Heureusement, l'assistance ne se rendit compte de rien, pas plus qu'Yrus'ak. Seule la celfide avait perçu l'émotion profonde dans la voix du priman'ak. Quoi qu'il en soit, elle appartenait désormais au nouveau chef des sciaks et ce dernier était impatient de faire plus ample connaissance avec elle.

— Le pendentif à votre cou vous sied à merveille, dit Mikann'ak, en plongeant ses yeux tristes dans ceux d'Ithan'ak. J'espère de tout cœur qu'il ne vous quittera jamais.

— J'en prendrai le plus grand soin, si cela peut vous rassurer.

Yrus'ak, qui écoutait distraitement, croyait que la celfide échangeait quelques politesses avec le chef suprême des armées warraks, ce qui était tout naturel. Aussitôt qu'elle eut terminé, il s'empressa de prendre congé du priman'ak et d'entraîner sa nouvelle conjointe avec lui. C'était plus que ce qu'Ithan'ak pouvait endurer. Il patienta quelques minutes, puis déclara qu'il devait se reposer et préparer la bataille à venir. Il ordonna cependant que la fête continue, afin de n'éveiller aucun soupçon sur son état esprit.

Cette nuit-là fut pour le warrak la plus longue de toute sa vie. Il était torturé par ses pensées, qui l'empêchaient de fermer l'œil. Ses sentiments étaient mélangés entre la colère et la haine, qui se transformaient inévitablement en pure tristesse. Accablé par la perte de Mikann'ak, il s'endormit au bout de quelques heures, totalement épuisé.

En une seule journée, Ithan'ak avait connu l'allégresse et l'abattement. Le dieu de la guerre lui avait accordé le titre de priman'ak et lui avait pris Mikann'ak en échange. C'était le parfait exemple de la dure réalité, où la guerre et l'amour ne font pas bon ménage. Ithan'ak l'avait appris à ses dépens et il devait maintenant utiliser la rage qui l'habitait contre l'ennemi qui serait bientôt en vue. De son inflexibilité dépendait l'avenir des warraks, ainsi que celui de leurs alliés.

Chapitre 17

Il n'était pas midi lorsqu'un éclaireur des cavaliers de la plume argentée rapporta que l'armée de Kalamdir n'était qu'à environ une dizaine d'heures de marche de leur campement. Heureusement, Simcha et les troupes qu'il avait eu le temps de réunir au royaume de Küran arrivaient au même moment, venant ainsi gonfler les rangs des warraks. Ithan'ak, qui s'était forgé une nouvelle opinion du pirate, l'accueillit en ami. Fork, Vonth'ak et Skeip avaient eux aussi oublié les actes douteux commis par Simcha, dont ce dernier avait soigneusement expliqué les motifs.

— Nous sommes enfin réunis, se réjouissait Skeip, comme le jour où nous avons nagé avec les belwigs dans le lac Hymrid.

— Il faudrait qu'Elwym soit là pour que nous soyons complets, souligna Simcha, qui regrettait la haine qu'avait développée l'hyliann envers lui.

— Ton œil valide est-il usé au point que tu n'arrives pas à voir ce qui t'entoure ? se moqua Elwym, qui venait d'arriver en compagnie de Kamélia.

L'ambassadrice de Lelmüd, embarrassée de venir seule à la rencontre du pirate, avait convaincu Elwym de la suivre. Ce dernier avait accepté à contrecœur, car il craignait que Simcha essaie de passer pour quelqu'un de bien aux yeux de Kamélia.

— Je suis heureux de te revoir, dit le pirate à Elwym, faisant fi de la remarque désobligeante de l'hyliann. Cela est d'autant plus vrai pour vous, ajouta-t-il à l'intention de Kamélia.

Il alla même jusqu'à baiser la main de l'ambassadrice, ce qui contraria Elwym au plus haut point. Simcha n'avait plus rien du brigand que ses amis avaient toujours vu en lui. Il portait des habits neufs, dignes du fils du roi de Küran.

— Au nom du roi Filistant et du royaume de Küran, dit plus sérieusement Simcha en s'adressant à Ithan'ak, nous venons apporter notre appui à votre cause, dont nous avons fait la nôtre.

— C'est avec plaisir que nous acceptons votre aide, lui fit savoir le priman'ak, amusé par ces formalités.

Pendant de courts moments comme celui-ci, Ithan'ak arrivait à oublier que Mikann'ak lui avait échappé à jamais. Lorsque cette triste vérité lui revenait à l'esprit, son estomac se contractait et son regard se perdait momentanément dans le vide. En voyant Elwym s'inquiéter de la complicité que développaient Simcha et Kamélia, le priman'ak ne put empêcher ses propres démons de remonter à la surface.

— Y a-t-il quelque chose qui ne va pas ? lui demanda le pirate. Je croyais que les renforts que je t'apporte te rendraient plus heureux.

— Ithan'ak découvre à ses dépens qu'être priman'ak n'est pas de tout repos, intervint Kamélia.

Sans connaître les détails de l'histoire, l'ambassadrice avait décelé et correctement interprété les symptômes du priman'ak. Elle savait qu'il traversait un dur moment et elle désirait l'aider à dissimuler son secret.

— L'armée du roi Limius arrivera probablement durant la nuit, dit Ithan'ak. J'ai convoqué le conseil des chefs, auquel Fork et Toran seront présents. Je crois que le prince de Küran devrait aussi y être pour représenter son peuple.

Simcha acquiesça d'un signe de la tête, puis posa son regard sur Skeip. Le rongeur poussait des soupirs de mécontentement tout en tapant fortement de son petit pied.

— Je considère que je devrais assister à cette réunion, dit-il d'un ton offusqué.

— Nous en avons déjà parlé, s'exaspéra Ithan'ak. Comme Elwym et Kamélia, tu ne diriges aucun guerrier. Tu n'as donc pas ta place dans ce conseil.

— Je suis le représentant des keenox, s'entêta Skeip. Il est donc normal...

— Dans ce cas, le coupa Ithan'ak, tu organiseras un conseil avec d'autres keenox, ce qui risque de ne pas être facile.

Le ton qu'avait pris le priman'ak n'avait rien de cordial. Il fit signe à Fork et à Simcha de le suivre et tourna les talons.

— La patience d'Ithan'ak s'épuise encore plus rapidement qu'à l'habitude, fit remarquer Vonth'ak.

— Cela ne fait pas encore deux jours qu'il est devenu priman'ak, précisa Kamélia. Il aura besoin d'un certain temps pour s'adapter.

L'ambassadrice savait que le magicien avait lui aussi son idée sur le récent changement d'humeur d'Ithan'ak. Comme elle, il avait probablement décidé d'en faire abstraction, afin de ne pas offenser le principal intéressé.

— Que diriez-vous d'aller observer l'entraînement des apprentis ? proposa Elwym, ravi d'être débarrassé de Simcha.

Vonth'ak voulut s'opposer à cette idée, car il désirait retenir une fois de plus les services de son traducteur personnel. En voyant la mine abattue de celui-ci, il comprit que Skeip serait peu coopératif et qu'il valait mieux essayer de le divertir un peu.

Pendant ce temps, Ithan'ak, Fork et Simcha se rendaient au conseil des chefs. La réunion avait lieu à l'écart du campement, à l'air libre. Il était très rare que les warraks construisent un pavillon prévu à cet effet, comme celui qu'avait fait bâtir Kran'ak durant le siège d'Ymirion.

Durant tout l'après-midi, les différents chefs débattirent sur les stratégies militaires à mettre en œuvre contre les Kalamdiens. Toutes les propositions furent entendues, même les plus inusitées. Ithan'ak prenait ce travail au sérieux, d'autant plus que cela lui permettait de ne pas penser à Mikann'ak. Pourtant, chaque fois qu'il portait les yeux sur Yrus'ak, son cœur faisait un bond dans sa poitrine. Il ne s'était jamais imaginé qu'il considérerait un jour ce warrak comme un rival.

À quelques reprises, les intrus, qu'étaient Simcha et Toran, avaient pris la parole de façon éloquente. Étonnamment, les warraks s'étaient montrés très réceptifs à leurs commentaires. Plus effacé, Fork s'était contenté d'écouter attentivement la discussion haute en couleur. Lorsque le conseil prit fin, il faisait déjà nuit et les chefs s'empressèrent d'informer leurs guerriers des stratégies que le priman'ak avait retenues. Les femmes et les enfants en bas âge partirent se mettre à l'abri, alors que les apprentis s'apprêtaient à vivre pour la première fois une véritable bataille. Il ne restait plus qu'à attendre que l'ennemi daigne enfin se montrer.

Afin de diviser au maximum les effectifs de Kalamdir, Ithan'ak avait disposé les warraks en une longue ligne d'attaque, qui formait un demi-cercle. Les hommes de Simcha avaient été dispersés parmi les féroces guerriers, de même que les bosotoss. Le but était de créer une uniformité dans la ligne. Fork et Simcha, en tant que dirigeants des Küraniens et des bosotoss, s'étaient réservé une place près du priman'ak. L'ambassadrice de Lelmüd avait aussi usé de son titre pour s'incruster dans ce groupe sélect. Elwym, qui n'était jamais très loin de Kamélia, était aussi présent.

— Où est Vonth'ak ? demanda Simcha.

— Il est parti s'assurer que la vie de Skeip ne serait pas en danger, répondit Ithan'ak.

— Ce rongeur est un spécimen unique, commenta Fork, amusé par les manœuvres incessantes de Skeip pour se mettre en situation risquée.

— C'est bien tout le problème, intervint Vonth'ak, qui venait de les rejoindre. S'il lui arrivait malheur, le savoir de nos ancêtres serait perdu à jamais.

Ithan'ak songea aux pouvoirs dont lui avait fait cadeau le dieu de la guerre. La magie qui habitait son bras droit lui avait permis de déchiffrer l'Ominiak. De toute évidence, il possédait une capacité dont était privé Vonth'ak. Néanmoins, le priman'ak décida de ne pas le mentionner, sous peine que le magicien commence à le harceler comme il le faisait avec Skeip.

— Puis-je vous dire un mot ? demanda le capitaine Horl'ak, qui s'était approché de son chef.

— Comme vous pouvez le constater, répondit Ithan'ak, je ne suis pas très occupé pour l'instant. Avez-vous des nouvelles des cavaliers de la plume argentée ?

— Comme prévu, ils ont dissimulé leur présence dans les bois. Toran a envoyé des éclaireurs, qui ne sont pas encore revenus. Toutefois, c'est d'un autre sujet que j'aimerais m'entretenir avec vous.

— Vous piquez ma curiosité, s'intéressa le priman'ak.

— Le jeune Ryan m'a confié que vous lui aviez interdit de combattre, expliqua le capitaine, alors que tous les apprentis participent à la bataille. Je sais que vous désirez forger son caractère, mais son bras nous serait certainement très utile.

— Il est évident que ce jeune warrak est votre protégé, dit Ithan'ak. Ce n'est pas une raison pour le materner.

— De toute façon, intervint Vonth'ak, je lui ai confié une autre mission. Il est chargé de veiller sur Skeip jusqu'à ce que la bataille soit terminée.

Le capitaine Horl'ak jugea qu'il était inutile d'argumenter davantage et décida d'adopter le silence.

La nuit n'était plus toute jeune et les bâillements commençaient à se répéter de plus en plus fréquemment dans la ligne d'attaque. Ithan'ak avait lui-même beaucoup de difficulté à garder les yeux ouverts, surtout après le sommeil désastreux dont il avait à peine profité la nuit précédente.

Le croissant de lune était dissimulé derrière de gros nuages gris, annonciateurs de pluie. Si une averse se déclenchait, l'attente de la bataille deviendrait interminable.

— J'ai entendu le tonnerre, déclara Fork. Il est étrange qu'il n'y ait aucun éclair.

— C'est parce qu'il ne s'agit pas du tonnerre, expliqua Kamélia.

Ithan'ak se tourna vers l'ambassadrice, afin de confirmer qu'il avait bien compris. À en croire l'hyliann, ce que Fork avait cru être le tonnerre était en réalité le bruit provoqué par une armée en mouvement.

— Je crois qu'elle a raison, commenta Simcha. J'ai entendu dire que la terre tremblait lorsque l'armée de Kalamdir approchait. Leurs soldats marchent tous à la même cadence pour créer cet effet.

— Dans ce cas, dit Ithan'ak, les warraks ont eu aussi leur technique d'intimidation.

Il s'empara du bouclier qui était déposé devant lui. Aussitôt, les dizaines de warraks qui l'entouraient l'imitèrent. Les féroces guerriers n'avaient pas l'habitude d'utiliser ce genre de protection, hormis lors des grandes mêlées.

Le priman'ak fut le premier à frapper son glaive contre son bouclier. Peu à peu, ses frères d'armes entamèrent le même mouvement, ce qui se traduisit par un immense vrombissement. Simcha observait la scène avec fascination. Il avait déjà assisté à ce spectacle en tant qu'ennemi. Cette fois-ci, il était au centre des warraks, dont les yeux rouges transperçaient la pénombre. Transporté par la soif de combattre qui animait les guerriers alliés, le pirate souleva son bouclier, qu'il fit à son tour raisonner dans la nuit.

Le bruit créé par le choc des boucliers masquait l'approche des Kalamdiens, mais ne pouvait l'empêcher ou même la retarder. Lorsque l'armée du roi Limius fut à portée de vue, Ithan'ak et les siens comprirent réellement l'amplitude du défi qu'ils devaient surmonter. Malgré l'obscurité, il leur était possible de voir l'armée de Kalamdir s'étendre à perte de vue. Cette vision avait suffi à couper l'enthousiasme des warraks et de leurs alliés. Le choc qu'ils provoquaient avec leurs boucliers avait rapidement décliné, jusqu'à disparaître totalement. Le tonnerre provoqué par le déplacement des Kalamdiens continua cependant durant quelques minutes, jusqu'à ce qu'ils s'immobilisent. Comme l'avait prédit Ithan'ak, tous les éléments étaient en place pour un combat historique, à moins que les siens connaissent un revers des plus fracassants.

— Ils sont au moins cinq fois plus nombreux que nous, dit Fork.

— Ils sont commandés par le général Karst, ajouta Kamélia.

— Ils sont beaucoup trop loin pour en être certain, la reprit Ithan'ak.

— Les hylianns n'ont peut-être pas un aussi bon instinct que les warraks, dit fermement l'ambassadrice, mais leur vision est beaucoup plus affinée. Je peux même affirmer avec certitude que le roi Limius est aussi présent.

Cette révélation interloqua Ithan'ak, Fork, Simcha et Vonth'ak, qui se tournèrent vers Elwym dans l'attente d'une confirmation.

— Je suis encore jeune et mes sens ne sont pas aussi développés que ceux de Kamélia, balbutia l'hyliann. Je suis toutefois certain qu'elle dit la vérité, s'empressa-t-il d'ajouter.

— Si les Kalamdiens sont menés par le général Karst, dit Ithan'ak, notre tâche ne sera pas aisée. J'ai remarqué chez cet homme une grande capacité d'innovation et d'adaptation. Nous devrons être extrêmement prudents et attentifs aux manœuvres de ses troupes. Cependant, la présence du tyran de Kalamdir offre une motivation de plus pour remporter le combat. S'il meurt, cette guerre prendra fin une fois pour toutes.

Le priman'ak observa les warraks qui l'entouraient. Leurs yeux étaient rouges et leur soif de combattre était palpable. Il fallait espérer que cela serait suffisant. Chacun d'entre eux devrait lutter avec plus de hargne qu'il ne l'avait jamais fait.

— Écoutez-moi tous ! rugit Ithan'ak, brisant le silence qui s'était installé. Vous devez savoir que le roi Limius est de l'autre côté de cette plaine. Une armée se dresse entre nous et notre proie, ce qui ne nous empêchera pas de l'atteindre. Cette nuit, ensemble, nous mettrons fin à la tyrannie opérée par le royaume de Kalamdir.

Les paroles du priman'ak déclenchèrent de puissants rugissements dans les rangs des warraks, mais leur fureur n'était pas encore à son apogée. Il était temps pour Ithan'ak d'entamer l'Ominiak avec eux, après quoi le combat serait déclenché.

Alors que j'avance vers le chemin de la mort ;

Du sang de mon ennemi, je me couvre de gloire ;

Du sang de mon ennemi, je nourris la bravoure de mon âme ;

Du sang de mon ennemi, je trace mon destin et mon propre salut ;

Entendez mon puissant rugissement et faites qu'il résonne à jamais sur les champs de bataille éternels.

Les Küraniens, dispersés parmi les féroces guerriers, ne pouvaient comprendre l'effet qu'avait cette prière de guerre sur les warraks. Ceux-ci étaient littéralement pris d'une frénésie meurtrière qu'ils ne pouvaient réprimer. C'était précisément l'état dans lequel Ithan'ak voulait que ses guerriers soient avant de passer à l'offensive.

— À l'attaque ! hurla le priman'ak, qui courait déjà vers l'ennemi.

Aussitôt, les warraks se lancèrent à l'assaut comme une meute de loups. Encouragés par la vaillance de leurs alliés, les Küraniens et les bosotoss les suivirent sans la moindre hésitation.

Pour répondre à la charge des warraks, Karst envoya seulement le quart de ses effectifs, ce qu'il considérait comme suffisant pour l'instant. On lui avait communiqué que les cavaliers de la plume argentée avaient été aperçus dans la région et le général était certain qu'ils dissimulaient leur présence. De plus, il souhaitait voir quelle surprise Ithan'ak lui réservait avant d'engager tous ses soldats dans la bataille.

Pendant ce temps, le roi Limius s'était réfugié derrière son armée, sous la protection des sintoriens. Le monarque avait aussi exigé l'assistance de Xioltys, dans l'improbabilité où la situation ne tournerait pas en sa faveur. Le magicien, grâce aux soins du docteur Claymore, s'était rapidement remis des blessures que lui avaient infligées Ithan'ak et Vonth'ak. Le jeune homme blond avait même usé de sa magie pour effacer les multiples cicatrices qui recouvraient ses jambes. Quoi qu'il en soit, tout était planifié pour que le monarque observe sans danger la bataille.

Lorsque les deux armées se fracassèrent, Ithan'ak fut l'un des premiers à faire couler le sang. Avec son glaive, il se frayait un chemin parmi l'ennemi, suivi de près par Fork et Simcha. Dans la mêlée, Kamélia et Elwym avaient été séparés chacun de leur côté. Au milieu des warraks, les deux hylianns combattaient farouchement pour leur survie.

Simcha, entre Ithan'ak et Fork, ne prenait pas encore part au combat. Protégé par ses deux compagnons, il étudiait soigneusement la première vague de soldats envoyée par Karst. Comme il s'y attendait, le général défiguré avait d'abord utilisé les Küraniens à son service. Heureusement, le roi Filistant avait déjà envisagé pareille situation et s'y était préparé.

Comme le lui avait indiqué son père, Simcha sortit un clairon et joua une série de cinq notes qu'il avait mémorisée. Cette courte sonnerie, apprise secrètement par tous les Küraniens mis au service du roi Limius, était un code destiné à les informer que le royaume de Küran se révoltait contre l'oppression de son voisin de l'ouest. Bien que le roi Filistant n'eût jamais pensé avoir à l'utiliser, cette méthode était d'une grande efficacité. En effet, même en pleine bataille, il était possible de communiquer le signal aux soldats et ainsi leur indiquer de retourner leurs armes contre les Kalamdiens.

— Espérons que cela fonctionnera, s'écria Ithan'ak, alors qu'il retirait sa lame d'un soldat blessé à mort.

— Les Küraniens sont reconnus pour la fidélité qu'ils vouent à mon père, le rassura Simcha. Si tu n'étais pas aussi occupé à combattre, tu pourrais constater par toi-même qu'ils ont déjà adopté notre camp.

Ce que le pirate disait était vrai. Tous les Küraniens, incluant ceux que le roi Filistant avait mis à la disposition du roi Limius, combattaient les soldats du général Karst. Au loin, ce dernier attendait avec impatience un rapport de ses capitaines, car la noirceur l'empêchait de distinguer correctement ce qui se passait sur le champ de bataille.

— Nous aurions dû attendre le jour, siffla-t-il entre ses dents, mécontent de la décision de son suzerain.

L'homme au visage d'acier n'avait pourtant pas perdu confiance. Lorsqu'on lui transmit le message indiquant que les Küraniens s'étaient retournés contre lui, il faillit tuer le malheureux qui l'avait informé. « Ithan'ak a donc réussi à gagner le roi Filistant à sa cause, déduisit-il. J'étais certain qu'il me réservait une surprise comme celle-là. »

Karst ordonna à de nouvelles unités d'intégrer la bataille, envoyant ainsi un second quart de ses effectifs au combat. Cette nouvelle vague de Kalamdiens vint appuyer la première, qui était en difficulté. Le général conservait donc la moitié de son armée en réserve.

Comme toujours, le docteur Claymore était à ses côtés. Heureusement pour le petit homme, le général avait cru ses mensonges et ne s'était jamais douté que le keenox s'était échappé grâce à lui.

— Je suis certain que les cavaliers de la plume argentée interviendront très bientôt, dit Karst à l'intention du docteur. Lorsqu'ils entreront en scène, j'engagerai personnellement le combat avec les unités que j'ai gardées en réserve. Cela devrait suffire à remporter facilement la victoire. Je désire néanmoins que vous restiez alerte, car j'aurai peut-être besoin de vos soins à mon retour. Ithan'ak est quelque part dans la mêlée et l'heure de ma vengeance a sonné. Je suis certain de pouvoir le vaincre, mais je risque d'avoir une blessure ou deux. Le cas échéant, je compte sur votre adresse pour me rafistoler.

Claymore demeura muet, ce qui suffisait au général. Il savait que le docteur était dévoué à son art et que si une difficulté survenait il pourrait s'en remettre à ses soins.

Pendant que Karst préparait son entrée en scène, la bataille continuait de faire des victimes. Les Kalamdiens étaient supérieurs en nombre, mais leurs ennemis compensaient par leur force, spécialement les bosotoss. La stature impressionnante de ces colosses suffisait à faire reculer leurs opposants. Chacun d'entre eux, avec son énorme massue, faisait des ravages dans l'armée du roi Limius. Même leurs alliés ne pouvaient s'approcher d'eux, sous peine de se retrouver malencontreusement dans la trajectoire de l'arme gigantesque taillée dans le bois.

Les warraks, qui ne possédaient pas la même force que les bosotoss, optaient pour une technique de combat plus développée. Le maniement du glaive n'avait de secret pour aucun des féroces guerriers, ce qui faisait d'eux des adversaires redoutables. Même les apprentis, à qui le priman'ak avait permis de participer au combat, faisaient preuve d'une habileté et d'un sang-froid étonnant. Le jeune Kalë se démarquait particulièrement de ses compagnons, ce qui n'avait rien de nouveau. L'un après l'autre, les soldats du roi Limius périssaient sous son glaive.

— Espères-tu conserver toute la gloire pour toi seul ? lui demanda Ryan, qui s'était frayé un chemin jusqu'à son éternel partenaire.

— Que fais-tu ici ? lui demanda Kalë, dont la distraction faillit lui coûter la vie. Je croyais avoir entendu dire que tu veillais sur le keenox.

— Je suis beaucoup plus utile ici, rétorqua le jeune warrak impétueux. J'ai ordonné au rongeur de rejoindre les femmes et les enfants, où il sera en sécurité.

— Ce keenox est plus insouciant qu'un enfant ! s'alarma Kalë, tout en esquivant un coup d'épée. Retourne immédiatement veiller sur lui.

Un coup de poing brutal dans les côtes arracha un cri de surprise à Kalë. Le plus sidérant était que le coup venait de Ryan.

— J'ai toujours été le plus fort, dit-il en regardant Kalë avec mépris. Tu es jaloux de moi et tu voudrais prendre ma place, ce que je ne te laisserai pas faire. À l'issue de cette bataille, nous verrons qui de nous deux aura su se démarquer.

Interloqué, Kalë regarda Ryan s'éloigner dans la mêlée. Le comportement insolite de ce dernier n'avait rien de rassurant.

Toutefois, les ennemis arrivaient de toute part et ce n'était pas le temps de chercher à comprendre ce qui venait de se passer.

Peu à peu, les Kalamdiens commençaient à prendre l'avantage. En effet, plusieurs soldats du royaume de Küran avaient péri durant la deuxième vague d'assaut envoyée par le général Karst. Ce dernier avait ordonné de mener l'attaque contre les Küraniens, car la plupart de ces paysans n'avaient pas l'habitude des combats et représentaient des proies faciles. Ce détail n'échappa pas à l'attention de Simcha.

— Ils concentrent leurs forces sur mes soldats ! hurla l'homme borgne.

— Je sais, répondit Ithan'ak, qui combattait dos au pirate. Les Küraniens ne sont pas des soldats et j'espérais les utiliser seulement comme appui.

Le priman'ak était dans une fâcheuse position. S'il appelait immédiatement Toran et ses cavaliers, il n'aurait plus aucune force en réserve. D'un autre côté, il devait permettre aux Küraniens de se ressaisir, car leur appui était essentiel à la victoire.

— Tu dois demander à Toran d'intervenir, conseilla Skeip, dont la présence déstabilisa Ithan'ak et Simcha.

Sans leur laisser le temps de comprendre ce qu'il faisait au milieu de la mêlée, le keenox s'empara du court bâton de bois attaché à la ceinture d'Ithan'ak. Le rongeur avait surpris Vonth'ak en train de donner cet objet apparemment anodin au priman'ak. D'après ce que Skeip avait compris, le bâton devait servir à envoyer un signal aux cavaliers de la plume argentée.

— Que fais-tu ? s'écria Ithan'ak.

— Ne t'en fais pas, le rassura Skeip, je sais exactement comment procéder.

Protégé par le triangle que formaient Ithan'ak, Fork et Simcha, le keenox s'agenouilla et planta le bout pointu du bâton profondément dans le sol. Comme prévu, la réaction fut immédiate. Du morceau de bois s'échappa une boule argentée qui s'envola haut dans le ciel. Lorsqu'elle atteignit la hauteur voulue, elle éclata en milliers de particules lumineuses au-dessus du champ de bataille. Il était impossible que Toran et ses cavaliers n'aperçoivent pas le signal qui leur était destiné.

— À notre tour de montrer de quoi nous sommes capables, dit le chef des cavaliers de la plume argentée. Suivez-moi !

En formation serrée, les cavaliers sortirent des bois et foncèrent vers le lieu de la bataille, de façon à prendre à revers les Kalamdiens. Malheureusement pour eux, le général Karst avait anticipé cette manœuvre.

— Voilà pourquoi je tenais à garder la moitié de mes soldats en réserve, dit-il pour lui-même. Ainsi, je ne me retrouve pas bêtement coincé entre deux feux.

Confiant, il prit personnellement le commandement de la troisième offensive et fonça à l'endroit où Toran et les siens tentaient d'opérer une percée.

Depuis la forêt d'où étaient sortis Toran et ses cavaliers, Vonth'ak observait attentivement l'affrontement. Il avait convenu avec Ithan'ak de ne pas intervenir dans la mêlée et de conserver ses forces pour un tout autre combat. En effet, le magicien était chargé de contrer toute attaque que pourrait lancer Xioltys. Jusqu'ici, le jeune homme blond était demeuré discret, ce qui inquiétait le warrak. Incapable de rester plus longtemps sur place, il décida de longer la forêt pour s'approcher furtivement du roi Limius et du magicien d'Ymirion, en espérant ne pas être aperçu par les sintoriens qui assuraient leur sécurité.

Sur la plaine, les hostilités devenaient plus intenses à chaque instant. Depuis le début de l'affrontement, Elwym essayait désespérément de se frayer un chemin vers l'ambassadrice de Lelmüd. À plusieurs reprises, celle-ci avait disparu de son champ de vision, pour réapparaître quelques minutes plus tard. Le jeune hyliann tenait à veiller sur Kamélia, dont la mort lui serait insupportable.

De son côté, l'ambassadrice combattait farouchement les adversaires qui se présentaient à elle. Les combats l'avaient peu à peu conduite près du trio que formaient Ithan'ak, Fork et Simcha. Elle faisait de son mieux pour les rejoindre, mais le chaos qui régnait lui compliquait la tâche. Dans la mêlée autour d'elle, les cavaliers de Toran maniaient difficilement leurs montures, ce qui obligeait même leurs alliés à prendre garde de ne pas être piétinés sous les sabots des chevaux.

Alors qu'elle venait de trancher la jugulaire d'un homme avec l'un de ses cimeterres, Kamélia tourna sur elle-même afin de s'assurer qu'aucun ennemi ne se trouvait dans son périmètre. C'est à ce moment qu'elle vit le général Karst et ses hommes entrer violemment dans la bataille. Leur intervention eut l'effet d'un taureau énervé, qui fracasse tout sur son passage. En quelques instants, les warraks, les Küraniens et les cavaliers de la plume argentée se trouvèrent submergés par leurs adversaires. Même les puissants bosotoss commençaient à faiblir et certains d'entre eux ne purent retarder plus longtemps la mort.

Cette situation difficile n'avait pas suffi à démoraliser l'ambassadrice de Lelmüd, qui combattait plus farouchement que jamais. À l'aide de ses deux lames, elle retirait la vie à quiconque avait le malheur de l'affronter.

— Je m'occupe de cette saleté d'hyliann, hurla le général Karst, qui n'avait pas encore déniché Ithan'ak.

En ricanant affreusement, il fit tournoyer son épée de façon à intimider Kamélia. Celle-ci recula lentement, tout en se préparant à parer l'offensive. Lorsque Karst passa enfin à l'attaque, elle bondit sur le côté et tenta d'enfoncer sa lame dans les côtes du général. L'homme défiguré connaissait bien cette parade et n'eut aucune difficulté à l'éviter, en pivotant sur lui-même.

— Il n'y a que les hylianns pour apprendre à combattre aux personnes de votre sexe, se moqua-t-il.

— Nous verrons si vous serez aussi présomptueux lorsque vous goûterez à l'une de mes lames, rétorqua Kamélia, nullement impressionnée.

Avec agilité, elle effectua quelques pas en direction de l'homme, en balançant de part et d'autre ses cimeterres. Au dernier moment, elle bondit pour asséner un coup mortel au général. Ce dernier, reconnu pour son aisance à anticiper les mouvements de ses ennemis, se pencha sur le côté et planta son pied droit directement dans la cage thoracique de son adversaire. Kamélia fut propulsée vers l'arrière et atterrit durement sur le dos. Le coup avait été si intense qu'elle avait échappé ses deux armes. Karst, impatient d'en terminer, brandit son épée et la mania dans le but d'assener une blessure mortelle à l'ambassadrice.

Un peu plus loin, Simcha avait remarqué que Kamélia était en danger. Sans réfléchir, il brisa le triangle qu'il formait avec Ithan'ak et Fork pour s'élancer au secours de l'hyliann. Malheureusement, un Kalamdien vint se mettre sur la trajectoire du pirate et l'empêcha d'atteindre Karst. Sans son aide, l'homme borgne était convaincu que Kamélia était perdue.

En voyant l'épée du général fendre l'air dans sa direction, l'ambassadrice était elle aussi persuadée que rien ne pourrait détourner l'homme défiguré de son but. Quelle ne fut pas sa surprise lorsqu'Elwym s'interposa, au dernier instant, en faisant dévier la lame qui menaçait l'ambassadrice ! Furieux, Karst plongea son regard dans celui de l'importun qui était intervenu dans un duel qui n'était pas le sien.

— Tu paieras pour ton impertinence, dit l'homme, qui se désintéressa de Kamélia.

Sans laisser le temps de répondre à Elwym, Karst effectua une habile parade, que l'hyliann n'arriva pas à bloquer. Lorsque le métal froid dévora sa chair, Elwym ne ressentit qu'une vive piqûre et ne réalisa pas immédiatement la gravité de la blessure. Les yeux écarquillés, il vacilla sur ses jambes en tentant de garder l'équilibre.

Entre-temps, Simcha s'était débarrassé de l'homme qui lui faisait obstacle et put attraper Elwym qui allait s'effondrer. Du sang coulait de la bouche du jeune hyliann, qui était terrorisé par sa mort imminente.

Tout s'était passé si vite que Kamélia était toujours allongée sur le dos. Impuissante, elle avait vu le général prendre la vie de son compagnon. L'ambassadrice aurait voulu le faire payer pour ce crime, mais sa détresse était si grande qu'elle n'arrivait plus à réagir.

Comme s'il était l'incarnation de la mort, le général Karst observait triomphalement sa victime agonisante dans les bras du pirate.

— Vous êtes le prochain sur ma liste, dit-il à l'intention de Simcha.

— J'en doute, intervint Ithan'ak, dont les yeux étaient plus flamboyants que jamais. Je crois qu'il est temps que je termine le travail que j'ai commencé.

— Même si par miracle vous arriviez à me tuer, railla le général, vous connaîtriez la défaite. Il faudrait être aveugle pour ne pas voir que vous êtes submergés par le nombre et que ce n'est qu'une question de temps avant que vous soyez écrasés comme de vulgaires insectes.

Ce que disait Karst était vrai. Les warraks et leurs alliés tenaient bon, mais il ne pourrait retarder éternellement l'inévitable défaite qui les attendait. Les cavaliers de la plume argentée, déjà engagés dans le combat, ne pourraient retourner la situation comme ils l'avaient fait à la bataille de Locktar.

— Si je meurs aujourd'hui, dit bravement le priman'ak, j'aurai au moins la satisfaction de vous avoir éliminé.

— Voyons si vous êtes aussi puissant que vous daignez le faire croire, grogna Karst, qui engagea le combat avec celui qu'il tenait pour responsable de ses malheurs.

Pendant qu'Ithan'ak s'occupait du cruel général, Kamélia se releva et se précipita vers Elwym, qui luttait contre la mort, sur les genoux de Simcha. L'ambassadrice et le pirate, penchés sur leur pauvre camarade, n'avaient plus conscience des combats qui faisaient rage autour d'eux. Heureusement, Fork les avait rejoints et employait sa puissante massue pour tenir les ennemis à distance. Le bosotoss était bouleversé de voir Elwym à l'article de la mort, mais il ne pouvait se laisser aller à ses émotions. Son devoir était de protéger Kamélia et Simcha, afin qu'ils puissent dire au revoir à Elwym.

— Je suis désolée, dit Kamélia, dont les larmes coulaient jusque sur la poitrine du mourant.

Dès leur première rencontre, l'ambassadrice avait pris conscience des sentiments qu'Elwym éprouvait pour elle. Malheureusement, ceux-ci n'étaient pas réciproques et Kamélia n'avait jamais eu le courage de mettre fin aux espoirs de son prétendant. Maintenant qu'il était sur le point de mourrir, elle regrettait amèrement de l'avoir souvent jugé encombrant.

— Je s-sais que v-vous n'avez j-jamais par-ta-gé mon a-amour, balbutia Elwym, m-mais on ne choi-sit pas qui l'on ai-aime.

Cette remarque arracha un sanglot à l'ambassadrice, qui serra contre elle le visage d'Elwym. Celui-ci perdait son teint argenté, signe que l'étincelle de la vie le quittait. Lorsque Kamélia relâcha sa douce prise, Elwym avait quitté le monde des vivants. Bouleversée, elle regarda Simcha, qui ne trouva rien à dire pour la consoler.

Skeip, qui se frayait efficacement un chemin entre les combattants, n'avait pas remarqué qu'un de ses compagnons était mort. Toute son attention était concentrée sur Ithan'ak et Karst, qui s'étaient lancés dans un affrontement sans merci. Les duellistes étaient d'une adresse formidable, ce qui rendait incertaine l'issue du combat. Le warrak, voyant qu'il n'obtiendrait pas la victoire en usant de finesse, décida de marteler de toutes ses forces le général, qui eut du mal à parer les puissants coups qui lui étaient réservés. D'un instant à l'autre, le glaive d'Ithan'ak viendrait venger la mort d'Elwym.

Au moment où le warrak croyait l'emporter sur le général, un Kalamdien se plaça dans son dos.

— Derrière toi ! hurla Skeip, permettant ainsi à Ithan'ak d'éviter l'épée du soldat et de la retourner contre son maître.

Ce court instant suffit à Karst pour reprendre pied et s'assurer une meilleure prise sur son arme, qu'il dirigea sauvagement contre le keenox. Skeip n'eut pas le temps de réagir et reçut la lame en plein cœur. Il émit un petit cri de douleur et quelques spasmes secouèrent ses petites pattes rachitiques. Le rongeur était mort sur le coup.

— Il semblerait que tous ceux qui vous entourent soient inexorablement destinés à mourir de ma main, dit cruellement le général.

Pris d'une furie dont il ne se serait jamais cru capable, Ithan'ak chargea en direction de l'homme au visage de métal. Sa rage, mêlée au désespoir, guidait chacun de ses mouvements. Il n'avait plus qu'une seule chose à l'esprit : tuer Karst.

Le glaive du warrak se faisait de plus en plus menaçant, cherchant une ouverture pour accomplir son funeste devoir. Pour la première fois, le priman'ak pouvait déceler la peur sur le visage de son adversaire. Il s'apprêtait à porter une nouvelle série de coups lorsqu'il vit du coin de l'œil une forme imprécise se déplacer dans la pénombre.

— Les ombres meurtrières, dit le général Karst, qui avait vu la même chose qu'Ithan'ak.

Pendant qu'ils essayaient de s'entretuer, les deux adversaires n'avaient pas remarqué le changement qui s'était opéré autour d'eux. Assaillies par l'arrivée d'un nouvel ennemi, les deux armées avaient arrêté de combattre. La mort n'avait pas cessé de faire des ravages pour autant. Les ombres meurtrières, qui n'avaient jamais été aussi nombreuses, circulaient furtivement entre les combattants et prenaient leur vie sans distinction. Qu'il s'agisse de warraks, d'hommes ou de bosotoss, les ombres frappaient sans prévenir. Il était impossible de se mettre à l'abri de ce fléau qui menaçait d'effacer toute forme de vie sur son passage.

La confusion créée par l'arrivée des ombres meurtrières avait séparé Ithan'ak du général Karst. Le priman'ak ne pouvait s'y attarder. Comme tous les individus qui l'entouraient, il tournait sans cesse sur lui-même en agitant son arme devant lui, dans l'espoir de repousser une éventuelle attaque des ombres.

Elwym et Skeip étaient morts et Ithan'ak ignorait si Kamélia et Simcha étaient toujours en vie. Seul Fork, grâce à sa taille démesurée, pouvait être aperçu par le priman'ak. Le colosse semblait n'avoir reçu aucune blessure, ce qui rassura son vieil ami.

De toute part, des cris déchirants trahissaient la présence des ombres meurtrières. Les cadavres s'accumulaient sur le sol et la situation devenait alarmante. « Nous allons tous mourir », pensa le priman'ak.

À l'écart du champ de bataille, le roi Limius essayait de comprendre pourquoi le bruit des combats avait diminué. Il voulut passer un commentaire à Xioltys, mais le magicien avait disparu.

— Est-ce que l'un de vous pourrait m'expliquer ce qui se passe ? demanda-t-il à ses sintoriens.

— Nous l'ignorons, monseigneur, répondit l'un d'eux. Nous sommes trop loin pour distinguer correctement quoi que ce soit.

— Qu'attendez-vous pour aller voir de plus près ? hurla le monarque.

— Ce ne sera pas nécessaire, intervint le docteur Claymore, qui était resté derrière selon les ordres du général Karst. Je suis certain que ce sont les ombres meurtrières. Je reconnais le cri distinctif que poussent leurs victimes.

Le roi Limius connaissait très peu le petit homme qui s'adressait à lui, mais il ne voulait prendre aucun risque. En effet, le monarque n'était pas reconnu pour sa bravoure.

— Je veux que trois d'entre vous aillent chercher les chevaux, ordonna-t-il aux sintoriens, qui s'exécutèrent sur-le-champ. Que ceux qui restent forment un cercle autour de moi !

Les soldats d'élite dégainèrent leurs épées, mais il était déjà trop tard. Les ombres s'étaient glissées jusqu'à eux et même les puissants gardes du roi ne pouvaient rivaliser contre elles. L'un après l'autre, ils succombèrent aux attaques sournoises des spectres de la nuit. Claymore, plutôt que d'imiter le roi Limius en paniquant, essaya de garder son calme et se pencha sur un sintorien qui respirait encore.

— Je ne veux pas mourir, pleurnichait le monarque, trop effrayé pour prendre la fuite.

Il n'avait plus rien du tyran qui régnait d'une main de fer sur le royaume de Kalamdir. Une lueur d'espoir apparut dans ses yeux lorsqu'il vit Xioltys approcher dans la nuit.

— Où étais-tu passé ? hurla le roi Limius. Je t'avais ordonné de rester près de moi. Des spectres essaient de s'en prendre à moi et tu dois les repousser.

— Tu n'as donc rien compris, vieil homme, ricana le magicien. Je suis celui qui a déchaîné ces créatures contre tes hommes.

— C'est toi qui as créé ces monstres ! s'interloqua le monarque.

Xioltys ne put s'empêcher de sourire devant la naïveté de son père adoptif.

— Aucun magicien n'est assez puissant pour créer de telles abominations, expliqua-t-il. Toutefois, dans un vieux livre datant de la Guerre de l'Alliance, j'ai récemment découvert une façon de les commander. Il ne me manquait que quelques traductions, que j'ai pu obtenir lors de ma dernière rencontre avec le keenox. J'aurais aimé en apprendre davantage, mais cette vermine m'a échappé pour la seconde fois.

— Tu as l'intention de prendre ma place, s'indigna le roi Limius. Tu crois qu'il te suffira de m'éliminer pour obtenir le trône de Kalamdir.

— J'aspire à beaucoup plus que ton maigre royaume, répondit le jeune homme blond. Grâce à mes pouvoirs et à ces ombres meurtrières, j'anéantirai toutes les armées qui se dresseront devant moi.

— Je constate que rien de ce que je dirai ne t'empêchera de détruire mon armée et de t'emparer de mon royaume. Je prie seulement la déesse Hélisha pour que tu épargnes la vie de ton vieux père.

Un rictus se dessina sur le visage du magicien. Avec dédain, il regardait le monarque quémander sa pitié, ce que ce dernier n'avait jamais fait pour quiconque.

— Tu ne fus jamais un père pour moi, affirma Xioltys. Tu m'as recueilli pour la simple et unique raison que tu désirais utiliser mes pouvoirs à ton avantage. Si cela peut te consoler, j'ai au moins retenu une de tes leçons : n'avoir aucune pitié.

Le sortilège du magicien fut si rapide que le roi Limius eut à peine le temps de voir le faisceau rouge foncer sur lui. La douleur fut si intense que le monarque crut qu'il perdrait l'esprit. Il n'avait aucun moyen de mettre fin à la torture que Xioltys lui infligeait.

— Ta résistance est plus grande que ce à quoi je m'attendais, avoua le fils adoptif. Voyons si tu peux endurer davantage de souffrance.

Le mal qui rongeait le vieil homme de l'intérieur s'intensifia. Le sang coula d'abord de ses oreilles, puis de ses yeux et de son nez. Xioltys prenait un malin plaisir à voir souffrir l'homme qu'il haïssait depuis son enfance. Ce n'est que lorsque les yeux du monarque devinrent vitreux qu'il relâcha enfin son sortilège. Inanimé, celui qui avait semé la peur sur tout le continent s'effondra grossièrement sur le sol.

— Est-il mort ? demanda le docteur Claymore, qui avait assisté à la cruelle exécution.

— S'il ne l'est pas, répondit Xioltys, je doute qu'il survive encore très longtemps.

— Je souhaite vous voir souffrir autant que lui, affirma bravement le petit homme.

Xioltys, qui n'avait pas l'intention de se laisser parler de cette manière, voulut punir le téméraire docteur lorsqu'il fut lui-même frappé par derrière. Pendant que le magicien d'Ymirion prenait plaisir à torturer son père adoptif, Vonth'ak avait réussi à s'approcher subrepticement.

Le warrak avait imaginé une façon judicieuse pour éliminer le jeune homme blond. En effet, il utilisait un sortilège lui permettant de drainer la force vitale de sa victime. Dans un duel conventionnel, Xioltys n'aurait eu aucun mal à contrer une telle attaque, mais Vonth'ak l'avait réellement pris par surprise. Ce dernier pouvait déjà sentir l'énergie de sa proie devenir sienne. Xioltys essayait de résister par tous les moyens, ce qui ne faisait aucune différence. Ses forces l'abandonnaient à une vitesse impressionnante. S'il ne trouvait pas rapidement un moyen d'arrêter le transfert opéré par Vonth'ak, il ne tarderait pas à rejoindre le roi Limius dans le monde immatériel. Cette pensée donna le courage à Xioltys de tenter l'impensable. Plutôt que de continuer à résister, il abaissa ses défenses et encouragea même le transfert d'énergie vers Vonth'ak. Le warrak, qui n'était pas prêt à absorber une si grande force d'un seul coup, se trouva submergé par le drainage qu'il avait lui-même amorcé. Ses paumes commencèrent à brûler et son cœur s'accéléra de façon alarmante. Sous peine d'être ravagé par la puissance qu'il n'arrivait plus à maîtriser, il dut consentir à rompre le lien magique qu'il maintenait avec Xioltys. La rupture fut si brutale que le warrak eut tout juste le temps de s'accroupir avant de perdre connaissance.

De son côté, le jeune blond avait du mal à se tenir debout. Avec le peu de forces qu'il lui restait, il luttait pour demeurer conscient. Il jeta un coup d'œil à Vonth'ak, qui ne représentait plus une menace. L'épuisement de Xioltys était si grand qu'il ne pouvait même pas envisager de s'en prendre à son rival. De plus, il n'exerçait plus aucun contrôle sur les ombres meurtrières, qui risquaient de l'attaquer s'il ne prenait pas promptement la fuite. Sans se préoccuper du docteur qui l'observait d'un air terrifié, Xioltys utilisa ses dernières ressources pour atteindre les chevaux attachés un peu plus loin. Les sintoriens que le défunt roi avait envoyés pour les récupérer s'étaient enfuis avec leur monture, mais le magicien avait toujours l'embarras du choix. Trop épuisé pour prendre le temps de choisir la meilleure bête, il se glissa péniblement sur le cheval le plus près et déguerpit sans se soucier de la direction qu'il prenait.

Soulagé par le départ de Xioltys, Claymore s'empressa de se rendre auprès de Vonth'ak, afin de lui prodiguer ses soins. Le warrak n'avait pas repris connaissance, mais il ne semblait avoir reçu aucune blessure grave. Bien entendu, le docteur ne s'y connaissait pas en magie et son diagnostic pouvait donc comporter des failles. Toutefois, sa grande expérience le portait à croire que la vie de Vonth'ak n'était nullement en danger. Au contraire, grâce à l'énergie qu'il avait soutirée au magicien d'Ymirion, le warrak serait probablement plus en forme que jamais à son réveil.

— Est-ce que quelqu'un est là ? demanda une voix rauque, faisant ainsi sursauter le docteur Claymore. À l'aide, je souffre énormément.

L'homme qui avait fait tressauter le médecin n'était nul autre que le roi Limius. De toute évidence, le monarque n'avait pas succombé à la torture que lui avait infligée Xioltys.

Le docteur ne put s'empêcher d'approcher et d'examiner le vieil homme. À première vue, les blessures qu'avait subies ce dernier avaient fait d'énormes ravages. Le docteur Claymore estima qu'il était tout de même en mesure de réparer les dégâts. Le petit homme au regard creux avisa la plaie la plus importante du monarque et déchira le vêtement à cet endroit. Tout en essayant de penser à autre chose, il s'empara de la dague attachée à la cuisse du blessé, la plaça au centre de la blessure et appuya de toutes ses forces. Le roi Limius étouffa un dernier cri, puis se raidit comme un vieil arbre.

Claymore ne pouvait s'empêcher de pleurer à chaudes larmes sur le cadavre du souverain. Pour la première fois, celui qui avait consacré toute son existence à préserver la vie venait de donner volontairement la mort. Alors qu'il aurait pu guérir le roi Limius, il avait décidé de mettre prématurément fin à ses jours.

— Je devais le faire, pleurnichait Claymore, en s'accrochant au défunt.

Le docteur savait qu'il avait agi judicieusement et que son geste éviterait probablement de nombreuses effusions de sang. Il n'arrivait tout simplement pas à croire qu'après toutes ces années il avait finalement trahi sa doctrine.

— J'ai dû couper la mauvaise herbe pour laisser pousser la bonne, prononça-t-il en reprenant son calme. D'un certain point de vue, je viens de guérir un nombre incalculable de gens. Je dois trouver la force de continuer, car je serai bientôt plus sollicité que jamais.

Le petit homme se retourna, afin d'observer le carnage qui avait lieu sur le champ de bataille. Les deux armées avaient cessé de combattre. Ironiquement, ceux qui étaient ennemis un instant plus tôt devaient maintenant unir leurs forces pour survivre aux attaques incessantes des ombres meurtrières.

Au milieu du lot, Ithan'ak fendait l'air de son glaive, espérant ainsi repousser une agression éventuelle. Il savait que cette technique ne suffirait probablement pas à arrêter les spectres de la nuit, mais il ne voyait aucun autre moyen de se prémunir contre un adversaire aussi sournois, dont il ne connaissait presque rien.

Cela faisait un bon moment que le priman'ak avait été coupé de tous ceux qu'il connaissait. Autour de lui combattaient des warraks, des Küraniens, des cavaliers de la plume argentée et même des Kalamdiens. Parmi eux, aucun visage ne lui était familier. Cela n'empêchait pas Ithan'ak de donner des ordres en vue d'organiser une défense adéquate.

— Formez des cercles compacts et défendez votre position, hurlait le warrak, qui était presque le seul à garder la tête froide. Si nous résistons suffisamment longtemps, ces abominations finiront peut-être par partir.

La défense proposée par Ithan'ak ralentissait le massacre qu'opéraient les ombres, mais le sang continuait de couler. Les différents peuples subissaient des pertes considérables et rien ne laissait croire que la tuerie finirait par prendre fin. Alors que tout semblait perdu, un premier rayon de soleil apparut à l'horizon. Les cris de douleur continuaient à se faire entendre de toutes parts, mais ils provenaient d'individus déjà blessés. En effet, le calme était retombé, signe que les ombres avaient cessé de faire de nouvelles victimes.

« Le jour les fait fuir », se réjouit Ithan'ak, qui voyait se confirmer l'hypothèse qu'il avait formulée par le passé.

La clarté révélait au priman'ak l'hécatombe que les ombres meurtrières laissaient derrière elles. Durant la nuit, la rivalité qui opposait les Kalamdiens aux warraks et leurs alliés s'était estompée. Les plus grandes pertes étaient du côté des Kalamdiens, ce qui n'avait plus aucune importance. La nouvelle concernant la mort du roi Limius s'était déjà répandue et le général Karst avait disparu. Une surprenante coopération s'amorçait donc entre des ennemis de longue date. Ils devaient maintenant unir leurs forces contre des créatures dont ils ne connaissaient que la spectaculaire puissance destructrice.

Parmi les survivants, Ithan'ak se frayait un chemin jusqu'à son clan, où Fork, Simcha et Kamélia l'attendaient. Dans les bras du bosotoss, la dépouille de Skeip paraissait fragile et minuscule. Le pirate, qui essayait de retenir ses larmes, avait glissé sa main dans celle de l'ambassadrice.

— Il était mon ami, dit Fork de sa voix caverneuse, lorsqu'Ithan'ak arriva jusqu'à lui.

— Je m'étais habitué à lui, déplora le priman'ak, dont les yeux trahissaient la profonde tristesse qu'était la sienne.

Avec le temps, le keenox avait su se tailler une place au sein du petit groupe qui entourait le warrak. Son départ laissait un vide que personne ne pourrait combler.

Ithan'ak voulut demander si ses compagnons avaient récupéré le corps d'Elwym, puis il se rappela que la dépouille des hylianns disparaissait au lever du jour.

— Nous dirons au revoir à Elwym la nuit prochaine, sanglota Kamélia, lorsqu'il aura pris sa place parmi les étoiles qui tapissent le ciel noir.

— Espérons que les ombres nous accorderont ce répit, dit le priman'ak, dont l'attention se porta sur le docteur Claymore, qui venait dans sa direction.

— Votre ami magicien a bravement combattu Xioltys, dit le petit homme. Il n'a subi aucune blessure importante, mais il est toujours inconscient. Si je ne fais pas erreur, il devrait revenir à lui dans moins d'une heure. Quant au magicien d'Ymirion, je crois qu'il mettra beaucoup de temps à retrouver toute sa vitalité.

— J'ai l'intuition que vous avez autre chose à me dire, le poussa Ithan'ak, en fronçant les sourcils.

— Xioltys a le pouvoir de maîtriser les ombres, dit le docteur. Voilà pourquoi elles étaient plus nombreuses que jamais cette nuit.

— Durant tout ce temps, c'est lui qui dirigeait ces créatures, déplora le warrak.

— Je ne crois pas, le contredit Claymore. Il a récemment trouvé le moyen de les plier à son commandement, mais ces spectres semblent avoir une volonté propre. Même après que Xioltys eut relâché l'emprise qu'il avait sur les ombres, celles-ci ont continué de vous attaquer. Le magicien d'Ymirion a seulement trouvé le moyen de canaliser leurs aptitudes.

— Ce scélérat reviendra donc à la charge dès qu'il le pourra, avança Simcha.

— Nous devons trouver un moyen de le vaincre, renchérit Fork, qui tenait toujours contre lui la dépouille de Skeip. Si nous échouons, les ombres meurtrières détruiront tous ceux qui s'opposeront à sa volonté.

Ithan'ak n'écoutait plus les réflexions de ses compagnons. Immobile, il fixait son bras droit, dans lequel résidait une puissance qu'il n'avait jamais appris à maîtriser. Le priman'ak avait d'abord nié ce don, puis s'était imaginé qu'il devait l'utiliser contre le roi Limius et son armée. À présent, il comprenait la raison pour laquelle Kumlaïd lui avait accordé un tel pouvoir. Le warrak s'en voulait de ne pas avoir compris plus tôt que les véritables adversaires étaient les ombres meurtrières. « Si mon esprit n'avait pas été aussi fermé, pensait-il, j'aurais développé davantage mes pouvoirs et j'aurais peut-être pu sauver Skeip, Elwym et tous les malheureux qui ont péri durant la nuit. »

Plutôt que de ressasser ses erreurs, le priman'ak décida d'en tirer une leçon. Il n'y avait aucun doute que les ombres reviendraient tôt ou tard à la charge et que Xioltys devait être mis hors d'état de nuire. Ithan'ak comprenait maintenant le rôle qu'il devait jouer dans cette guerre inhabituelle. Par tous les moyens, il devait apprendre à maîtriser le pouvoir qui sommeillait dans son bras. Le moment venu, il mettrait un terme au mal qui rongeait le continent d'Anosios, ou périrait en essayant.

Lexique

Lieux

Anosios : Continent de Nürma, isolé par des océans et un désert.

Chrysmale : Ville sans juridiction située à la frontière des royaumes de Kalamdir et de Küran.

Estragot : Lieu où se trouve le palais du roi Filistant.

Grownox : Forêt où vit en ermite le magicien Nicadème.

Kalamdir : Le plus grand royaume d'Anosios, majoritairement habité par des hommes et gouverné par le roi Limius.

Küran : Gouverné par le roi Filistant, c'est le seul royaume habité par les hommes qui n'a pas été annexé à Kalamdir.

Lelmüd : Ce royaume est une gigantesque forêt habitée par les hylianns. C'est là que réside leur haut conseil.

Locktar : Situé dans le royaume de Kalamdir, ce gigantesque labyrinthe est en réalité une prison d'où se sont récemment échappés les warraks. Une grande bataille entre les Kalamdiens et les warraks a eu lieu près de cet endroit.

Nürma : Planète à laquelle est associée la plus haute divinité vénérée par les habitants d'Anosios.

Pointe d'Antos : Péninsule enneigée située au nord du continent, où le magicien Antos vécut jusqu'à sa mort. Les warraks, jusqu'à récemment reclus dans cette contrée hostile, l'ont désertée pour regagner le reste du continent.

Vallée de Grick : Royaume des nains.

Ymirion : Capitale de Kalamdir, abritant le palais du roi Limius.

Peuples

Bosotoss : Colosses mesurant deux fois la hauteur d'un homme. Ils vivent généralement dans le désert, possèdent un sixième sens pour l'orientation, ainsi que la capacité d'établir à distance une forme de communication limitée avec ceux de leur race.

Glurpèdes : Race sous-développée provenant des marécages. Ils ont l'apparence de crapauds hideux et visqueux à la forme humanoïde.

Hylianns : Cousins des hommes. Plusieurs caractéristiques physiques, comme leur peau argentée, les rendent faciles à reconnaître. Ils habitent généralement en forêt.

Kalamdiens : Nom donné aux hommes peuplant le royaume de Kalamdir. Ils possèdent une grande armée, occupée dans le nord à faire la guerre aux nains.

Keenox : Petites créatures insouciantes ressemblant à des rongeurs. Ils sont de plus en plus rares. Ils parlent toutes les langues, y compris celles des animaux.

Kourofs : Warraks appartenant au clan d'Ithan'ak.

Küraniens : Nom donné aux hommes peuplant le royaume de Küran. La plupart d'entre eux sont des paysans.

Warraks : Farouches guerriers dont le physique s'apparente au loup. Leurs yeux sont généralement verts, mais deviennent rouges lorsque les warraks sont submergés par la rage ou la soif du combat. Ils ont récemment vaincu les Kalamdiens à la bataille de Locktar. Ils assiègent maintenant la cité d'Ymirion, afin de mettre un terme à la tyrannie du roi Limius.

Personnages

Ackémios (Hyliann) : Il est à la tête du haut conseil des hylianns.

Claymore (Homme) : Docteur ayant voué sa vie à ce qu'il appelle l'art de la médecine. Il est contraint de suivre et d'obéir au général Karst.

Elwym (Hyliann) : Jeune hyliann originaire de la forêt d'Eswalm. Depuis la mort de ses frères et la trahison de Simcha, il a développé un profond dégoût pour les hommes.

Filistant (Homme) : Roi du royaume de Küran.

Fork (Bosotoss) : Plus social que ceux de sa race, il est un vieil ami d'Ithan'ak. Son don télépathique l'a informé que ses semblables étaient en difficulté, ce qui l'a poussé à retourner dans le désert.

Horl'ak (Warrak) : Capitaine du clan des kourofs.

Ithan'ak (Warrak) : Chef du clan des kourofs et principal rival de Kran'ak. Il a eu la chance de communiquer avec le dieu de la guerre, Kumlaïd, qui a doté son bras droit d'une grande puissance magique.

Kalë (Warrak) : Jeune apprenti du clan des kourofs et ami fidèle de Ryan.

Kamélia (Hyliann) : Ambassadrice de la forêt de Lelmüd.

Karst (Homme) : Général en chef du royaume de Kalamdir. À la suite d'une altercation avec Ithan'ak, la moitié de son visage a été ravagée. Sans l'intervention du docteur Claymore, il serait décédé. Il est prêt à tout mettre en œuvre pour se venger d'Ithan'ak.

Kran'ak (Warrak) : Belliqueux chef du clan des sciaks. Sa soif de pouvoir n'a d'égal que ses méthodes draconiennes. Il est depuis peu devenu priman'ak, c'est-à-dire chef suprême des armées warraks.

Limius (Homme) : Roi du royaume de Kalamdir. Ce tyran rêve d'assouvir les différents peuples d'Anosios par tous les moyens possibles.

Mikann (Warrak) : Elle appartient au clan des sciaks. Sa fourrure colorée, plutôt que grise comme la plupart des warraks, en fait d'elle une celfide. Elle est amoureuse d'Ithan'ak.

Nicadème (Homme) : Magicien vivant reclus dans la forêt de Grownox.

Ryan (Warrak) : Jeune apprenti du clan des kourofs et ami fidèle de Kalë.

Simcha (Homme) : Originaire du royaume de Küran. Il a trahi Ithan'ak et ses compagnons afin de s'attirer les faveurs du roi Limius. Il a récemment dirigé les Kalamdiens à la bataille de Locktar.

Sintoriens (Hommes) : Gardes personnels du roi Limius. Ces soldats sont reconnus pour être des combattants presque invincibles.

Skeip (Keenox) : Recherché par Xioltys et le roi Limius, qui désirent utiliser le don inné des keenox pour les langues, afin de déchiffrer de vieux livres de magie et ainsi invoquer un dragon céleste. Il est sous la protection d'Ithan'ak et de Vonth'ak.

Toran (Homme) : Chef des cavaliers de la plume argentée. Il a récemment recouvré son honneur en portant secours aux warraks durant la bataille de Locktar.

Vonth'ak (Warrak) : Magicien, ancien élève d'Antos. Sa principale motivation est le rétablissement de la magie et il compte sur Skeip pour arriver à ses fins.

Xioltys (Homme) : Magicien d'Ymirion adopté par le roi Limius. Il a besoin de Skeip pour déchiffrer les vieux livres de magie.

Yrus'ak (Warrak) : Capitaine du clan des kourofs et bras droit d'Ithan'ak.

Panthéon des dieux

Hélisha : Déesse de la sagesse et de la connaissance.

Konorph : Dieu des moissons et de la végétation, et amant de Nürma.

Kumlaïd : Dieu de la guerre.

Kylien : Dieu berger.

Nalia : Déesse de l'air.

Nenya : Déesse de la mer.

Nürma : La terre bienfaitrice et la plus haute divinité.

Marquis imprimeur inc.

Québec, Canada
2010